셋째판

ractice of Fluid Therapy

수액요법의 실제

Practice of Fluid Therapy 3rd ed.

Jae Kyu Cheun, M.D., Ph.D

Professor
Department of Anesthesiology and Pain Medicine

Hyun Chul Kim, M.D., Ph.D

Professor
Department of Nephrology

Ji Hoon Park, M.D.

Assistant Professor
Department of Anesthesiology and Pain Medicine

KOONJA PUBLISHING, INC
Seoul, Korea

수액요법의 실제 ^{3rd ed.}

첫째판 1쇄 인쇄 | 1999년 1월 18일
첫째판 1쇄 발행 | 1999년 1월 25일
첫째판 2쇄 발행 | 2002년 7월 25일
둘째판 1쇄 발행 | 2009년 3월 18일
둘째판 2쇄 발행 | 2010년 6월 15일
셋째판 1쇄 인쇄 | 2020년 6월 8일
셋째판 1쇄 발행 | 2020년 6월 15일
셋째판 1쇄 발행 | 2020년 6월 15일
셋째판 2쇄 발행 | 2024년 5월 17일

저   자   전재규, 박지훈
발 행 인   장주연
출 판 기 획   조형석
편집디자인   인지혜
표지디자인   김재욱
일 러 스 트   유시연
발 행 처   군자출판사
        등록 제4-139호(1991.6.24)
        (10881) **파주출판단지** 경기도 파주시 회동길 338(서패동 474-1)
        Tel. (031)943-1888   Fax. (031)955-9545
        홈페이지 | www.koonja.co.kr

ISBN 979-11-5955-576-3
정가 25,000원

저자 약력

▌전 재 규

저자 약력

- 경북대학교 의과대학 졸업
- 미국클리버랜드 크리닉병원 마취과 수료
- 대한민국 및 미국 마취과 전문의
- 의학석사 및 의학박사 학위 취득
- 미국 템플의과대학 조교수
- 동산병원 마취과장
- 계명대학교 의과대학 주임교수
- 대한마취과학술이사
- 대한마취과 학회장
- 대한통증의학 학회장
- 한국의료윤리학 회장
- 계명대학교 의과대학장
- 계명대학교 명예교수
- 대신대학교 석좌교수
- 대신대학교 총장
- 대신대학교 명예총장, 명예 신학박사
- 계명대학교 동산병원 임상교수

저자 저서

- 마취과학(공저 공판)
- 임상의를 위한 척추마취(개정 2판 단행본)
- 마취과학 개정판(공저 공편)
- 임상산과 마취(개정 2판 단행본)
- 통증의학(공저 공편)
- 임상의를 위한 순환호흡생리(단행본)
- 수액요법의 실제(개정 2판 단행본)
- 의료 윤리학(공저)
- 호스피스총론(공저)
- 전인치유, 현대과학(공저)
- 너도가서 그리하라, 장편소설(공저)
- 수액요법의 실제(개정 3판 단행본)

▌박 지 훈

저자 약력

- 고신대학교 의과대학 졸업
- 계명대학교 의과대학 석사
- 계명대학교 동산병원 마취통증의학과 전문의
- 계명대학교 의과대학 마취통증의학과 조교수

개정 3판을 내면서

1999년 1월 25일에 〈수액요법의 실제〉 초판을 발간한지 만 20년의 세월이 지난 차제에 세 번째 개정판을 발간하게 되어 감회가 새롭다.

대수롭지 않게 시작한 이 책이 오랫동안 의료인의 많은 사랑을 받게 되었으니, 이는 아마도 인간 생명유지의 기본적 기능을 다루었기 때문일 것이라 여긴다. 기본은 쉽게 변하지 않으니 그 수명도 길 수 밖에 없으나, 지금까지 초·중판만으로 오래 지속하였다고 만족하려 했으나, 군자출판사의 거듭된 권유로, 그 내용을 현시대에 맞도록 수정하여 개정판을 내기에 이르렀다.

모든 생체는 물과 공기의 힘으로 살아간다고 할 수 있다. 호흡과 순환은 생물의 생존에 필요한 일차적 기능이다. 생체는 물과 공기의 균형으로 일차적 생명을 유지한다. 따라서 수분의 공급과 배설은 생명과 직결됨으로, 수액요법과 호흡기능의 이해는 모든 의료인의 필수적 지식이 되어야 할 것이다.

과학은 쉴 사이 없이 발전하여, 20세기 말을 전후하여 아인슈타인의 상대성 원리와 막스 플랑크 등에 의한 양자역학 발달로 모든 물질은 에너지에서부터 온다는 가설이 정설로 확정되었고, 인간의 육체도 다른 모든 물질과 꼭 같은 원소로 만들어졌음을 이해하게 되었다. 인간의 육체는 원소가 결합 된 분자의 덩어리로 된 에너지의 집합체이다. 그러나 사람은 물과 산소와 같은 원소로 구성된 에너지의 융합체 이상의 초월적 존재, 즉 혼과 영과 육체가 결합된 전인적 존재이지만, 역시 H_2O란 물과 O_2란 산소와 수소 그리고 NaCl, KCl 등 26여 개의 원소가 뭉쳐진 육체와 함께 공존함으로 물과 공기의 가치가 더욱 새삼스럽다.

특히 의과학에 종사하는 모든 분들은 물과 산소가 어떻게 조화롭게 순환하며 생명체를 유지하고 있는지를 깨닫게 될 때, 인간의 존재가 신기함을 느끼게 된다.

인간은 인격체를 가진 혼적 존재요 종교성을 가진 영적 존재로 몸과 혼과 영으로 구성된 존엄한 존재이다. 이 존엄한 존재는 무형의 존재이고 원소로 구성된 육체는 유형의 존재이다. 이 유형의 존재는 무형의 존엄성을 담고 있는 그릇이다. 그러나 존엄성을 담고 있는 그릇이 없이는 인간이 될 수 없다.

이러한 형이상학적 사고를 하면서 본 〈수액요법의 실제〉를 다시 교정해 보았다. 본 저서는 세련된 전문 서적이라기보다, 의학에 입문한 의학도에게 유익한 수액의 기능과 그 중요성을 이해할 수 있도록 한 참고서이다.

금번 교정본이 나오기까지 박지훈 교수의 수고가 컸음에 감사를 전한다.

2020년 2월

계명대학교 새 동산병원에서

임상교수 **전 재 규**

Contents

chapter 03 신장의 기능

chapter 04 수액 요법

chapter.11 출혈의 치료

혈관 접근
및 카테터 관리

Chapter 01

혈관 확보는 수액, 약물 및 혈액의 공급뿐만이 아니라 환자 상태의 감시를 위한 수단(예; 중심정맥압, 폐동맥압)으로도 이용된다. 안전한 혈관 확보 및 수액요법을 시행하기 위해서는 수기의 이해 및 숙달, 그리고 그에 따른 합병증을 적절히 관리할 수 있어야 하며 합병증으로부터의 위험을 감소시키기 위해서는 시술 전 세밀한 계획과 관리가 필요하다. 여기에서는 가장 손쉬운 피하 정맥에의 접근법을 비롯하여 중심 정맥의 접근법을 포함한 혈관 카테터의 조작, 거치 및 합병증에 관하여 설명하고자 한다.

혈관 카테터 삽관시 준비 사항
(Preparing for vascular cannulation)

1. 장비 점검 및 환자 관리(Device check and patient care)

필요한 모든 물품을 쉽게 찾을 수 있도록 준비하고 유효기간을 넘기지 않았는지도 확인한다. 사용할 약물과 수액 및 혈액을 미리 점검한 후 수액 혹은 수혈 세트에 사용하기 쉽도록 연결하여 놓고 세트내의 공기를 제거한다.

환자에게 왜 이 시술을 시행하며 어떻게 실시하는지를 알기 쉽게 설명하여 줌으로써 환자를 편안하게 해주고 정맥 천자 동안에 환자의 불안을 덜어주기 위해 숨을 깊게 쉬도록 하면 도움이 된다. 천자시에 약간의 통증이 있으나 이후에는 그렇게 많이 불편하지 않을 것임을 환자에게 설명하여 준다. 그러나 소아 환자에게 전혀 아프지 않을 것이라고 말하는 것은 차후 의료인에 대한 불신감을 유발할 수 있다는 보고가 있으므로 신중하여야 한다.

2. 감염의 예방(Prevention of infection)

혈관 카테터를 거치할 경우 손의 세척은 가장 기본적이나 무시되는 경향이 많다. 실제로 고영양 치료를 받는 환자의 혈관 라인을 관리하는 의사 및 간호사의 약 40%가 손에서 세균이 관찰된다.

손의 세척은 반드시 소독액으로 씻을 필요는 없으며 단순히 살균 비누로 세척하는 정도면 된다. 필요한 경우에는 포비돈-아이오다인 용액이나 에틸알코올 등으로 세척하면 훨씬 더 효과적이다. 소독 장갑의 착용은 바늘로 인한 상해를 방지하기는 어려우나, 특별히 시술자가 전염의 위험이 있는 환자로부터 감염을 예방하기 위해서는 소독 장갑을 착용해야 한다. 그러나 모자, 소독복, 마스크 등은 카테터와 관련된 패혈증(sepsis)의 발생률을 감소시키지는 못한다. 말초정맥을 제외한 모든 중심정맥의 확보시에는 소독 장갑, 모자, 마스크, 소독복, 전신 드랩 등을 사용하여야 한다(**Point**). 시술자는 모든 환자들을 보균자로 가정하여 카테터 삽관 및 주사바늘을 사용할 때 감염이 되지 않도록 한다. 주사바늘의 사용 후에는 뚜껑을 손으로 닫지 않도록 한다. 주사기로부터 바늘을 제거할 경우에는 손으로 제거하지 말고 고무나 코르크 등에 바늘을 꽂은 상태로 제거하는 것이 안전하다.

Point 혈관 카테터 삽관시 감염 예방을 위한 준비사항

1. 손의 세척
2. 일반적인 주의사항(2011, centers for disease control)
   - 보호장갑을 사용하라(시술자의 감염 보호).
   - 소독장갑을 사용하라(환자의 감염 예방).
   - 모자, 소독복, 마스크, 보호안경 등은 불필요하다.
   - 주사 바늘에 의한 상처를 피하라.

피부 청결은 소독(antiseptic)과 살균(disinfectant) 작용으로 나뉘어진다. 소독 작용은 피부의 정상 세균을 죽이는 작용을, 살균 작용은 정상적인 세포 이외에 있는 세균을 죽이는 작용을 의미한다. 혈관 천자 부위의 소독을 위하여 알코올과 아이오다인, 클로로헥시딘이 주로 사용되며 알코올은 흔히 70% 용액으로 사용되나 이는 불결한 피부에는 살균력이 약하므로 다른 소독제와 함께 사용된다. 일반적으로 베타딘(포비돈-아이오다인 제제)을 많이 이용한다. 베타딘은 최소한 2분 이상이 지나야 충분한 효과를 발휘하는데 이는 아이오다인이 피부에 자극을 주는 것을 방지하기 위하여 아이오다인에 운반체를 함께 첨가함으로써 아이오다인이 피부에 서서히 방출되도록 만들어져 있기 때문이다. 알코올로 소독할 경우에도 1~3분 정도 기다리는 것이 효과가 좋다. 최근에는 중심 정맥관 삽관이나 동맥관 삽관시 알코올이 함유된 0.5% 이상의 클로로헥시딘으로 소독할 것을 권장하고 있으며 클로로헥시딘에 금기일 경우 아이오다인과 알코올을 대체제로 사용할 것을 권하고 있다. 모든 균들이 환자의 신체나 공기 중에서 확실하게 제거되지는 못할지라도 피부의 소독으로 감염 합병증을 최소화할 수 있다.

피부 면도는 피부 손상 및 이로 인한 세균의 군집이 가능하므로 권장하지 않는다. 필요하다면 면도가 아닌 체모를 깎는 방법을 이용하는 것이 좋다.

3. 정맥의 준비(Vein preparation)

정맥 천자의 준비가 완료된 후에 말초혈관을 천자할 경우 시술자는 가능하면 의자에 앉아서 시술하는 것이 편리하다. 지혈대(tourniquet)를 사용하면 혈관이 확장되어 천자가 용이하며 이때 지혈대의 압력은 이완기혈압보다는 높고 수축기혈압보다는 낮은 상태로 하여야만 동맥혈은 유입되고 정맥혈은 유출이 방지될 수 있다. 혈관이 천자된 후 지혈대는 즉시 풀어주어야 한다. 또한 환자의 손을 주먹을 쥐었다 폈다를 반복하게 하면 혈관이 더욱 확장되며 정맥 부위를 두드리는 것도 도움이 된다. 침대에 누워있는 환자에서는 팔을 침대 밖으로 늘어뜨리게 하면 천자가 용이하며 혈관을 쉽게 찾을 수 없는 환자에서는 따뜻한 물에 20분 정도 담그면 정맥이 확장될 수 있다. 가능하면 말단 쪽의 혈관을 이용하는 것이 좋은데 이는 천자에 실패할 경우 상부의 혈관을 이용하기가 용이하다.

카테터 삽입 기구
(Catheter insertion device)

혈관 확보를 위한 카테터의 삽입은 크게 바늘을 이용하는 것과 유도철사를 이용하는 두 가지의 방법이 있으며, 간혹 카테터를 사용하지 않는 나비형 바늘을 이용하기도 한다.

1. 바늘에 걸쳐진 카테터(Catheter-over-needle)

이 기구는 유도바늘이 카테터 안에 있으며 삽입시 카테터 끝과 피부의 손상이 적게 발생된다(그림 1-1).

혈관을 천자하기 전에 유도바늘에서 카테터가 쉽게 빠져 나오는가를 확인하고 바늘의 끝이 이물질 등에 의하여 막혀 있지 않은가를 미리 확인하는 것이 좋다. 주사바늘은 피부와 15°정도의 각도로 전진시키며 바늘 끝이 혈관에 들어가면 바늘 뒤쪽의 혈액 유출 공간(flash chamber)에서 역류한 혈액을 확인할 수 있다(그림 1-2). 여기에서 주사바늘을 5 mm 정도 혈관으로 더 전진시킨 후 주사바늘의 끝을 엄지와 검지로 잡고 반대측의 손으로 카테터를 밀어 넣고 바늘은 제거한다(그림 1-3).

　바늘은 카테터가 정맥 내에 있는 동안 절대 재삽입 하여서는 안된다. 이로 인해 카테터가 끊어질 위험이 있기 때문이다. 카테터를 통하여 혈액이 자연스럽게 흘러나오면 성공적인 혈관 확보가 된 것이며 이것이 확인된 후 카테터 끝이 위치한 혈관 부위를 눌러 더 이상의 혈액 유출을 막으면서 수액 세트를 연결한다. 모든 연결이 완료된 후 카테터를 삽입한 날짜와 의료인의 이름을 기록하는 것이 좋다.

카테터

혈액유출공간

유도바늘

그림 1-1 바늘에 걸쳐진 카테터(Catheter-over-needle)

　이 방법은 시술이 단순하다는 장점이 있으나 카테터가 피부와 피하 조직을 통과하면서 문질러져 손상을 받을 수 있고, 차후에는 혈관내상피 조직을 손상시켜 정맥염이나 혈전증이 발생될 수 있다는 단점이 있다. 이러한 위험을 감소시키기 위하여 이 방법은 피하 혈관에만 주로 사용한다.

카테터 굵기의 결정은 투여할 수액의 종류 및 속도 등을 파악한 후 결정한다. 혈액은 18 게이지 이하의 카테터로서는 쉽게 투여할 수 없으므로 수혈이 필요한 경우는 최소한 18 게이지 이상의 카테터를 사용하며 굵은 카테터를 사용할 경우에는 1% lidocaine으로 천자 부위의 피부를 국소마취 시키는 것이 환자의 통증을 줄이는 데 도움이 된다.

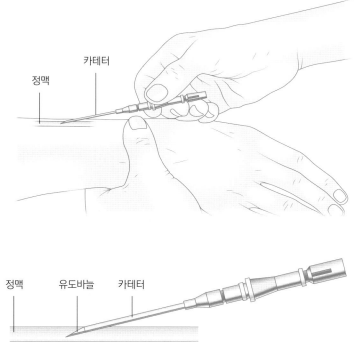

그림 1-2 바늘에 걸쳐진 카테터의 진입 및 혈관 천자

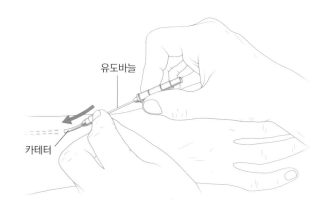

유도바늘

카테터

그림 1-3 혈관 천자 후 유도바늘의 제거

2. 유도철사에 걸쳐진 카테터(Catheter-over-guidewire)

유도철사를 이용한 카테터의 삽입은 1950년대 초에 개발되었으며 Seldinger 방법이라 불린다. 일반적으로 20 게이지 정도의 작은 구멍을 가진 바늘을 혈관에 찌른 다음 가는 철사를 이 속으로 통과시켜 혈관 내에 도달하게 한 후 바늘을 제거한다(그림 1-4A). 남아 있는 유도철사를 이용하여 카테터를 혈관내로 밀어 넣으며 혈액이 뒤로 유출됨과 동시에 철사를 제거한다(그림 1-4B).

이 방법은 작은 구멍의 바늘을 사용하기 때문에 피하 조직과 혈관에의 손상이 적게 발생되나 이어 굵은 카테터를 삽입하므로 이러한 장점은 소실되며 중심정맥 카테터 및 동맥 카테터의 삽관시 흔히 이용된다. 또한 유도철사에 의한 혈관 벽의 천공 가능성이 있으므로 부드러운 유도철사를 사용하고 유도철사의 진행에 저항감이 느껴질 경우에는 더 이상 전진시키지 않는 것이 좋다.

3. 나비형 주사바늘(Butterfly needle)

　가끔 카테터를 사용하지 않고 주사바늘만을 혈관에 삽입하는 경우가 있으며 신생아 및 유아의 혈관 확보에 주로 사용된다. 나비형 주사바늘이 대표적인 예로 두피정맥 주사바늘(scalp vein needle)이라고도 한다. 이 바늘의 두 날개(wing)를 잡고 바늘의 경사면(bevel)을 위로 향하게 하여 피부에서 15°의 각도로 전진시켜 혈관에 도달하게 한다. 이때 시술하지 않는 손의 엄지를 이용하여 정맥 말단 부위의 피부를 약간 당겨주면 혈관이 고정되어 천자하기가 용이해진다. 이 바늘의 뒤에는 튜브가 연결되어 있어 이를 통하여 혈액이 역류함으로써 혈관 확보를 확인할 수 있다(그림 1-5).

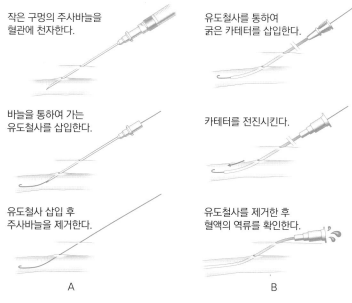

작은 구멍의 주사바늘을
혈관에 천자한다.

유도철사를 통하여
굵은 카테터를 삽입한다.

바늘을 통하여 가는
유도철사를 삽입한다.

카테터를 전진시킨다.

유도철사 삽입 후
주사바늘을 제거한다.

유도철사를 제거한 후
혈액의 역류를 확인한다.

A

B

그림 1-4 Seldinger 방법을 이용한 혈관 확보

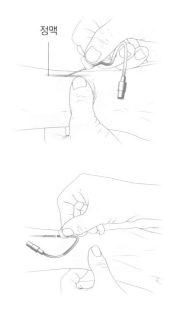

정맥

그림 1-5 나비형 주사바늘을 이용한 혈관 확보

카테터
(Catheter)

혈관 카테터는 방사선 투시시 나타날 수 있도록 바륨이나 텅스텐 염이 포함된 플라스틱 합성체로 만들어지며 수일 이내의 단기간 사용 시는 폴리우레탄을, 수주 혹은 수개월의 장기간 사용할 경우에는 훨씬 더 유연성이 있고 혈전의 생성이 적은 실리콘 재질을 사용한다.

1. 헤파린 함유(Heparin bonding)

어떤 카테터는 혈전의 생성을 줄이기 위하여 헤파린으로 코팅되어 있으나 이 방법이 카테터와 관련된 혈전 생성의 빈도를 줄이는 효과에 대해서는 아직 증명된 바는 없다.

2. 카테터의 크기(Catheter size)

카테터 크기의 결정은 수액의 투여 속도, 투여되는 수액의 종류, 카테터 거치 기간 등을 충분히 고려한 후 결정하여야 한다. 카테터가 굵으면 굵을수록 수액의 투여 속도는 빨라지나 정맥 폐쇄 및 혈관 손상의 위험성이 많음을 명심하여야 한다(그림 1-6). 경우에 따라서는 카테터 굵기 그 자체가 정맥을 완전히 폐쇄시킬 수도 있다. 자극성이 있는 약물이나 용액의 투여시는 굵은 혈관이 용이하다. 일반적으로 하루 1~3 리터 정도의 수액을 공급하는 경우라면 22 혹은 23 게이지 정도의 가는 카테터만으로도 충분하다.

혈관 카테터 크기의 단위는 외경(outside diameter)에 의하여 구분되며 게이지(gauge)와 프렌치(french) 단위를 이용한다. 게이지는 카테터 크기의 대표적인

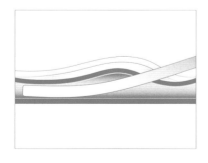

그림 1-6 카테터 굵기와 혈관 폐쇄

단위로 대부분의 카테터는 외경이 가장 큰 14 게이지에서 외경이 가장 작은 27 게이지까지의 범주에 속한다. 프렌치 단위는 밀리미터 단위의 내경에 3을 곱한 것으로 '프렌치 크기 = 외경(밀리미터) × 3'이 된다. 카테터의 크기는 유속(flow rate)과 관련 있으며 카테터 내경이 2배로 증가하면 유속은 4배 이상으로 증가하게 된다. 표 1-1는 카테터의 크기에 따른 250 mL의 생리식염수에 희석된 농축 적혈구의 주입 속도를 보여주고 있다.

표 1-1 카테터의 크기 및 유입 속도

게이지	프렌치	외경(outside diameter)		유속(mL/min)*
		인치(inches)	밀리미터(millimeters)	
14	6.30	0.083	2.10	–
16	4.95	0.065	1.65	96.3
18	3.72	0.049	1.24	60.0
20	2.67	0.035	0.89	39.5
22	2.13	0.018	0.71	24.7
24	1.68	0.022	0.56	–

*유속은 250 mL의 생리식염수에 희석된 농축 적혈구의 주입 속도를 보여주고 있다.

3. 다관 카테터(Multilumen catheter)

다관 카테터는 1980년대 초 임상에 도입된 것으로 요사이 중심 정맥 카테터로 많이 사용되고 있다. 그림 1-7은 삼중관 카테터(triple-lumen catheter)를 나타내며 외경이 2.3 mm이고 각 관은 대개 18 게이지로 되어 있으나 하나가 16 게이지로 된 굵은 것도 있다. 각 관의 카테터 끝 개구부는 최소 1 cm이상씩 떨어져 있어 주입 용액의 혼합을 최소화하도록 고안되어 있다. 다관 카테터는 혈관을 여러 군데 찌를 필요가 없는 장점이 있으며 단일관 카테터(single-lumen catheter)에 비하여 혈전이나 감염의 발생률이 증가하지는 않는다.

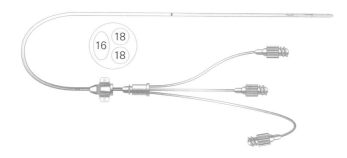

그림 1-7 다관 카테터(Multilumen catheter)

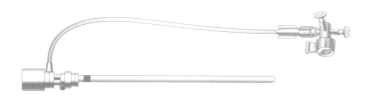

그림 1-8 유도 카테터(Introducer catheter)

4. 유도 카테터(Introducer catheter)

유도 카테터는 8~9 프렌치 정도의 구멍이 큰 카테터로 다관 카테터나 폐동맥 카테터 등과 같은 카테터의 삽관과 제거를 용이하게 하기 위하여 사용된다. 이 카테터의 옆에는 수액 주입을 위한 또 하나의 측면 주입관이 달려 있어 수액의 주입과 동시에 이 속에 있는 카테터에 의한 혈전 형성을 예방한다(그림 1-8).

혈관 접근 경로
(Vascular access routes)

혈관 천자 부위를 결정할 때 필요한 카테터의 크기와 유용한 혈관을 적절히 고려하여 선택하여야 한다. 천자할 정맥을 선택할 경우 일반적인 원칙 사항은 다음과 같다(Point).

> **Point** 정맥 선택시 일반적인 고려사항
>
> 1. 가능한 한 하지의 정맥 사용을 피하라.
> 2. 관절 부위의 정맥을 피하라.
> 3. 전주와정맥을 먼저 선택하지 말라.
> 4. 동맥 가까이 있는 정맥은 피하라.
> 5. 자주 사용하는 팔의 반대편 정맥을 사용하라.
> 6. 수술 환자는 수술 부위 반대편 정맥을 사용하라.

가능하면 하지정맥의 사용은 피하는 것이 좋다. 하지정맥 사용은 합병증이 많고 심폐소생술시 약물의 순환이 부적절하며 환자의 움직임이 불편하다는 단점이 있다.

관절 부위의 정맥은 환자가 움직일 때 우발적으로 제거되는 경우가 많으며 특히 마취 후 회복 시기의 환자에서 흥분 등으로 인하여 제거되는 경우가 많다.

전주와정맥은 채혈시 유용한 정맥이므로 아껴두는 것이 좋다. 동맥 혈압 라인이 확보되어 있는 환자에서는 예외가 될 수 있으나 일반 병실 환자에서는 가능하면 이 혈관을 채혈을 위하여 아껴두는 것이 편리하다.

해부학적으로 동맥 옆의 정맥이나 깊이 위치한 정맥의 사용을 피하는 것이 좋으며 오른손잡이의 환자는 왼쪽을, 왼손잡이의 환자는 오른쪽을 우선 이용하는 것이 환자가 움직이기에 용이하다. 사지의 수술을 요하는 환자에서는 미리 수술 반대편 부위의 정맥을 천자한다. 그렇지 않을 경우 수술실에서 또다시 혈관을 확보하여야 하는 번거로움이 있기 때문이다.

혈관 확보를 위해서는 말초혈관과 중심정맥 혈관들이 이용되며 드물게 혈관 확보가 용이하지 않은 경우 혈관절개술(cutdown)을 시행하기도 한다. 여기에서는 혈관절개술에 관한 언급은 하지 않고 말초혈관과 중심정맥의 확보에 관해서만 언급하기로 한다.

1. 말초혈관(Peripheral veins)

1) 전주와정맥(Antecubital veins)

이 부위의 정맥들은 확보가 빠르고 안전하며 경우에 따라서는 긴 카테터를 이용하여 중심정맥 카테터를 삽관할 수도 있다는 장점이 있다. 전주와(antecubital fossa)의 내측에는 기저정맥(basilic vein)이 위치하며 그 반대편에 두정맥(cephalic vein)이 위치한다(그림 1-9). 이중 기저정맥이 주행 방향이 직선이고 두

그림 1-9 전주와를 주행하는 혈관들

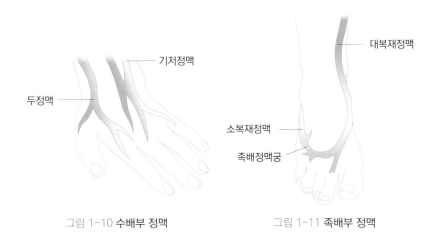

그림 1-10 수배부 정맥 　　　　　　　그림 1-11 족배부 정맥

정맥에 비하여 주행 경로의 변화가 거의 없는 장점이 있다. 반드시 환자가 누운 자세(supine position)를 취할 필요는 없으나 팔을 펴고 외전(external rotation)시키면 확보가 더욱 용이하다.

　혈관이 보이거나 촉지되면 카테터를 쉽게 삽관 할 수 있으나 혈관이 보이지 않거나 촉지되지 않을 경우에는 전주선(antecubital crease)의 1인치 위에서 상완동맥(brachial artery)을 촉지할 수 있다. 기저정맥은 이 동맥의 바로 내측에 위치하므로 여기에 카테터를 35~45°정도의 각도로 혈액이 뒤로 나올 때까지 전진시키면 약 80% 이상에서 성공할 수 있다. 동맥의 내측 및 정맥의 아래에는 정중신경(median nerve)이 위치하고 있어 과도하게 주사 바늘을 조작하면 이 신경의 손상을 초래할 수 있으므로 주의하여야 한다. 카테터가 짧을수록 유속은 증가하기 때문에 길이가 짧은 카테터를 사용하는 것이 중심정맥용 카테터를 사용하는 것보다 더 빠르게 수액을 주입할 수 있다.

2) 수배부 정맥(Veins of dorsum of hand)

기저정맥과 두정맥이 전주와에서 수배부로 내려오면서 눈에 잘 보인다. 실수로 동맥을 천자할 위험성은 적으나 때때로 수술 직후의 환자들에서는 움직임으로 인해 전주와의 정맥들에 비하여 고정이 불안정할 수 있다. 가능하면 말단 쪽의 혈관을 천자 하는 것이 실패할 경우 그 이상의 혈관을 사용할 수 있어 용이하다. 혈관 천자시 시술하지 않는 손의 엄지를 이용하여 혈관 말단 쪽의 피하조직을 약간 당겨주면 혈관이 안정되게 고정된다(그림 1-10).

3) 족배부 정맥(Veins of dorsum of foot)

상황에 따라 족배부의 정맥들을 이용하기도 하는데 대복재정맥(great saphenous vein)과 소복재정맥(small saphenous vein)이 발등으로 내려와 족배정맥궁(dorsal venous arch)을 형성한다(그림 1-11).

2. 중심정맥(Central veins)

중심정맥의 삽관은 중심정맥압의 측정, 고영양액의 주입 등과 같은 장기간의 혈관 사용, 급성 출혈시의 빠른 수액 및 혈액의 공급 등에 유용하며(Point) 외경정맥, 내경정맥, 쇄골하정맥, 대퇴정맥 등을 주로 사용한다(그림 1-12).

> **Point** 중심정맥 카테터 삽관의 적응증
>
> 1. 중심정맥압의 측정이 필요할 때
> 2. 수액을 위한 말초정맥로가 없을 때
> 3. 장기간 수액공급이 필요할 때
> 4. 신속한 수액공급이 필요할 때
> 5. 채혈이 자주 필요할 때
> 6. 고장성 혹은 자극성 물질을 투여할 때

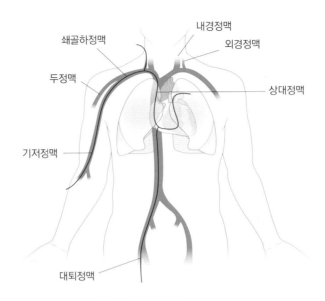

그림 1-12 중심정맥(Central veins)

1) 외경정맥(External jugular vein)

외경정맥은 내경정맥(internal jugular vein)에 비하여 눈으로 잘 보이며 피하층에 가까이 있어 쉽게 삽관할 수 있고 기흉 발생의 위험이 없으며 출혈 발생시 비교적 지혈이 용이하다는 장점이 있다. 또한 이 정맥의 주위에는 중요한 해부학적 구조물들이 거의 없다는 점 또한 장점이다.

해부 귀 뒤쪽에서 시작하여 흉쇄유돌근(sternocleidomastoid muscle)을 지나 경부 근막(cervical fascia)을 통하여 쇄골(clavicle)의 중간 아래로 내려간다. 쇄골하정맥과 만나는 부위에서 급격한 각도를 형성하여 카테터의 진입이 어려울 수 있다(그림 1-13).

삽관 방법 환자를 바로 누운자세나 Trendelenburg 자세를 취한 후 두부를 시술 부위의 반대편으로 돌리게 한다. 필요하다면 쇄골 바로 상부 쪽을 눌러 정맥 환류를 막게되면 외경 정맥이 확장되어 시술이 용이해진다. 이 정맥은 주위 구조물들이 지지를 해주지 않기 때문에 시술시 엄지손가락과 집게손가락을 정맥의 상하부에 동시에 눌러 고정시켜 주면 천자가 쉬워진다. 주사바늘의 경사면은 위로 향하게 하고 카테터를 진입하면 된다. 진입이 어려울 경우에 무리하게 진입하면 혈관이 손상될 수 있는데 이 때는 "J" 모양의 유도철사를 사용하면 도움이 된다.

기타 심한 혈액응고 장애 질환이 있는 환자에서도 일시적인 혈관 확보에 용이하며 시술자가 중심정맥 확보에 대한 경험이 부족하거나 쇄골하 혹은 내경 정맥 확보를 선호하지 않는 경우에 주로 이용될 수 있다. 그러나 경우에 따라서는 카테터의 진입이 어려울 수 있어 다른 중심정맥 확보보다 반드시 쉽다고는 할 수 없다.

2) 내경정맥(Internal jugular vein)

내경정맥을 사용할 경우 기흉 발생률은 낮으나 동맥 천자(2~10%) 및 흉선(thoracic duct)의 손상 가능성이 높으며, 머리나 목을 움직일 때 카테터와 수액 세트도 함께 움직이므로 환자의 동작이 불편하고, 감염의 발생 가능성이 다른 혈관에 비하여 높다는 단점이 있다. 또한 저혈량증(hypovolemia) 환자에서는 혈관천자 성공률이 낮다.

해부 내경정맥은 경부의 흉쇄유돌근 아래에 위치하고 있으며 두경정맥공(jugular foramen)을 통하여 두개골에서 나와 경동맥(carotid artery)의 뒤에 위치

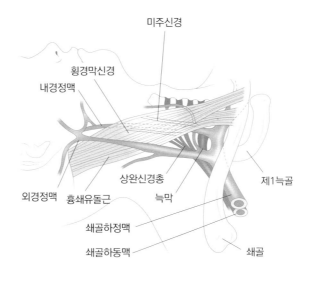

미주신경
횡경막신경
내경정맥
상완신경총
외경정맥　흉쇄유돌근　늑막
제1늑골
쇄골하정맥
쇄골하동맥
쇄골

그림 1-13 외경, 내경 및 쇄골하정맥

한다. 경부로 내려오면서 총경동맥(common carotid artery)의 측방으로 주행하여 제 1 늑골 근처에서 쇄골하정맥과 만남으로써 끝이 난다(그림 1-13). 내경정맥의 내측은 경동맥과 경동맥동(carotid sinus)이 위치하며 후내측에는 제 1 늑골 부위에서 성상신경절(stellate ganglion)과 같은 교감신경간(sympathetic trunk)이 위치하고 후외측에는 횡격신경(phrenic nerve)이 있다. 내경정맥의 후외측 심하부에는 늑막(pleura)이 위치하고 있으며 좌측 내경정맥의 경우에는 이 부위에 흉선이 위치하고 있다. 우측 내경정맥이 우심방과 직선으로 연결되므로 우측 내경정맥의 삽관이 선호된다. 초음파를 이용해 내경정맥, 경동맥 및 주위 구조물을 확인하는 것이 삽관의 성공률을 높이고 합병증의 발생을 줄인다(그림 1-14).

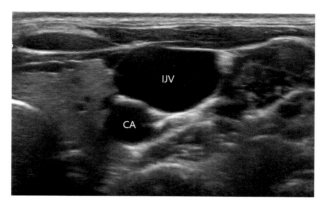

그림 1-14 **초음파를 활용한 정맥 삽관** (IJV, 내경정맥; CA, 경동맥)

<u>삽관 방법</u> 환자의 자세는 외경정맥의 천자시와 동일하며 머리를 시술 반대 방향으로 돌리게 하면 내경정맥이 귀에서 흉쇄 관절(sternoclavicular joint)로 직선 형태의 주행이 된다. 내경정맥의 삽관 방법은 전방 접근법과 후방 접근법이 있다.

① 전방 접근법(Anterior approach)

흉쇄유돌근의 두 머리(head)와 쇄골이 이루는 삼각형에서 경동맥을 촉지한 후 이 동맥을 내측으로 밀어낸다. 바늘의 경사면을 위로 향한 채로 삼각형의 상부 꼭지점에서 동측의 유두(nipple)를 향하여 45°의 각도로 전진한다. 만약 5 cm 정도 전진시켜도 혈관에 도달하지 않으면 4 cm정도 후진시켜 처음 시술의 약간 바깥쪽으로 다시 반복 시술하면 성공 확률이 증가한다. 혈관에 도달하면 뒤로 나오는 혈액의 색깔과 박동성(pulsation) 여부를 확인하여 경동맥을 천자한 것이 아닌지를 확인한다. 경동맥을 천자한 경우에는 바늘을 제거하고 5~10분 정도 압박하여 혈종 형성을 방지하여야 한다.

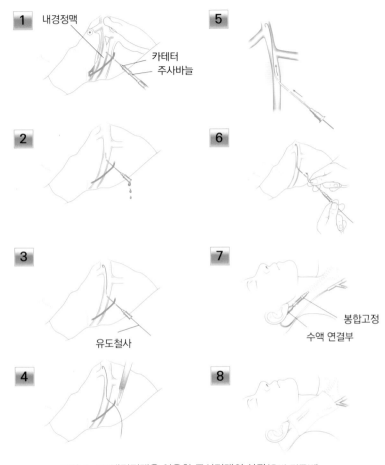

1 내경정맥 / 카테터 / 주사바늘
5
2
6
3 유도철사
7 봉합고정 / 수액 연결부
4
8

그림 1-15 내경정맥을 이용한 중심정맥의 삽관(후방 접근법)

1 주사바늘과 카테터를 이용한 내경정맥의 천자
2 주사바늘의 제거
3 카테터를 통한 유도철사의 삽입
4 카테터 제거 및 약간의 피부절개
5 유도철사를 통한 중심정맥용 카테터의 삽입
6 유도철사의 제거
7 피부봉합을 이용한 고정 및 수액 세트와의 연결
8 드레싱

동맥이 천자된 경우 동측에 또다시 천자할 경우 심각한 합병증이 발생될 수 있으므로 일단 동맥이 천자된 쪽은 다시 시술하지 않는 것이 좋다.

② 후방 접근법(Posterior approach)

외경정맥이 흉쇄유돌근의 외측연과 만나는 점의 1 cm 상부를 천자한다. 이때 경사면의 각도는 3시 방향으로 향하게 하고 흉쇄유돌근을 따라 흉골상절흔(suprasternal notch) 방향으로 전진시킨다. 이 방법의 시행시 피부에서 5~6 cm 정도 지나면 혈관에 도달하게 된다(그림 1-15).

기타 경동맥을 천자하여 우연히 이곳에 카테터가 삽관 되었을 경우에는 즉시 카테터를 제거하면 심한 출혈을 야기할 수 있기 때문에 카테터를 그대로 놔둔 채 혈관 전문 외과 의사와 상의하는 것이 좋다.

3) 쇄골하정맥(Subclavian vein)

쇄골하정맥은 내경이 약 20 mm 정도로 굵으며 주위 조직에 의해 혈관이 눌려 허탈(collapse)되는 정도가 약하여 천자가 용이하다. 또한 카테터 거치 후 비교적 환자의 경부 움직임이 용이하여 환자가 편안하다는 장점이 있다. 그러나 혈관 확보시 늑막, 혈관 및 신경 구조물들이 가까이 위치하고 있어 손상을 입히기 쉽다는 단점이 있다(표 1-2).

표 1-2 혈관에 따른 중심정맥 카테터 거치의 비교(1=최적 조건, 5=최악 조건)

	기저정맥	외경정맥	내경정맥	쇄골하정맥	대퇴정맥
삽관의 용이성	1	3	2	5	3
장기간 사용시 유용성	4	3	2	1	5
폐동맥 카테터 거치의 성공률	4	5	1	2	3
삽관시의 합병증 빈도	1	2	4	5	3

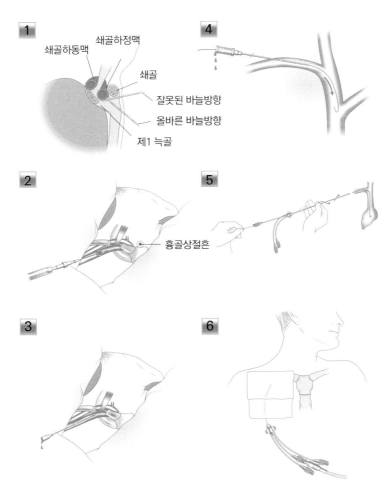

그림 1-16 쇄골하정맥을 이용한 중심정맥의 삽관(쇄골하 접근법)
1 올바른 바늘의 진행 방향
2 흉골상절흔을 향한 바늘의 전진
3 주사바늘 제거
4 카테터를 통한 유도철사의 삽입
5 유도철사를 통한 중심정맥용 카테터의 삽입 및 유도철사의 제거
6 드레싱

__해부__ 쇄골하정맥은 제 1 늑골의 외측연에서 액와정맥(axillary vein)으로부터 시작되어 쇄골 하부를 지나 내경정맥과 만나 상완두정맥(brachiocephalic vein) 이 된다(그림 1-12). 쇄골하동맥이 후상부에 위치하고 있어 동맥 천자의 가능성 이 높으며 동맥 천자 후에는 동맥을 압박하기가 상당히 어렵다. 이 동맥의 후방 부에는 상박신경총(brachial plexus)이 위치하고 있고 동맥의 전측 및 제 1 늑골 의 내측에는 횡격신경(phrenic nerve)이 있으며 내측에는 미주신경(vagus nerve) 이 위치하고 있다. 좌측 쇄골하정맥의 경우에는 흉선(thoracic duct)이 이 정맥의 후방부에 위치하고 있다. 늑막이 쇄골의 내측 위로 올라오므로 이 정맥의 5 mm 뒤에 늑막이 위치하게 되어 천자시 기흉(1~2%) 및 혈흉(1% 이하)의 발생 위험 성이 있다.

__삽관 방법__ 환자의 자세는 외경 및 내경정맥의 삽관시와 동일하며 어깨 밑을 약간 받혀 주면 도움이 되나 환자가 불편해 할 경우 반드시 필요한 것은 아니 다. 흉쇄유돌근의 쇄골 기시부(clavicular insertion)를 확인한 후 다음의 두 가지 방법으로 시행한다.

① 쇄골하 접근법(Infraclavicular approach)

쇄골과 연결된 흉쇄유돌근의 외측연을 확인하고 쇄골의 2~3 cm 하방으로 쇄골 중심의 약간 외측으로 전진시켜 쇄골과 제 1 늑골 사이로 천자한다. 바늘 의 경사면을 위로 향한 채 쇄골하연을 따라 쇄골상절흔을 향하여 혈액을 흡인 하면서 전진시킨다. 혈관에 도달하면 바늘의 경사면을 3시 방향으로 돌려주면 유도 철사의 상대정맥(superior vena cava)으로의 삽입이 용이하게 되며 이후의 카테터 삽입 방법은 Seldinger 방법에 따른다(그림 1-16).

② 쇄골상 접근법(Supraclavicular approach)

흉쇄유돌근의 외측연과 쇄골이 형성하는 각도를 확인하고 여기에서 각도를 양분하는 정도로 반대측 유두를 향하여 삽관한다. 이 방법에

표 1-3 쇄골하정맥 삽관시 해부학적 길이

	평균길이	
	우측	좌측
쇄골하정맥 및 내경정맥	5	5
상완두정맥	2.5	6.5
상대정맥	7	7
우심방까지의 거리	14.5	18.5

의하면 피부에서 쇄골하 정맥까지의 거리는 1-2 cm 정도에 불과하며 혈관에 도달 후 바늘의 경사면을 9시 방향으로 돌려주면 유도 철사의 전진이 더욱 용이해 진다. 이때 우심방까지의 거리는 좌측 쇄골하 정맥의 경우 18.5 cm, 우측 쇄골하 정맥의 경우에는 14.5 cm 정도가 된다(표 1-3, **Point**).

기타 기계적 환기를 시행받는 환자에서는 쇄골하정맥의 이용시 호흡에 따른 기흉 발생의 위험이 증가하므로 이 정맥의 이용이 제한되기도 한다.

Point 쇄골하 접근법에 대한 쇄골상 접근법의 장점

1. 피부 경계표시가 더 선명하다.
2. 피부에서 정맥까지의 거리가 짧다.
3. 피하조직 손상이 거의 없다.
4. 기흉과 혈흉의 발생빈도가 낮다.
5. 수술 도중에 시행할 수 있다.
6. 성공률이 높다.

4) 대퇴정맥(Femoral vein)

대퇴정맥은 주요 장기에의 손상이 거의 없으며 비교적 해부학적으로 확인이 쉬운 곳에 위치하고 있다는 장점이 있다. 그러나 감염의 위험이 높고 거치 후 환자가 불편하며 대퇴동맥을 천자할 가능성이 높다는 단점이 있다.

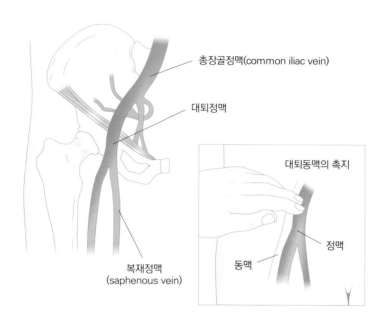

그림 1-17 **대퇴정맥의 해부**

해부 이 정맥은 서혜인대(inguinal ligament) 깊은 곳의 대퇴초(femoral sheath) 내에서 대퇴동맥의 내측에 위치하고 있으며 대퇴동맥의 외측에는 대퇴신경이 위치하고 있다(그림 1-17).

삽관 방법 서혜부선(inguinal crease) 바로 아래 부위에서 대퇴동맥을 촉지한 후 동맥의 1~2 cm 내측에서 45°의 각도로 천자 한다. 2~4 cm의 깊이에서 혈관 에 도달하며, 카테터나 유도철사 삽입이 어려울 경우 바늘의 각도를 낮추어주 면 용이하게 삽관 될 수도 있다. 만약 대퇴동맥이 촉지되지 않을 경우에는 전상 장골극(anterior superior iliac crest)에서 치골 결절(pubic tubercle)에 이르는 가상의 선을 그은 다음 이 선을 3등분하면 내측에서부터 첫 1/3이 끝나는 부위의 아래에 대퇴동맥이 위치하고 대퇴정맥은 이곳에서 1~2 cm 정도 내측에 위치하게 된다(Blind insertion). 이 방법을 사용할 경우 성공률이 90% 이상에 달한다.

<u>기타</u> 대퇴정맥으로의 삽관은 심폐소생술을 시행하는 경우에는 약물 주입 속도가 지연되므로 권장되지 않는다.

카테터의 관리
(Catheter care)

카테터의 삽관 후 거치된 카테터로 인하여 여러 가지 합병증들이 발생될 수 있으므로 매일 적절한 관리를 하여 합병증 발생을 예방하여야 한다. 카테터와 관련된 감염 자체가 반드시 패혈증을 유발하는 것은 아니나 그 가능성은 항상 가지고 있게 된다. 따라서 카테터와 관련된 감염은 환자의 사망률과도 직접 관련이 있으므로 주의 깊게 관리하여야 한다. 그림 1-18은 카테터 거치시 가능한

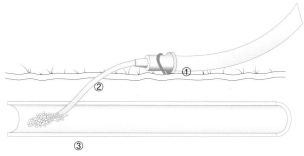

그림 1-18 카테터와 관련된 감염의 경로

감염 경로를 나타내는 그림으로 카테터의 연결부위, 피부 천자부위, 카테터의 끝 부위가 세균 증식의 주된 부위가 된다. 세균으로는 포도상구균이 반 이상(Staphylococcus epidermidis 27%, Staphylococcus aureus 26%)을 차지하며 나머지는 곰팡이나 다른 균들이 차지한다. 카테터가 삽관된 피부는 항상 무균 상태로 보호되어야 하며 이를 위하여 여러 가지 방법들이 이용되고 있다.

표 1-4 각종 드레싱에 따른 감염의 비교

드레싱 종류	피부 세균 증식	패혈증 빈도
소독거즈	+	+
투과성 폐쇄 드레싱	+++	
비투과성 폐쇄 드레싱	+++	++

1. 보호 드레싱(Protective dressing)

혈관 카테터 삽관 후 드레싱의 목적은 첫째, 천자 부위의 보호, 둘째, 카테터의 감염으로부터의 보호, 셋째, 카테터의 움직임에 의한 혈관 손상의 방지 등이다. 삽관 부위의 감염을 예방하기 위한 전형적인 방법은 소독된 거즈(gauze)를 사용하여 테이프로 고정시켜 덮어 준다. 이 방법은 매 48시간마다 교체를 하여야 하며 젖거나 더러워진 드레싱은 즉각 교체하여야 한다. 최근에는 피부 부위를 대기와 폐쇄되도록 붙이면서 삽관 부위의 감염을 직접 눈으로 확인할 수 있게 만든 투명한 드레싱 제제가 널리 사용하기도 하나 이는 피하층의 수분 증발을 막아 피부 아래에서의 세균의 증식을 조장시켜 패혈증의 발생률을 증가시키는 단점이 있다. 이러한 부작용 때문에 피부 수분이 증발될 수 있도록 투과성이 좋은 드레싱 제제(예; Op Site, Tegaderm)가 고안되었으나 전통적인 소독된 거즈를 사용하는 방법보다 우수하지는 못하다. 따라서 카테터 삽관 후 관례적으로 폐쇄된 드레싱을 사용하는 것은 권장되지 않는다(표 1-4).

2. 항생제 연고(Antimicrobial ointment)

카테터 삽관 부위의 피부에 항생제 연고를 사용하는 방법이 권장되었으나 이 역시 카테터와 관련된 감염의 발생률을 줄이지는 못하므로 권장되지 않는다.

표 1-5 카테터 교체의 적응증 및 방법

적응증	방법
카테터 삽입 부위의 홍반(erythema)	다른 부위에서 새로운 혈관 확보
카테터와 관련된 감염 발생 증상 의심	유도 철사를 이용한 교체
제거된 카테터에서 감염 징후 발생	다른 부위에서 새로운 혈관 확보
무균 상태에서 급히 카테터를 거치한 경우	유도 철사를 이용한 교체

3. 카테터의 교체(Catheter replacing)

카테터와 관련된 합병증은 거치 3일이 지나면 발생 빈도가 높아지며 따라서 수일 후 카테터를 교체하는 방법이 권장되었으나 카테터를 교체하는 경우나 새로운 부위의 혈관을 삽관하는 경우 모두에서 카테터와 관련된 감염의 발생을 감소시키지는 못한다. 따라서 관례적으로 주기적인 카테터의 교체 역시 권장되지 않으나 피부의 발적, 통증, 또는 부종 등은 감염을 시사하는 정맥 반응이므로 이 경우에는 카테터를 제거하여 주는 것이 좋다. 유도 철사를 이용하여 카테터를 교체하거나 다른 부위에서 새로운 혈관을 확보하여야 하는 경우는 표 1-5와 같다.

거치 및 유지에 따른 합병증
(Complications of placement and maintenance)

1. 혈종(Hematoma)

혈종은 모든 혈관 카테터의 삽관시 발생될 수 있는 합병증이다. 이는 카테터 삽입 동안에 적절하게 정맥으로 삽입하는데 실패할 경우 혹은 카테터 제거시 발생될 수 있다. 정맥이라 확신되지 않는 부위를 애쓰며 천자 하려고 하지 말며 카테터 제거 시에는 3~4분 정도 천자 부위를 압박하여주고 사지를 높여 주면 예방할 수 있다.

2. 정맥 천공(Vein perforation)

카테터의 삽관시 혈관 후벽(posterior wall)을 천공하지 않도록 하여야 한다.

3. 침윤(Infiltration)

침윤이란 주입액이 혈관이 아닌 주위조직으로 들어가는 경우를 말하며 약물 혹은 용액에 따라서 조직 괴사(necrosis)가 발생될 수 있으므로 주의하여야 한다. 침윤을 예방하기 위해서는 카테터의 고정을 적절히 하여 주고 피부가 차가운지 주위 조직이 부었는지를 관찰하여야 한다.

4. 동맥 천자(Artery puncture)

대부분의 정맥 주위에는 동맥이 위치하고 있으므로 동맥 천자 위험이 있으며 특히 혈액 응고 장애가 있는 환자들에서는 혈종 형성 및 출혈이 발생할 수 있으므로 주의하여야 한다. 각 정맥 확보시 천자할 수 있는 동맥들의 해부학적 위치는 혈관 접근 경로에서 이미 설명한 바 있다.

5. 신경 손상(Nerve injury)

대퇴정맥 및 전주와 정맥의 천자시 대퇴신경과 정중신경의 손상 가능성에 대한 해부학적 관련은 이미 기술하였다.

6. 감염(Infection)

정맥염(phlebitis)은 감염에 의해서뿐만이 아니라 물리적 혹은 화학적 자극에 의한 혈관내상피의 손상에 의해서도 발생될 수 있으며 카테터 거치 부위에 통증, 발적, 부종 등의 증상이 나타나게 된다. 이 부위의 온도 상승 및 부종의 확장 등은 화농성 정맥염이나 심각한 패혈증으로 진행될 수 있으며 이 경우에는 치료가 상당히 어려워지게 되게 될 뿐만 아니라 환자의 사망률과도 직접 연관된다. 카테터 거치 48시간 후 원인이 불분명한 발열의 발생시 카테터와 관련된 감염의 가능성을 의심하고 항생제를 투여하여야 한다. 일단 감염이 의심되면 혈액 배양 검사(blood culture)와 카테터 끝의 배양을 이용하여 진단이 가능하다.

7. 카테터 폐쇄(Catheter obstruction)

카테터의 폐쇄를 방지하기 위해서는 항상 수액이 투여되도록 하여 주거나 생리식염수 혹은 헤파린이 섞인 식염수를 규칙적으로 주입하면 도움이 된다. 수액의 투여 속도가 감소되거나 중단되고 카테터 방향의 변화에 따라 수액의 투여 속도가 변할 경우 카테터 폐쇄를 의심할 수 있다. 카테터 폐쇄의 원인으로는 삽입시 꼬이거나, 혈전 형성에 의한 혈액의 카테터로의 역류, 약물 투여에 의한 비수용성 침전물의 형성에 의하여 막히는 경우 등이 있으며 비수용성 침전물의 형성은 barbiturate, diazepam, phenytoin, digoxin 등과 같은 비친수성 약물에 의한 경우와 약물의 pH에 따라 발생할 수 있다.

카테터 폐쇄가 발생된 경우 유도 철사를 이용하여 카테터 구멍을 뚫어주는 방법은 금기이다. 이때 혈전 등의 물질이 혈류를 타고 색전증을 형성할 수 있기 때문이다. 카테터가 부분적으로 폐쇄되어 있는 경우에는 혈전 용해제 등을 카테터로 통과시키는 방법을 이용할 수 있다.

8. 공기 색전증(Air embolism)

원인 드물게 발생하나 치명적인 합병증으로 중심 정맥 천자시 발생될 수 있으며 다음의 경우에서 가능하다.

① 카테터의 단절(disconnection) 혹은 유출(leakage)

② 유도 바늘이나 카테터를 통한 공기 유입

③ 장기간 거치한 카테터 제거 후 통로 형성

따라서 중심 정맥에 삽관한 카테터는 단절된 상태로 놓아두어서는 안된다. 14 게이지 카테터의 경우 4 mmHg 정도의 압력 차이로 인해 1초에 90 mL의 속도로 공기가 유입 될 수 있으며 이는 1초 이내에 치명적인 공기 색전증을 유발시킬 수 있는 양에 해당한다.

증상 급작스런 호흡 곤란 및 저혈압이 발생되며 심할 경우 심정지를 초래할 수 있다. 공기가 난원공 개존증(patent foramen ovale)을 통과할 경우 뇌순환으로 들어가 급성 허혈성 발작(acute ischemic stroke)이 발생할 수 있다.

우심방에서 전형적인 "mill wheel" 심잡음을 들을 수 있으나 이 심잡음은 금방 소실될 수 있다.

치료 일단 공기 색전증이 의심되면 환자를 좌측위로 하여 중심정맥 카테터를 이용하여 공기를 흡인해 내어야 한다.

예방 공기 색전증을 예방하는 가장 효과적인 방법은 정맥압을 대기압보다 높게 하는 것이며 이는 Trendelenburg 자세를 하여 15°정도 낮추어 줌으로써 가능하다. 그러나 환자가 흡기시 흉곽내 음압이 발생되기 때문에 이 자세가 공기의 유입을 완전히 막을 수는 없다. 중심 정맥 라인의 연결을 교환할 경우 환자에게 계속 소리를 내게 하면 흉곽내 양압이 발생됨과 동시에 시술자가 청취함으로써 확인할 수 있다. 기계적 환기를 시행 받는 환자에게서는 카테터 연결 교체시 기계적으로 양압을 가해주어 흉곽내 양압이 되게 하여야 한다.

9. 혈전 색전증(Thromboembolism)

혈전의 형성은 카테터 굵기와 정맥의 굵기에 따라 그 발생 빈도가 달라진다. 혈관에 비하여 카테터가 가늘수록 혈관의 혈류 통과가 증가되므로 약물 및 수액이 혈액으로 희석되어 혈전 형성이 감소된다. 혈전 색전증은 카테터나 정맥의 벽에 있던 응고된 혈액 덩어리가 정맥혈을 따라 심장 및 폐순환으로 흘러들어가 발생된다. 특히 하지 쪽의 정맥은 색전 형성의 위험이 더욱 증가하며 수액 주입이 멈추게 될 경우 카테터를 다시 거치 하여 주는 것이 좋다. 주사기를 사용하여 통과시키는 것은 혈괴(blood clot)가 순환계로 유입될 수 있으므로 시도하여서는 안된다.

10. 기흉(Pneumothorax)

쇄골하정맥의 삽관시 발생 빈도가 가장 높으나 드물게 내경정맥을 사용한 경우에서도 발생된다. 따라서 중심정맥 카테터의 삽관 후 반드시 흉부 단순 촬영을 실시하여 기흉 발생의 유무를 확인하는 것이 필요하다. 호기시는 폐의 용적을 감소하는 반면 늑막내의 공기양은 감소하지 않기 때문에 호기시 촬영하여야 작은 양의 기흉도 확인할 수 있다.

기흉은 중심정맥 카테터의 삽관 후 24~48시간까지 흉부 단순 촬영상 나타나지 않을 수도 있다. 따라서 삽관 직후 사진에서 기흉이 없다고 해서 기흉의 발생이 없다고 확진할 수는 없으며 심지어 수일이 경과한 후 나타나기도 한다.

혈관 확보의 금기 사항
(Contraindications of vascular access)

혈관 확보의 절대적인 금기 사항은 없으나 다음과 같은 경우 주의를 기울여 시행하여야 한다.

1. 혈액응고 장애(Coagulopathy)

혈액응고 장애가 있는 환자에서 내경정맥과 쇄골하정맥을 천자할 경우 출혈의 빈도가 높으며 특히 쇄골하정맥은 천자 후 지혈이 상당히 어렵다. 그러나 최근 연구에 의하면 쇄골하정맥 천자시 혈액응고 장애의 유무와 출혈 빈도와는 관련이 없다고 하며 혈액응고 장애가 쇄골하정맥의 천자의 절대적인 금기 사항은 아니다.

2. 폐질환(Lung disease)

급성 천식이나 기포성 폐질환이 있는 경우 쇄골하정맥의 천자시 폐를 직접 찌를 위험성이 높으며 산소 공급이 충분하지 않은 환자에게서는 기흉 등의 합병증 발생시 치명적일 수 있다.

체액의
구성

Chapter 02

체액 구획
(Body fluid compartment)

인체의 60% 정도가 수분 즉, 체액으로 구성되어 있으며 체액의 구획은 세포막을 경계로 크게 세포외액(extracellular fluid, ECF)과 세포내액(intracellular fluid, ICF)으로 구분된다. 세포외액은 혈관벽을 경계로 하여 혈관내의 혈장(plasma)과 혈관외의 간질액(interstitial fluid, ISF)으로 구성된다(그림 2-1).

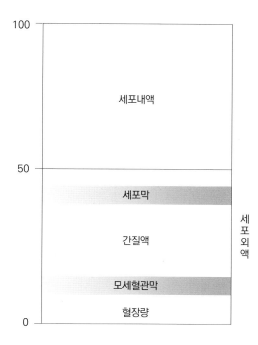

그림 2-1 체액의 구성비율(%)

세포내액은 체중의 40%를 차지하며 세포외액은 체중의 20%를 차지한다. 혈장은 혈관내의 적혈구 등과 같은 세포 성분을 제외한 체액으로 체중의 약 5%를 차지하며 여기에 혈색소의 양을 합하면 체중의 7.5%가 혈액으로 구성되어 있다. 간질액은 혈관외부 및 세포의 외부에 존재하는 체액으로 체중의 15%를 차지한다.

전체액량(total body fluid)은 연령, 성별, 기타 신체 조건들에 따라 달라진다. 체중에 대한 체액의 비율은 연령에 따라 변하는데 신생아의 경우에는 체중의 약 80%가 수분으로 구성되어 있고, 노인의 경우에는 전체 수분 함량이 상대적으로 감소된다(표 2-1). 지방 조직은 수분 함유량이 적기 때문에 비만증 환자의 경우에는 체중 kg당 전체 수분 함량이 상대적으로 감소하게 된다(표 2-2).

신체 각 조직에 따라 수분의 함량이 다른데 골격근은 약 75%, 피부는 약 70%, 심장, 폐 및 신장은 약 80%가 수분으로 구성되어 있으며 지방 조직은 수분이 10%이하에 불과하다.

1. 세포내액(Intracellular fluid)

세포내의 용적(volume)과 구성(composition)에는 세포외막(cellular outer membrane)이 중요한 역할을 한다. 세포막에 결합된 ATP 의존성 펌프(ATP-dependent pump)는 Na^+와 K^+를 3:2의 비율로 교환한다. 세포막이 Na^+에 비하여 K^+의 투과성이 적기 때문에 K^+는 세포내에, Na^+는 세포외에 주로 농축되어 있으며 결과적으로 세포내액에서는 K^+가 세포내 삼투압 결정에 가장 중요한 요소가 되며 세포외액에서는 Na^+가 삼투압 결정에 가장 중요한 요소가 된다. 대부분의 단백질들은 세포막의 투과가 어렵기 때문에 세포내액에 많이 존재한다(표 2-3). 단백질은 세포막을 통하여 확산이 잘되지 않는 음이온(anion) 용질로 작용하여 세포내 삼투압을 증가시키지만 비균형적인 Na^+와 K^+의 3:2 비율로 인하여 세포내의 단백질로 인한 과삼투 현상이 예방된다. 세포막의 이러한 ATP 의존성 펌프의 작용이 부적절하게 되면 세포내 삼투압 증가에 의하여 수분이 세포내로 이동되어 세포 부종을 야기하게 된다.

표 2-1 체액의 구분과 평형

			채액량(% 체중)			
			신생아	3개월 영아	1년~성인	노인
Total body water (전체액량)	Plasma(혈장)	Extracellular fluid (ECF) (세포외액)	40%	40%	5%	7%
	Interstitial fluid (ISF) (간질액)				15%	18%
	Intracellular fluid (ICF)	세포내액	40%	30%	40%	27%
		전체액량	80%	70%	60%	52%

표 2-2 비만시 체중당 수액량의 변화(% 체중)

		마른 체형	정상 체중	비만 체형
남성	수분	70	60	50
	지방	4	18	32
여성	수분	50	50	42
	지방	18	32	42

2. 세포외액(Extracellular fluid)

세포외액은 간질액과 혈관내액 즉, 혈장으로 구성된다. 세포외액의 일차적인 기능은 세포로 영양분을 공급하고 부산물을 배출하는 것이므로 정상적인 세포외액량의 유지는 생리적으로 상당히 중요하다. 이미 설명한 바와 같이 세포외액은 Na^+를 많이 포함하고 있어 이것이 세포외액의 삼투압 결정에 가장 중요한 요소가 된다. 대부분의 Na^+가 세포외액에 존재하기 때문에 세포외액량의 변화는 몸 전체의 Na^+양의 변화와 관련이 있다고 볼 수 있다.

1) 간질액(Interstitial fluid)

간질액은 gel 형태의 자유 수분(free fluid) 형태로 존재하며 간질액압(interstitial fluid pressure)은 일반적으로 –5 mmHg 정도의 음압을 가진다. 그러나 간질액량이 증가하면 간질액압 또한 증가하여 양압을 형성하게 되고 이렇게되면 gel 형태의 자유 수분이 증가하여 부종이 생기게 된다. 모세혈관막을 통과하는 혈장 단백질의 양이 적기 때문에 간질액내의 단백질 함량은 비교적 낮다(2 g/dL). 간질내로 들어간 단백질은 림프계(lymphatic system)를 통하여 혈관내로 돌아오게 된다.

2) 혈관내액(Intravascular fluid)

흔히 혈장으로 불려지는 혈관내액은 혈관내상피(capillary endothelium)에 의하여 혈관내 공간에 속해 있다. 대부분의 전해질은 혈관벽을 통하여 간질액과 자유롭게 이동되므로 혈관내액과 간질액에서의 전해질 구성은 거의 유사하게 된다. 그러나 알부민과 같은 혈장 단백질은 혈관벽의 통과가 어려워 혈장과 간질액 사이의 삼투질 농도의 차이가 생기게 된다.

세포외액량의 증가는 혈장량의 증가와 간질액의 증가를 함께 동반하게 되나 간질액압이 양압으로 증가하면 세포외액량의 증가는 간질액만을 증가시켜 혈관내 용적을 일정하게 유지시키려는 특성이 있다(그림 2-2). 간질액의 증가 결과로 나타나는 것이 조직의 부종이다.

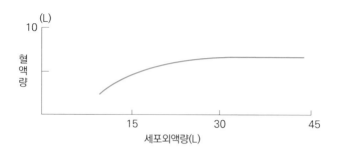

그림 2-2 세포외액량 증가에 따른 혈액량의 변화

체액의 전해질 조성
(Electrolyte composition of body fluid)

체액은 물을 용매로 하여 각종 용질 즉, 전해질, 단백질, 포도당 및 대사산물들이 용해되어 있으며 각각의 농도는 흔히 당량의 단위인 mEq/L로 표시한다(표 2-3). 당량(equivalent)이란 1 mole의 원자량(atomic weight)을 원자가(atomic valence)로 나눈 값으로 생체의 전해질은 농도가 매우 낮으므로 흔히 milliequivalent(1/1,000 equivalent)로 표시한다. 이들 전해질의 균형에 이상이 생길 경우 임상적으로 심장 및 신경계 등의 이상을 초래할 수 있다.

1. 양이온(Cation)

세포외액과 세포내액에는 다양한 전해질들이 포함되어 있는데 세포외액 양이온은 Na^+, Ca^{++}이 대표적이며, 세포내액 양이온은 K^+과 Mg^{++}이 대표적이다.
세포의 흥분성은 Na^+, K^+, Ca^{++} 등과 같은 전해질의 농도에 의하여 결정된다.

표 2-3 세포외액 및 세포내액의 용질 구성

용질		세포내액	세포외액	
			혈관내액	간질액
양이온	Na^+(mEq/L)	10	145	142
	K^+(mEq/L)	140~150	4	4
	Ca^{++}(mEq/L)	<1	3~5	3~5
	Mg^{++}(mEq/L)	40~50	2~3	2~3
음이온	Cl^-(mEq/L)	4	103~105	106~110
	HCO_3^-(mEq/L)	10	24	28
	HPO_4^-(mEq/L)	75	2~4	2~4
	단백질(g/dL)	16	7	2
	삼투압(mOsm/L)	278(270~286)	278(270~286)	278(270~286)

2. 음이온(Anion)

혈장의 주된 음이온은 Cl^-와 HCO_3^-이며 세포내액의 주된 음이온은 인
(phosphate), 유기산 및 세포내 단백질 등이다. 단백질은 구획 간의 이동이 자유
롭지 못하여 수분의 분포에 중요한 역할을 담당하게 된다. Cl^-와 HCO_3^-는 둘
중 한 가지 이온의 신장재흡수가 증가되면 다른 이온의 신장배설이 증가되므
로 이들을 교환성 음이온(exchangeable anion)이라 한다. 예를 들어 혈장에서의
Cl^-의 정상치는 103~105 mEq/L이고 HCO_3^-의 정상치는 22~28 mEq/L인데
이산화탄소가 증가되는 만성폐쇄성 질환자의 경우 HCO_3^-가 35~40 mEq/L로
증가하면 Cl^-는 85~95 mEq/L로 감소된다.

3. 음이온 차(Anion gap)

정상 상태하에서 측정된 혈장 Na^+와 K^+ 농도의 합이 Cl^-와 HCO_3^- 농도 합보다 15 mEq/L 이상을 초과할 수 없다. $[Na^++K^+]$와 $[HCO_3^-+Cl^-]$의 차이를 음이온 차(anion gap)이라 하는데 이는 비측정 양이온과 음이온의 차이를 반영하며 정상범위는 8~15 mEq/L이다.

음이온 차 = $[Na^+]$ + $[K^+]$ − $[HCO_3^-]$ − $[Cl^-]$
= [비측정 음이온] − [비측정 양이온]

비측정 음이온으로는 알부민이 대표적이며 α- 및 β-글로불린이 해당되고 그 외 인산, 황산, 유산 등이 있으며 비측정 양이온으로는 글로불린을 포함하여 칼슘, 마그네슘, 칼륨 등이 있다. 음이온 차의 임상적인 의의는 이것이 15 mEq/L 이상으로 증가될 경우 비측정 음이온 즉, lactate, ketones, salicylate 및 ethylene glycol 등의 증가를 예상할 수 있다는 것이다(표 2-4).

표 2-4 음이온 차 변화를 나타내는 장애

음이온 차의 감소 원인	음이온 차의 증가 원인
1. 증가된 양이온(Na^+ 제외) 　K^+, Ca^{++}, Mg^{++} 증가 　Li^+ 증가 2. 감소된 음이온(Cl^-, HCO_3^- 제외) 　알부민 감소 　산혈증(acidosis)	1. 감소된 양이온(Na^+ 제외) 　K^+, Ca^{++}, Mg^{++} 감소 2. 증가된 음이온(Cl^-, HCO_3^- 제외) 　알부민 증가 　알칼리증(alkalosis) 　무기음이온 증가; 인산염, 황산염 　유기음이온 증가; 유산, 케톤, 요독증 　외인성 음이온; salicylate 　　　　　　　　　paraaldehyde 　　　　　　　　　ethylene glycol 　　　　　　　　　methanol 　미확인 음이온; 독소, 요독성, 고장성 　　　　　　　　　비케톤성 상태, 　　　　　　　　　myoglobulin

체액 구획간의 교환
(Exchange between fluid compartments)

구획간의 체액 및 용질의 이동은 삼투압에 따른 확산 능력(diffusion capacity)에 따라 결정된다. 막을 통과하는 용질의 확산 속도는 다음의 네 가지 경우에 따라 결정된다.

　① 용질의 막 투과 능력(permeability)

　② 두 구획 사이의 농도 차이(concentration difference)

　③ 두 구획 사이의 압력 차이(pressure difference)

　④ 전기를 띠는 용질의 경우에서는 막 사이의 전기적 차이(electrical potential)

체액 구획의 경계는 세포내액과 간질액 사이를 경계하는 세포막과 혈관내액과 간질액 사이를 경계하는 모세혈관막의 두 가지가 있으며 이 막들은 각각 다른 특성에 의하여 구획간의 이동이 이루어진다.

1. 세포막을 통한 확산(Diffusion through cell membrane)

세포내액과 간질액을 경계하는 세포막을 통한 수액 및 용질들의 확산 방법과 각 방법에 의존하는 용질들은 다음과 같다.

① 세포막의 지질 이중막(lipid bilayer)을 통한 직접적인 확산

산소, 이산화탄소, 수분, 지용성 분자들은 이 방법으로 직접 세포막을 통과한다.

② 세포막 사이의 단백질 통로(protein channel)를 통한 확산

세포막을 경계로 Na^+-K^+ 의존성 펌프에 의하여 전위차가 생기는데 세포밖이 양전위가 된다. 따라서 Na^+, K^+, Ca^{++} 등과 같은 양이온들은 세포막의 전위 차이로 인하여 특별한 단백질 통로(specific protein channel)를 통하여서만 확산될 수 있다.

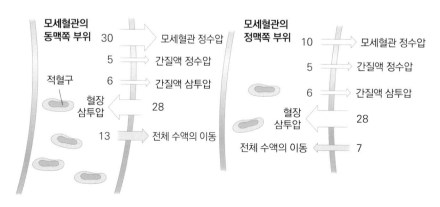

그림 2-3 모세혈관벽을 통한 수액의 이동(단위 mmHg)

③ 운반 단백질(carrier protein)과의 결합에 의한 확산

포도당과 아미노산같은 용질들은 세포막의 통과가 가역적인 운반 단백질(reversible carrier protein)에 결합하여 확산되며 이를 소통 확산(facilitated diffusion)이라 한다.

세포내액과 간질액 사이의 수분의 이동은 비투과성 용질의 농도 차이에 의해 생기는 삼투압에 따라 발생되며, 수분의 이동은 삼투압이 낮은 저장성(hypo-osmolar) 구역에서 삼투압이 높은 고장성(hyper-osmolar) 구역으로 이동한다.

2. 모세혈관내상피를 통한 확산
(Diffusion through capillary endothelium)

산소, 이산화탄소, 수분, 지용성 분자들은 모세혈관벽을 직접 통과하여 혈관내와 간질액 사이를 이동하며, 분자량이 적은 Na^+, K^+, Cl^-, 포도당 역시 쉽게 모세혈관벽을 통하여 이동되나 혈장 단백질과 같은 분자량이 큰 용질들은 모세혈관벽을 잘 통과하지 못한다.

모세혈관벽을 통한 수분의 이동은 세포막을 통과하는 것과는 다르며 삼투압 이외에 정수압(hydrostatic pressure)이 관련된다는 점이 특이하다. 모세혈관의 동맥쪽과 정맥쪽에서의 기전이 다른데 이 기전에 의하여 동맥쪽에서는 수분이 모세혈관 밖으로 빠져나가고 정맥쪽에서는 모세혈관 쪽으로 수분이 들어오게 된다(그림 2-3). 모세혈관의 동맥쪽 부위에서는 혈관내 삼투압이 간질액의 삼투압보다 약간 더 높아 수분을 당기는 역할이 있으나 모세혈관내의 정수압이 높음으로 인하여 전체 수분의 이동은 모세혈관에서 간질액으로 이동하게 된

다. 반대로 모세혈관의 정맥쪽 부위에서는 높은 모세혈관내의 정수압에 비하여 모세혈관내 삼투압이 더욱 높아 이의 영향으로 전체 수액의 이동은 간질액에서 모세혈관으로 이동하게 된다. 한가지 알아야 할 것은 모세혈관내 및 간질액에서의 삼투압 차이는 동맥쪽 부위와 정맥쪽 부위 모두에서 일정하나 정수압의 차이가 발생됨으로 인하여 동맥쪽 부위와 정맥쪽 부위에서의 전체 수분의 이동에 차이가 발생된다는 것이다. 동맥쪽의 모세혈관에서 간질액으로 빠져나간 수분의 10%는 이와 같은 기전에 의하여 모세혈관에 재흡수 되지만 간질액으로 빠져나간 나머지 90%의 수분은 림프계를 통하여 정맥쪽으로 흡수된다.

삼투압
(Osmolality)

두 액체 구획간을 경계하는 막이 어떤 물질에 대해서는 투과성이 좋은 반면에 다른 물질에 대해서는 투과성이 좋지 않은 경우를 반투과성막(semipermeable membrane)이라 한다. 생체의 대부분의 세포막(biological membrane)은 수분의 통과는 비교적 자유로우나 dextrose나 단백질과 같은 큰 분자는 잘 통과시키지 못하는 반투과성막으로 이루어져 있다. 두 액체 구획간에 전해질이나 큰 분자 등에 의하여 이들의 농도가 낮은 곳에서 높은 곳으로 수분의 이동이 발생되는데 이를 삼투현상(osmosis)라 하며 이때 전해질 및 단백질과 같은 용질들의 농도를 삼투질 농도 혹은 삼투활동성이라 하고 삼투현상의 정도를 삼투압이라 한다. 삼투압을 이해하기 위해서 다음의 몇 가지 정의를 아는 것이 도움이 된다.

1. 삼투활동성(Osmotic activity)

삼투활동성은 액체내에 존재하는 용질의 밀도 혹은 농도를 의미한다. 삼투활동성은 milliosmoles (mOsm)의 단위로 나타내며 이는 일가 이온(monovalent ion)의 mEq의 합과 같으며 용액의 삼투활동성은 용액내의 각 용질의 삼투활동성을 모두 합한 것이 된다. 0.9% NaCl의 예를 들면 이의 삼투활동성은 308 mOsm/L가 됨을 알 수 있다.

$$0.9\% \ NaCl = 154 \ mEq \ Na^+ + 154 \ mEq \ Cl^-$$
$$= 154 \ mOsm \ Na^+ + 154 \ mOsm \ Cl^-$$
$$= 308 \ mOsm/L$$

2. 삼투압(Osmolality & osmolarity)

Osmolality는 용매(solvent) 즉, 물에 대한 삼투활동성을 의미하며 osmolarity는 용매와 용질을 합한 즉, 용액량(volume of solution)에 대한 삼투활동성으로 표시된다. 따라서 삼투활동성이 액체를 기준으로 한 것이므로 osmolality가 액체의 삼투활동성을 보다 정확하게 반영한다고 볼 수 있다. 그러나 실제 인체의 체액구획에는 수분의 양이 용질에 비하여 월등히 많기 때문에 osmolality와 osmolarity의 차이는 거의 무시되므로 구분하지 않고 사용되고 있다.

삼투압은 용질 즉, 분자와 이온의 농도에 따라 결정되는 운동 에너지의 일종으로 두 구획간의 삼투압 차이는 구획간의 수분의 이동을 야기한다(그림 2-4). osmolality는 수분의 kg당 용질 osmole의 수를 나타내며 osmolarity는 용액의 liter당 osmole의 수를 나타내고 단위는 각각 mOsm/kg와 mOsm/L이다.

3. 삼투압과 장력(Osmolality versus tonicity)

장력(tonicity)은 효율적 삼투압(effective osmolality)라고도 하며 두 체액 구획사이의 삼투활동성의 차이를 의미한다. 이 차이는 한 구획에서 다른 구획으로 수분을 이동케 하는 원동력이 된다. 두 체액 구획에서 용질이 평형을 이루게 되는 상태에서는 두 구획 모두 용질에 의하여 삼투압이 동시에 증가하나 장력은 증가하지 않게 된다. 이의 대표적인 용질로는 요소(urea)가 있으며 이는 체액 구획 전반에 걸쳐 비교적 자유롭게 이동하므로 체액 구획 전반에서 고삼투압(hyperosmolality)을 나타내나 구획간에 있어 어느 한 쪽에서 고장성(hypertonicity)을 나타내지 않는다.

세포내액과 세포외액 사이의 수액 이동은 Starling force에 의한 삼투압에 의하여 조절되며 다음과 같은 공식이 성립된다.

Jv = Kf(ΔP − ΔΠ)

Jv; 모세혈관과 간질구획 사이의 수액이동, Kf; 모세혈관의 수분 투과성

ΔP; 모세혈관과 간질액 사이의 정수압 차이, ΔΠ; 모세혈관과 간질액 사이의 삼투압 차이

이때 혈관내 정수압은 모세혈관에서 간질 구획으로 수분을 나가게 하는 힘이고 혈관내 삼투압은 순환 혈액내로 수분을 끌어들이는 힘이 된다.

어떠한 세포를 동일한 유효삼투질 농도(effective osmolality)의 용액에 넣으면 세포내외간의 삼투압의 차이가 없으므로 세포용적에 변화가 생기지 않는다. 이와 같은 용액을 등장액(isotonic fluid)이라 하며 세포 종창(swelling)이 생

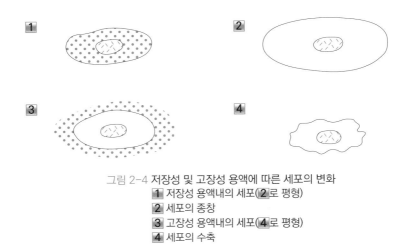

그림 2-4 저장성 및 고장성 용액에 따른 세포의 변화
1 저장성 용액내의 세포(**2**로 평형)
2 세포의 종창
3 고장성 용액내의 세포(**4**로 평형)
4 세포의 수축

기는 액체를 저장액(hypotonic fluid), 세포를 수축시키는 액체를 고장액(hyper-tonic fluid)라 한다. 그림 2-4의 **1**은 저장성 용액내의 세포를 의미하며 이는 곧 수분이 삼투압이 높은 세포내로 이동되므로 **2**와 같이 세포의 종창이 발생된다. 반대로 **3**은 고장성 용액내의 세포를 의미하며 이는 곧 삼투압이 높은 세포 밖으로 수분이 이동하게 되므로 **4**와 같이 세포의 수축이 발생된다. 이러한 삼투압의 차이에 의한 수분 이동은 삼투압 차이가 생기는 수초 이내의 빠른 시간에 생긴다. 그러나 전신에 걸쳐 삼투압의 평형이 이루어지는 시간은 약 30분 정도가 소요된다.

4. 혈장 삼투압의 계산

혈장 삼투압은 혈장내에 녹아있는 염분, 단백질, 포도당(glucose), 요소(urea) 등의 용질의 합에 의해 나타나며 혈장내의 주 양이온인 Na^+가 혈장내 전체 음이온의 약 90%의 양에 해당되는 양이므로 혈장 삼투압은 혈장 Na⁺양의 2배와 거의 동일하다고 볼 수 있다.

$$혈장\ 삼투압 \fallingdotseq 2 \times 혈장\ Na^+농도$$

여기에다 혈장내의 포도당과 요소가 삼투압을 가지는 용질이므로 이를 고려하면,

$$혈장\ 삼투압 = 2 \times 혈장\ Na^+농도 + \frac{glucose}{18} + \frac{BUN}{2.8}$$

이때 공식에 사용된 18과 2.8의 숫자는 mg/dL의 glucose와 BUN의 단위를 Na⁺와 동일한 단위인 mEq/L로 환산함에 의하여 생긴 것이다.

$$mEq/L = \frac{mg/dL \times 10}{원자가} \times 원자량$$

Glucose의 분자량은 180이고 urea의 분자량은 28이므로,

$$glucose,\ mEq/L = \frac{glucose(mg/dL) \times 10}{180} = \frac{glucose}{18}$$

$$urea,\ mEq/L = \frac{BUN(mg/dL) \times 10}{28} = \frac{BUN}{2.8}$$

그러나 요소는 세포막을 통하여 쉽게 이동이 가능한 비유효성 삼투질(inef-fective osmole)이기 때문에 이의 영향을 무시할 경우 혈장 삼투압은 다음의 공식과 같이 될 수 있다.

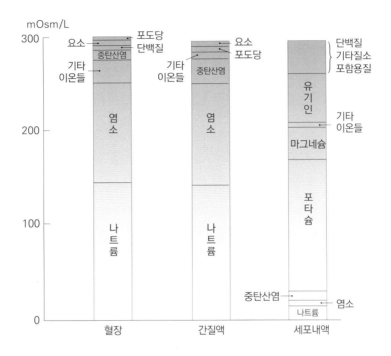

그림 2-5 체액 구획 간의 삼투질 농도

$$혈장 삼투압 = 2 \times 혈장\ Na^+ 농도 + \frac{glucose}{18}$$

혈장, 간질액, 세포내액의 전체 삼투질 농도는 약 300 mOsm/L이며 혈장에서는 4/5가 Na^+, Cl^-에 의하며 세포내액의 경우 약 1/2이 K^+에 의한다(그림 2-5). 용질 분자간의 상호 작용에 의하여 삼투활동성이 감소되는데 이에 의한 삼투활동성의 감소를 감안한 교정 삼투활동성(corrected osmotic activity)은 280 mOsm/L가 된다.

5. 삼투압 차(Osmolar gap)

삼투압은 삼투압 측정기(osmometer)를 이용하여 측정할 수 있으며 실제 측정된 삼투압과 위 공식에 의하여 계산된 값 사이의 차이를 삼투압 차라 하고 정상치는 10 mEq/L 이하가 된다.

삼투압 차 = 측정된 혈장 삼투압 – 계산된 혈장 삼투압

삼투압 차가 10mEq/L 이상으로 증가한 경우 계산된 삼투압이 낮은 경우에는 고단백혈증(hyper-proteinemia), 고지질혈증(hyperlipidemia) 등을 의심할 수 있다. 계산된 삼투압이 정상 범위에 있고 삼투압 차가 증가한 경우에는 eth-anol, mannitol, methanol, ethylene glycol, isopropyl alcohol 등과 같은 삼투압을 증가시키는 비정상적인 용질의 증가를 의미한다. 이러한 삼투압에 의한 수분 균형의 조절은 체내의 수많은 중추성 조절 기전들에 의한 복합적인 결과이다.

수분 균형의 조절
(Regulation of water balance)

　신체에서 수분 균형이란 수분의 흡수와 소실의 균형을 의미하며 동시에 세포내액과 세포외액 사이의 균형을 이루기 위한 수분의 이동을 포함한다. 수분 균형의 조절은 궁극적으로 혈장량 및 혈장 삼투압의 조절을 의미하며 삼투 기전과 비삼투 기전에 의하여 이루어진다.

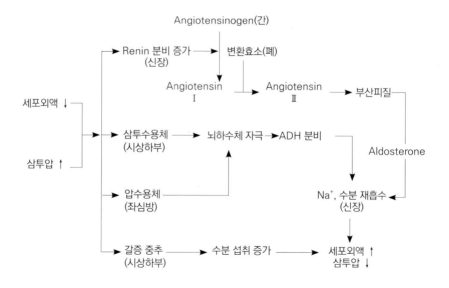

그림 2-6 세포외액량의 감소 및 삼투압 증가시의 생리적 변화

1. 세포외액량의 삼투성 조절
(Osmolar regulation of extracellular fluid volume)

1) 삼투수용체-ADH계(Osmoreceptor-ADH system)

혈장 삼투압은 일차적으로 뇌하수체에 존재하는 삼투수용체(osmoreceptor)에 의하여 조절된다. 이 수용체에 있는 신경세포(neuron)는 항이뇨호르몬(ADH, antidiuretic hormone)의 분비와 갈증 기전(thirst mechanism)을 조절하며 수분의 섭취 및 배출에 따라 거의 일정한 삼투압을 유지하려는 기능을 가진다(그림 2-6).

시상하부(hypothalamus)의 특이한 신경세포는 수축되면서 세포외액의 삼투압변화에 민감하게 반응하는데 이를 삼투수용체(osmoreceptor)라 한다. 삼투수용체는 시상하부의 시상상핵(supraoptic nuclei)과 방실핵(paraventricular nuclei)에 위치하고 있으며, 세포외액의 삼투질 농도의 작은 변화(2% 이상)에도 반응(수축 혹은 팽창)하는 수용체이다. 세포외액량의 감소 혹은 세포외액의 삼투압이 증가하면 수용체 세포가 수축되며 반대로 세포외액량이 증가 혹은 삼투압이 감소하면 수용체 세포가 팽창된다. 삼투수용체의 자극에 의해 생겨난 충격(impulse)은 후뇌하수체(posterior pituitary)에 저장된 호르몬인 ADH(vasopressin)의 분비를 자극하여 신장 집합관(renal collecting tubule)에서의 수분 재흡수를 증가시킨다. 이 기전과 함께 레닌-안지오텐신-알도스테론계를 통해 나트륨의 재흡수를 증가시키므로 혈장 삼투압을 감소시켜 정상치로 유지하게 한다.

반대로 세포외액의 삼투압이 감소하면 신경세포의 종창이 발생되면서

ADH 분비가 억제된다. ADH 분비의 감소는 이뇨작용(diuresis)을 일으켜 감소되어 있는 혈장 삼투압을 증가시키게 된다. 결국 세포외액의 삼투압이 크면 클수록 ADH 분비가 증가되며 삼투압이 감소되면 ADH 분비 또한 감소된다. ADH가 없으면 요량이 정상에 비하여 5~20배 증가될 수 있으며 ADH가 많이 분비될 경우 수분 재흡수의 증가로 인하여 요량이 정상에 비하여 1/3로 감소하게 된다.

2) 갈증(Thirst)

갈증은 수분 섭취를 증가시키는 유일한 생리적 기전으로 고삼투현상 및 고나트륨혈증(hypernatremia)시의 중요한 방어 기전이 된다. 갈증 중추(thirst center)는 시상하부의 전방부에 위치하며 음수중추(drinking center)라고도 한다.

수분 섭취 부족시 세포외액 삼투압이 증가하고 세포외액 삼투압이 증가되면 음수중추의 자극에 의하여 갈증이 유발된다. 이는 ADH의 분비를 자극하게 된다. 반대로 수분 섭취량이 많으면 혈장 삼투압이 감소하고 그 결과 갈증이 소실되며 ADH 분비를 억제한다. 갈증 중추는 세포외액량의 변화에 따라서도 반응한다.

3) 레닌-안지오텐신-알도스테론계 (Renin-angiotensin-aldosterone system)

레닌(renin)은 신장에서 합성, 분비, 저장되는 호르몬으로서 사구체의 혈관극(vascular pole)의 수입성 세동맥(afferent arteriole)에서 생성된다. 레닌 분비는 신장 압수용체(renal baroreceptor)에 의하여 발생되며 삼투 기전(osmolar mechanism) 및 비삼투 기전(nonosmolar mechanism)에 의하여 분비된다.

삼투 기전에서는 원위세뇨관에서의 나트륨 부하(load)의 정도에 의하여 레닌의 분비가 결정된다. 원위세뇨관에서 나트륨 양이 많으면 혈관극에서의 레닌 분비가 억제되며 나트륨 양이 적을 경우에는 레닌 분비가 증가된다. 비삼투기전은 신전 수용체(stretch receptor)에 의한 기전이다. 이 기전은 사구체의 수입성 세동맥에서의 압력과 혈관 팽창 정도에 따라 반응하는 기전으로 수입성 세동맥에서의 압력이 감소하면 레닌 분비가 증가되고 압력이 증가하면 레닌 분비가 감소된다.

레닌이 분비되면 연속적으로 효소 반응이 발생되는데 간에서 안지오텐신 I 은 폐의 변환 효소(converting enzyme)에 의하여 두 개의 아미노산이 분리되면서 안지오텐신 II가 된다. 안지오텐신 II는 강력한 혈관수축작용을 가지는 물질로 체순환이 1~2번 정도 되는 동안 소실되는 수명을 가진다. 안지오텐신 II는 강력하게 알도스테론의 생성을 야기하며 동시에 세포외액 혹은 나트륨의 감소시 혈관을 수축시켜 혈압을 일정하게 유지시키려는 능력을 가진다.

안지오텐신 II에 의하여 알도스테론의 생성이 증가되면 나트륨의 재흡수 및 수분의 저류(retention)가 증가한다. 이는 결과적으로 순환 체액량을 증가시키며 혈압을 상승시키고 조직 관류를 향상시키는 생리적 결과를 가져온다.

2. 세포외액량의 비삼투성 조절
(Nonosmolar regulation of extracellular fluid volume)

비삼투성 조절은 신경성 기전(neural mechanism)에 의한 것으로 용적 수용체(volume receptor)와 압수용체(baroreceptor)에 의한 기전이 대표적이다.

1) 용적 수용체(Volume receptor)

혈관에서의 혈장 충만(fullness)의 정도가 ADH의 분비 및 소변 형성에 영향을 끼친다. 특히 흉곽내의 혈액량(intrathoracic volume)이 중요한 작용을 하는데 흉곽 내 혈액량의 변화가 ADH 분비에 영향을 미칠 수 있다. 기립 자세나 양압 환기와 같이 흉곽 내 혈액량이 감소할 경우 ADH 분비가 증가되어 소변 생성이 감소된다. 반대로 흉곽 내 혈액량이 증가하는 경우에서는 ADH 분비가 감소되어 이뇨작용이 증가하게 된다.

이 작용은 심방의 신전 수용체에 의하여 발생되며 좌심방의 팽창 정도가 기본적인 자극이 된다. 좌심방이 팽창되는 즉, 흉곽 내 혈액량이 증가된 경우 발생된 충격은 부교감신경계를 통하여 시상하부에 도달하게 되고 결국 뇌하수체에서의 ADH 분비가 억제된다.

대부분의 경우에서 이 심방의 용적 수용체에 의한 기전은 삼투성 조절 기전에 부가적으로 발생된다. 즉, 삼투수용체 자극에 의한 기전은 혈장 삼투압의 1~2% 정도의 작은 변화에서 반응하나 심방의 용적 수용체 의한 기전은 혈장량이 7~10% 정도로 상당히 감소되어야만 ADH가 분비된다.

2) 압수용체(Baroreceptor)

전신 순환계의 압력 증가가 체액량 조절에 관여할 수 있다. 혈관 내 용적의 변화는 압력의 변화를 동반하며 이는 시상하부–뇌하수체 기전 및 ADH 분비 조절에 관여한다. 대표적인 압수용체는 경동맥과 대동맥궁에 위치하고 있으며 각각 정반대의 역할을 담당한다.

경동맥 압수용체(carotid baroreceptor)는 동맥압의 감소에 반응하는 수용체로 충격이 9번 뇌신경을 통하여 전달되며 시상하부 활동을 억제하여 뇌하수체에서 ADH의 분비를 증가시키게 하여 신장에서 수분의 재흡수를 증가시킨다.

대동맥궁 압수용체(aortic arch baroreceptor)는 동맥압의 증가에 반응하는 수용체로 충격이 10번 뇌신경을 통하여 전달되어 뇌하수체에서 ADH의 분비를 감소시켜 수분의 재흡수를 감소시킨다.

3) 카테콜아민(Catecholamine)

혈액량의 감소 이외에도 감정, 통증, 스트레스, 저산소증의 발생 등과 같은 비삼투성 자극이 있을 수 있으며 이 모든 경우들이 ADH의 분비를 증가시켜 소변형성을 감소시키는 결과를 가져온다. 이는 시상하부의 β-아드레날린성 자극에 의한 것으로 추정된다.

반대로 epinephrine이나 norepinephrine 등과 같은 α-아드레날린성 자극은 ADH의 분비를 억제시키며 이뇨를 촉진시킨다. 이러한 교감신경 자극에 의한 ADH 분비의 증가 및 감소는 압수용체에 의하여 조절되는 것으로 추정된다.

4) 기타

Prostaglandin이 수분 및 용질 배설 등을 포함한 신기능에 중요한 역할을 담당한다. PGE_1의 작용은 β-아드레날린성 자극의 경우와 유사하며 압수용체 활성의 감소로 인하여 ADH의 분비를 증가시킨다.

하루 약 160~170 L의 수분이 사구체에서 여과되며 이 중 약 1% 정도인 2 L 미만의 양이 최종적으로 소변으로 배설된다. 대량 수분 섭취시 ADH 분비가 억제되고 희석된 요가 배설되며 최대 10배 가량 희석된 요를 배설할 수 있다. 이 경우 먼저 혈장 삼투질 농도가 하강하고 약 15분 후 ADH 농도가 감소되며 소변량이 증가하게 되고 이는 45~60분 후에 최대치에 달한다. 수액의 과잉 공급 시 생리적 기전은 prostaglandin E_2 (PGE$_2$)와 atriopeptin에 의한 두 가지 기전을 통한 되먹임 기전(feedback mechanism)에 의하여 수분 균형을 유지한다. PGE$_2$는 신장의 간질세포에서 수질삼투질 농도의 증가에 반응하여 생산되어 후부신원(medullary thick ascending limb, collecting tubule)에서 ADH 작용을 억제하여 수분 축적을 방해한다. 심방 근섬유의 신장으로 atrial natriuretic 인자(ANP, antinatruretic peptide)를 분비시켜 나트륨 이뇨와 함께 혈관의 확장 작용이 일어나게 되며 atriopeptin은 ADH 분비의 억제 및 갈증에 자극된 안지오텐신 II 모두를 억제하는 능력이 있다.

신장의
기능

Chapter **03**

신장의 기능
(Renal function)

신장은 체액량과 전해질 조성의 조절에 가장 중요한 역할을 하는 장기로서 최종 대사산물의 배설, 독소의 제거, 적혈구 생성 조절 및 내분비계 조절 등에도 관여한다(표 3-1). 따라서 신장 기능을 이해하여야만 체액, 전해질 및 산-염기 반응 등을 이해할 수 있다.

표 3-1 **신장의 기능**

1. 체내 항상성의 유지
   체액 용적의 조절
   체액 전해질 조성 유지

2. 최종 대사산물의 배설

3. 독소, 약제 및 대사물의 해독과 배설

4. 세포외액량과 혈압의 내분비적 조절
   Renin-angiotensin계
   Renal prostaglandin
   Renal Kallikrein-kinin계

5. 적혈구 생성 조절(erythropoietin)

6. 무기질 대사의 내분비적 조절

7. 기타
   지질대사
   저분자량 단백질의 분해
   단백호르몬의 분해

신장의 혈류 조절 및 사구체 여과
(Control of renal blood flow & glomerular filtration)

신장은 심박출량의 20~25%를 공급받는데 전체 혈류량의 75%는 피질에, 25%는 수질에 공급된다. 신장의 기능은 궁극적으로 신혈류(renal blood flow)와 관련이 있으며 이는 사구체 여과율(glomerular filtration rate)과도 직접 연관된다. 신혈류를 조절하는 기전은 여러 가지가 있으며 다음과 같은 기전들에 의하여 신혈류 및 사구체 여과가 조절된다.

1. 내인성 조절(Intrinsic regulation)

신혈류는 평균 동맥압이 60~160 mmHg 범위 이내에서는 자동조절(auto-regulation) 기전에 의하여 거의 일정하게 유지된다. 이 범위 이내의 혈압에서는 수입성 세동맥의 수축과 이완에 의하여 일정한 양의 신혈류가 형성되며 이 범위 밖의 혈압에서는 압력에 비례하여 신혈류가 증가 또는 감소하게 된다. 평균 동맥압이 40~50 mmHg 이하에서는 사구체 여과가 중단된다.

2. 세뇨관-사구체 되먹임 기전
(Tubuloglomerular feedback mechanism)

신동맥압이 증가하면 사구체 여과율도 증가하고 신동맥압이 감소하면 사구체 여과율 또한 감소하게 된다. 신동맥압의 증가로 사구체 여과율이 증가하면 원위세뇨관으로 흘러가는 Na^+양이 증가하게 되고, 사구체 인접기구의 치밀반에서 이를 감지하여 수입세동맥을 수축시켜 신혈류량을 감소시키게 되는데 이러한 기전을 세뇨관–사구체 되먹임 기전이라 한다. 따라서 세뇨관–사구체 되먹임 기전은 다양한 관류압(perfusion pressure)의 변화에도 불구하고 사구체 여과율을 일정하게 하는 역할을 한다.

3. 호르몬성 조절(Hormonal regulation)

수입성 세동맥의 긴장도가 증가하면 레닌 분비가 증가되고 이로 인하여 안지오텐신 II의 생성이 증가된다. 증가된 안지오텐신 II는 동맥 혈관을 수축시켜 이차적으로 신혈류를 감소시키게 된다. 그러나 안지오텐신 II는 수입성 세동맥보다는 수출성 세동맥을 수축시키는 작용이 크기 때문에 안지오텐신 II의 증가가 사구체 여과율을 감소시키지는 못한다. 게다가 안지오텐신에 의하여 prostaglandin의 생성이 조장되어 사구체 여과율이 일정하게 유지될 수 있다. 그러나 NSAID(nonsteroidal anti–inflammatory drug) 등을 사용할 경우에는 이 기전이 소실된다.

카테콜아민은 수입성 세동맥을 수축시켜 사구체 여과율을 감소시킬 수 있으나 이 경우 레닌과 안지오텐신 II 생성이 증가되어 사구체 여과율을 일정하게 유지하려는 방어 기전을 갖게 된다.

4. 신경성 조절(Neuronal regulation)

복강신경총(celiac plexus)과 신신경총(renal plexus)이 신장에 분포하며 스트레스 발생으로 인한 교감신경계의 자극은 신혈류를 감소시키게 된다.

5. 신혈류의 재분포(Redistribution of renal blood flow)

교감신경계의 자극, 카테콜아민의 증가, 안지오텐신 II의 증가, 심부전(heart failure) 등의 경우에서 정확한 기전은 모르나 수질(medulla)에서 피질(cortex)로 신혈류의 재분포가 발생되며 이 기전의 중요성에 관해서는 아직까지 논란이 많으나 나트륨 저류와 관련이 있을 것으로 추정된다.

신혈류는 기능적인 측면에서 두 가지로 나눌 수 있는데 하나는 사구체 모세혈관(glomerular capillary)을 통한 혈류이며 다른 하나는 세뇨관주위 모세혈관(peritubular capillary)이다. 사구체 모세혈관은 높은 정수압을 가지며 사구체 여과 작용에 중요한 역할을 담당한다. 세뇨관주위 모세혈관은 높은 혈류량과 낮은 정수압으로 인하여 세뇨관의 재흡수 및 분비를 위한 저장고의 역할을 한다.

사구체 여과율 및 신혈류량
(Glomerular filtration rate & renal blood flow)

정상인에서 사구체 여과율은 신혈장류량(renal plasma flow)의 약 20% 정도로 남성의 경우에는 125 mL/min, 여성의 경우에는 약 100 mL/min 정도이다. 참고적으로 신혈장류량은 약 660 mL/min, 신혈류량(renal blood flow)은 1,200 mL/min이다.

1. 사구체 여과율의 측정(Measurement of glomerular filtration rate)

사구체 여과율의 측정은 혈장으로부터 소변으로 어떤 물질이 제거되는 속도

를 측정함으로써 간접적으로 평가한다. 이를 위하여 청소율(clearance)의 개념
이 이용되는데 청소율이란 단위 시간당(대개 1분) 어떠한 물질을 완전히 제거
하는데 필요한 혈액량을 의미한다.

신장의 청소율을 측정하기 위하여 inulin (분자량 5,000)이라는 물질이 이용
되는데 inulin은 사구체에서 완전히 여과되고 세뇨관에서는 분비되거나 재흡
수되지 않는 특징을 가진다. Inulin 청소율의 측정은 일정한 혈액 농도를 유지
하도록 한 상태에서 측정된다. 혈장과 소변에서 inuline의 농도를 측정하고 요
량(urine flow)을 알 경우 inulin 청소율을 계산할 수 있으며 이 값은 사구체 여
과율을 의미하게 된다.

$$\text{사구체 여과율(mL/min)} = \frac{\text{소변내 inulin 농도} \times \text{요량}}{\text{혈장내 inulin 농도}}$$

Inulin을 이용한 사구체 여과율의 측정은 매일 신 기능을 관찰하여야 하는
환자에서는 불편한 방법이다. 따라서 inulin 청소율보다는 정확성이 떨어지
만 creatinine 청소율을 이용하여 흔히 사구체 여과율을 측정한다. Creatinine
은 골격근에 주로 존재하는 내인성(endogenous) 물질로 사구체에서 여과되고
세뇨관에서는 극히 소량만이 배출되는데 따라서 creatinine 청소율은 실제보
다 약간 높게 측정되는 경향이 있다. 사구체 여과율이 감소된 환자에서는 혈청
creatinine 농도가 증가되며 청소율은 사구체 질환의 정도를 파악할 수 있는 근
거가 될 수 있다. 골격근 질환이 있는 환자에서는 creatinine 농도가 변할 수 있
기 때문에 creatinine 청소율이 보다 정확한 사구체 여과 정도를 판단하는 지침
이 된다.

2. 신혈류량의 측정(Measurement of renal blood flow)

신혈류량은 우선 신혈장류량을 측정한 후 헤마토크리트를 이용하여 구할 수 있다. 신혈장류량은 PAH(p-aminohippurate)를 이용하여 측정한다. 이 물질은 낮은 농도일 경우 사구체를 통과하는 동안 혈장으로부터 완전히 여과되는 물질이다. 따라서 다음과 같은 공식이 성립된다.

$$\text{신혈장류량} = \text{PAH clearance} = \frac{\text{소변의 PAH 농도} \times \text{요량}}{\text{혈장의 PAH 농도}}$$

위의 공식은 신장을 통과하는 혈액이 전체 혈액의 일부가 되기 때문에 Fick 원칙에 의하여 다음과 같이 변형될 수 있다.

$$\text{소변의 PAH 농도} \times \text{요량} = (\text{동맥혈 PAH 농도} - \text{정맥혈 PAH 농도}) \times \text{신혈장류량}$$

이 공식에 의하여 신혈장류량이 구하고 나면 헤마토크리트를 이용한 신혈장류량과 신혈류량의 계산에 의하여 신혈류량을 알 수 있으며 다음과 같은 공식이 성립된다.

$$\text{신혈류량} = \frac{\text{신혈장류량}}{(1 - \text{헤마토크리트})}$$

정상 신혈류량은 약 1,200 mL/min이다. 사구체 여과율과 신혈장류량의 비율을 여과 분율(filtration fraction)이라 하며 정상치는 20% 정도이다.

신장의 기능적 구조
(Renal functional structure)

신장의 기능적 단위를 신원(nephron)이라 하며 약 200만개로 구성되어 있고 이는 신소체(malpighian corpuscle)와 신세뇨관(renal tubule)으로 구성된다. 신소체는 다시 사구체(glomerulus)와 보우만 주머니(Bowman's capsule)로 구성되며, 신세뇨관은 근위세뇨관(proximal tubule), Henle 고리(loop of Henle), 원위세뇨관(distal convoluted tubule) 및 집합 세뇨관(collecting tubule)으로 구성된다(그림 3-1).

1. 사구체(Glomerulus)

사구체는 혈관 요소와 상피 요소로 구성되어 있다. 혈관 요소는 수입성 및 수출성 세동맥과 사구체 모세혈관으로 크게 구분된다. 각 보우만 주머니에는 각각 하나씩의 수입성 및 수출성 세동맥이 있어 이를 통하여 혈액이 이동된다. 보우만 주머니내로 들어간 모세혈관은 덤불 모양으로 구성되어 있으며 이 덤불 모양은 혈액 여과 면적을 넓게 하여주는 효과가 있다. 보우만 주머니내에 들어간 세동맥은 단층의 내피세포(endothelial cell)와 상피세포(epithelial cell)로 구성된 얇은 벽의 혈관이며 내피세포와 상피세포 사이는 1.5~2.4 μm의 폭을 가지는 공간으로 분리되어 있으며 기저막(basement membrane)이 위치하고 있다.

상피 요소는 사구체 모세혈관의 바깥을 형성하는 장측 상피세포(visceral epithelial cell)와 보우만 주머니를 형성하는 벽측 상피세포(parietal epithelial

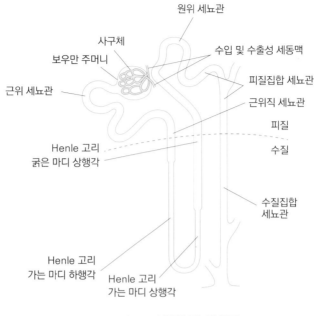

원위 세뇨관

사구체

보우만 주머니

수입 및 수출성 세동맥

근위 세뇨관

피질집합 세뇨관

근위직 세뇨관

피질

Henle 고리
굵은 마디 상행각

수질

수질집합
세뇨관

Henle 고리
가는 마디 하행각

Henle 고리
가는 마디 상행각

그림 3-1 신장의 기능적 구조

cell)로 이루어진다. 혈관간질(mesangium)은 모세혈관 사이에 위치하는 결합조직으로 모세혈관을 지지하는 역할을 한다. 혈관간질은 혈관간세포(mesangial cell)와 혈관간기저물질(mesangial matrix)로 구성된다(그림 3-2).

사구체 여과 압력은 약 60 mmHg이며 평균 동맥압의 60% 정도에 해당된다. 사구체 여과 압력에 수입성 및 수출성 세동맥의 압력이 중요한 역할을 한다.

사구체 여과는 요 형성의 첫 단계로 사구체 모세혈관 벽에서 한외여과(ultra-filtration)가 발생되어 혈장내 수분을 혈구와 단백질로부터 분리하여 보우만 공간으로 들어가게 한다. 사구체 여과율은 120 mL/min이며 하루 약 160~170 L의 한외여과가 일어난다. 사구체에서의 혈장 여과분율(filtration fraction)은 약

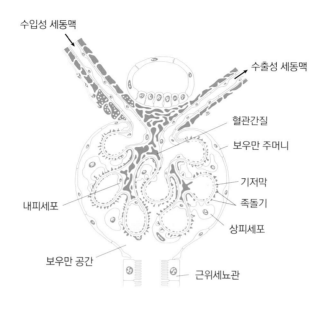

그림 3-2 사구체의 현미경적 구조

20%이며 여과액내에 혈장 단백질은 거의 없다. 사구체 여과율은 신혈류량이 증가하면 상승하고 반대로 신혈류량이 감소하면 하강한다.

2. 근위세뇨관(Proximal tubule)

근위세뇨관은 근위세뇨관(proximal convoluted tubule)과 근위직세뇨관(proximal straight tubule)로 구성되며 기능적으로 더욱 세분하여 S1, S2, S3로 구분된다. 근위세뇨관의 첫 1/3이 S1, 나머지 2/3의 근위세뇨관이 S2, 근위직세뇨관이 S3가 된다. 이 부위에서는 사구체에서 한외여과된 나트륨과 다른 용질 및 수분의 65~75% 정도가 등장성으로 재흡수된다. 동시에 염소나 기타 여러 유기물질 등이 같이 흡수된다(표 3-2).

1) 근위세뇨관의 기능(Function of proximal convoluted tubule)

근위세뇨관의 기시부에 해당되는 이 부위에서의 가장 중요한 기능은 Na^+의 재흡수이며 세포횡단 재흡수(transcellular reabsorption)와 세포간 통로(inter-cellular channel)로의 두 가지 이동이 존재한다.

우선 세포횡단 재흡수 기전을 이해하기 위해서 그림 3-3을 참조하기로 한다. 그림 3-3에서 세뇨관 상피세포(renal tubular epithelial cell)와 세포사이 공간(intercellular space)을 볼 수 있다. 나트륨의 재흡수는 바로 이 세뇨관 상피세포와 세포사이 공간을 통해서 발생되는데 일단 세뇨관에서 상피세포 내로 이동된 후 세포사이 공간을 통하여 세포 주위의 모세혈관으로 재흡수 된다.

나트륨 재흡수 기전은 다음과 같다. 첫째, 세뇨관 상피세포 내의 나트륨이 Na^+-K^+ ATPase의 작용에 의하여 상피세포 내에서 세포옆 공간을 통하여 세뇨관 주위 모세혈관으로 재흡수 된다. 동시에 Na^+-K^+ ATPase의 작용이 $3Na^+$와 $2K^+$를 교환하므로 전체적으로 세포내 양전극의 소실이 발생되어 K^+, Ca^{++}, Mg^{++} 등과 같은 양이온의 세뇨관에서 상피세포내로의 이동이 촉진된다. 결국 Na^+-K^+ ATPase의 기능이 대부분 용질의 재흡수를 조장하는 에너지원으로 작용하게 된다.

둘째, 이상의 과정에 의하여 세뇨관 상피세포에서 나트륨 농도가 감소되고 이는 세뇨관에 비하여 낮은 농도의 상태가 된다. 이 결과로 인하여 세뇨관에서 상피세포 내로 나트륨의 수동적 이동이 발생되는데 세뇨관 내의 나트륨이 내강막(luminal membrane)을 통하여 세뇨관 상피세포로 이동하며 다음의 세 가

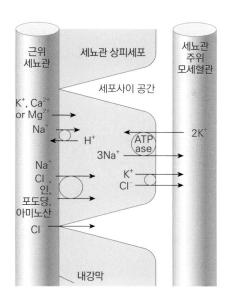

그림 3-3 근위세뇨관에서의 용질의 재흡수 기전

지 기전에 의하여 발생된다.

　(1) 확산

　(2) 인산, 포도당, 아미노산 등의 용질이 재흡수 되면서 Na^+의 세포내 이동이 함께 이루어진다. 포도당과 아미노산은 나트륨의 세포내로 재흡수되는 기전과 동반되어 근위세뇨관에서 필수적으로 완전히 재흡수 된다.

　(3) H^+가 세포에서 세뇨관 내강으로 배설될 때 Na^+의 재흡수가 동시에 발생된다. 이때 배출된 H^+는 나중에 사구체에서 여과된 중탄산염의 90%를 재흡수하는 작용을 한다(그림 3-4).

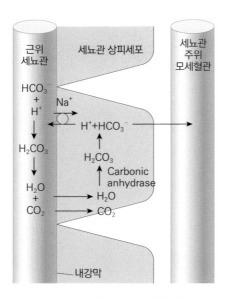

그림 3-4 H^+의 세뇨관내 배출로 인한 중탄산염의 재흡수 기전

　이로 인하여 세뇨관에서의 중탄산염의 농도가 감소하고 염소 농도는 증가하게 된다. 염소 이온은 세뇨관 상피세포의 사이(junction)를 통과할 수 있으므로 염소 이온의 재흡수는 근위세뇨관과 모세혈관 사이의 농도 차이에 의하여 수동적으로 발생되며 모세혈관 쪽에서는 K^+와 Cl^-의 상호 교환에 의하여 모세혈관 내로 재흡수된다. 또한 염소 이온의 농도 차이는 염소가 세뇨관 내강 밖으로 나오면서 내장을 전지적 양성으로 만들게 되며 이는 또 나트륨의 수동적 이동의 추진력이 되기도 한다.

　나트륨의 세포간 통로(intercellular channel)로의 재흡수는 삼투압 차이를 증가시키게 되고 이로 인하여 대량의 수분이 세뇨관에서부터 재흡수된다. 이러한 삼투압에 의한 다량의 수분 이동시 염분도 그 속에 함유되어 있어 대량의 나트륨 재흡수를 일으킨다. 이를 용매끌기 효과(solvent drag effect)라 한다.

근위 세뇨관의 나머지 2/3에 해당되는 S2 부위의 내강 액의 특징은 중탄산염의 농도가 낮으며 포도당과 아미노산이 없다는 점이다. 이는 S1 부위에서 이미 포도당과 아미노산이 완전 재흡수되었으며 내강 내로 배출된 H^+에 의하여 중탄산염의 90%가 재흡수되었기 때문이다(그림 3-3, 3-4). S1에서의 Na^+ 재흡수는 등장성 재흡수이므로 S2 세뇨관에서의 나트륨 농도는 혈장과 등장액이며 사구체 여과액과 같은 농도이다. 이곳의 염소 농도는 세뇨관 주위 모세혈관에 비하여 높다.

2) 근위직세뇨관의 기능(Function of proximal straight tubule)

이 부위에서도 나트륨과 염소의 운반이 일어나며 특히 순환 독소인 유기 물질들의 주요 분비 장소인 것이 특징이다. 즉, 세뇨관 주위 모세혈관에서 분비되어 세포내의 유기이온의 농도가 높아지고 내강막 투과성이 우수하므로 내강으로 확산되는 기전에 의하여 배출된다.

3. Henle 고리(Loof of Henle)

근위세뇨관과 원위세뇨관 사이에 위치한 머리핀 모양의 구조로서 상행각(ascending limb)과 하행각(descending limb)으로 구성되어 있다. 가는 마디 하행각(thin descending limb)은 근위세뇨관에 연결되어 신피질에서부터 수질로 뻗어 나온다. 이는 다시 피질로 거슬러 올라가는 상행각으로 이어진다. 상행각은 가는 마디 상행각(thin ascending limb)과 굵은 마디 상행각(thick ascending limb)으로 되며 이는 기능적인 차이를 가지게 된다(그림 3-1).

신장의 기능적 구성 단위인 신원은 피질신원(cortical nephron)과 수질옆신원(juxtamedullary nephron)으로 구분되는데 피질신원은 전체 신원의 85%에 해당되고 짧은 Henle 고리를 지니고 수질로 내려가지 않는다. 수질옆신원은 피질과 수질의 접점 부위에 위치하며 긴 Henle 고리를 지니고 내부 수질로 뻗어 내려간다. Henle 고리는 수질의 간질액을 고장성으로 유지하여주고 간접적으로는 집합관의 소변 농축 능력을 제공하는 기능을 가진다.

사구체에서 한외여과된 양의 약 25~35% 정도가 Henle 고리에 도달하며 이곳에서 여과된 나트륨의 15~25%가 재흡수 된다. 가는 마디의 상행각과 하행각의 Henle 고리에서 용질과 수분의 재흡수는 농도와 삼투압 차이에 의하여 수동적으로 이루어진다. 그러나 굵은 마디 상행각에서는 Na^+-K^+ ATPase에 의하여 나트륨의 능동적 재흡수가 발생되며 K^+ 및 Cl^-의 재흡수와 동반되는 것이 특징이다(그림 3-5).

하행각 및 가는 마디 상행각과는 달리 굵은 마디 상행각에서는 수분의 투과성이 없으므로 Henle 고리를 빠져 나오는 내강액은 100~200 mOsm/L 정도의 저장성이 되고 Henle 고리 주위의 수질 간질액은 고장성이 되는데 이는 반류배가계 현상에 의해 발생된다.

반류배가계(countercurrent multiplication) Henle 고리에서 발생되는 특징적인 기전으로 상행각과 하행각의 투과성 및 이동 성격(transport character)의 차이에 의하여 발생된다. 하행각은 수분의 투과성이 매우 높으며 요소는 약간의 투과성이 있으나 나트륨은 전혀 투과되지 않는다. 반면에 상행각은 나

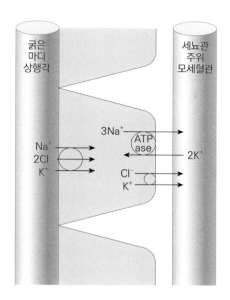

그림 3-5 Henle 고리의 굵은 마디 상행각에서의 Na$^+$와 Cl$^-$의 재흡수 기전

트륨의 투과성이 매우 높으며 요소는 중등도의 투과가 가능하고 수분은 불투과성이다. 근위세뇨관을 빠져 나온 등장성의 액체가 Henle 고리의 하행각에 도달하면 수분이 점차적으로 내강에서 간질내로 이동하면서 점차 고장성으로 변하고 고리의 정점 부위에서 최고의 삼투질 농도를 지니게 된다. 이 고삼투질성 액체는 가는 마디 상행각으로 올라가면서 점차 희석된다. 이는 상행각이 수분의 투과없이 나트륨이 내강에서 간질내로 이동하기 때문이다.

그림 3-6을 보면 하행각으로 내려온 내강액은 사구체 및 근위세뇨관을 거쳐 온 등장성 용액이다(285 mOsm/L). 이 용액이 하행각으로 내려오면서 수분의 수질로의 투과에 의하여 고장성이 되고 상행각을 거쳐 나가면서 나트륨의 배출에 의하여 저장성으로 된다. 한가지 특이한 것은 요의 흐름에 따라 상행각과

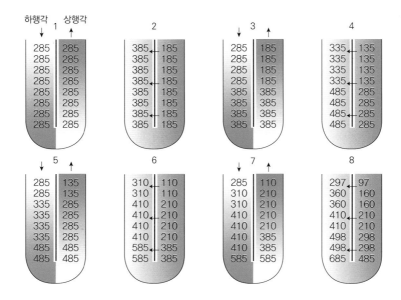

그림 3-6 반류배가계(countercurrent system)에 의한 내강액 삼투질 농도 감소 기전

하행각의 삼투질 농도 차이는 항상 일정하게 된다.

굵은 마디 상행각은 칼슘과 마그네슘의 재흡수에도 중요한 기능을 한다.

4. 원위세뇨관(Distal convoluted tubule)

원위세뇨관은 원위세뇨관(distal convoluted tubule)이라고도 하며 Henle 고리를 경유한 저장성의 내강액을 함유한다. 수분에 대해 불투과성이며 ADH에 반응하지 않는다. 원위세뇨관에서는 여과된 나트륨의 15% 정도가 재흡수되며 모세혈관 쪽에서는 Na^+-K^+ ATPase에 의하여, 내강막에서는 Na^+-Cl^- 운반체에 의하여 재흡수된다. 원위세뇨관의 후반부에서 Na^+의 재흡수는 집합관에서와 마찬가지로 알도스테론에 의하여 조절된다. 또한 원위세뇨관은 부갑상선 호르몬 및 비타민 D 매개에 의한 칼슘 재흡수의 중요한 부위이다. 이 부위에서 칼륨의 배설이 이루어진다.

5. 집합관(Collecting tubule)

집합관은 피질 집합관(cortical collecting tubule)과 수질 집합관(medullary collecting tubule)으로 구성되며 여과된 나트륨의 5~7%가 이곳에서 재흡수된다(표 3-2).

표 3-2 신장에서 나트륨 재흡수 부위와 기전

세뇨관	여과된 나트륨의 재흡수율	기전	주조절인자
근위세뇨관	50~55%	능동적기전 :Na^+-K^+교환 수동적기전 :확산 인산, 포도당과 같은 용질 재흡수시 같이 이동	Angiotensin II Norepinephrine Glomerular filtration rate
Henle 고리	35~40%	Na^+-K^+-$2Cl^-$ 운반체	Flow-dependent
원위세뇨관	5~8%	Na^+-Cl^- 운반체	Flow-dependent
집합관	2~3%	나트륨통로	Aldosteron, ANP

1) 피질 집합관(Cortical collecting tubule)

원위세뇨관의 연속 부위로서 알도스테론 매개에 의한 나트륨의 재흡수 작용이 일어나는 부위이다. 나트륨의 재흡수와 동시에 전기적 중성(electro-neutrality)을 위하여 염소의 재흡수가 발생되거나 칼륨의 배출이 발생된다. 이 부위는 기능적으로 수분에 대해 불투과성이며 ADH에 반응하지 않는다. 나트륨

(5~7%) 및 염소가 소량 재흡수되며 재흡수되는 정도는 이곳에 부하되는 나트륨 양에 따라 비례한다. 원위세뇨관의 세뇨관주위 모세혈관에서 내강 내로 칼륨의 분비가 일어나며 수소 이온의 능동적 운반에 의하여 요의 산성화가 발생된다.

2) 수질 집합관(Medullary collecting tubule)

수질 집합관은 삼투질 농도가 높은 수질에 뻗어 내려와 다른 집합관과 합쳐져 요도를 통한 요 배설 경로가 된다. 이 부위의 특징은 ADH가 작용하는 부위로서 ADH의 존재시 수분 투과성이 현저하게 증가한다는 점이다. 탈수 상태가 되면 ADH 분비가 증가되고 집합관 막의 수분 투과성이 증가하여 수분을 집합관에서 수질로 흡수시켜 농축된 요를 배설하게 한다. 수분 과잉 공급시에는 ADH의 분비가 억제되어 저장성의 요를 배출하게 된다. 이 부위에서 NaCl이 능동적으로 재흡수되므로 ADH가 없으면 내강액의 삼투질 농도는 더욱 떨어진다. 따라서 ADH의 존재하에서는 내강액이 피질 간질액과 균형을 이루어 혈장과 등장액이 된다.

이곳에서의 나트륨의 재흡수는 전위 차이에 의한 능동적 이동과 mineralo-corticoid에 의한 재흡수 기전에 의한다. 이곳에서 칼륨과 수소 이온이 분비되며 알도스테론은 이 부위에서 나트륨을 재흡수시키고 칼륨과 수소 이온의 분비를 증가시킨다.

3) 수소 이온의 분비

피질 및 수질 집합관의 막에는 H^+-secreting ATPase가 있는데 이는 HCO_3^-

의 재흡수에 관여하여 산-염기 조절에 중요한 기능을 담당한다. 산혈증(acide-mia)이나 알도스테론의 증가시 이 곳에서 수소 이온의 배설이 증가한다.

피질 집합관은 요소의 투과성이 좋은 데 반하여 수질 집합관은 요소에 대하여 불투과성이다. 그러나 ADH가 존재할 경우 수질 집합관이 요소에 대하여 투과성으로 전환된다. 따라서 ADH가 분비되면 우선 집합관에서 수분이 재흡수되고 이는 집합관 내의 요소 농축 현상이 발생되어 요소가 삼투질 농도를 유지하기 위하여 수질내로 흡수되게 된다.

요희석과 농축 기전
(Urine dilution and concentration mechanism)

요량 및 요삼투질 농도의 변화에 따라 수분 균형이 이루어진다.

1. 요희석 과정

여기에는 주로 ADH가 관여하며 과량 수분 섭취시에는 희석된 요를 대량 배설하여 체내의 수분 과잉을 방지하려는 기전을 가진다. Henle 고리에서 반류배가계의 기전을 거친 액체는 혈장에 비하여 현저한 저삼투성(150 mOsm/Kg) 상태가 되며 이 액체가 원위세뇨관, 집합세뇨관을 거치는 동안 나머지 용질들이 흡수되어 액체의 삼투질 농도가 훨씬 더 감소하며 최대 30 mOsm/kg까지 감소할 수 있다.

2. 요농축 과정

요농축 기전은 요희석 과정에 비하여 상당히 복잡한 과정을 거치게 된다. 반류 기전에 의하여 이루어지는데 이 기전은 반류배가계와 반류교환(counter-current exchange)의 두 가지 기전이 있다. 반류배가는 이미 설명한 바와 같이 Henle 고리에서 일어나는 요농축 기전으로 Henle 고리의 상행각과 하행각의 투과성 및 물질 운반 특성의 차이에 의하여 발생되는 기전이다. 반류교환은 직세동맥(vasa recta)에서 일어나며 외피질에 있는 수출성 세동맥이 세뇨관간 모세혈관망을 이루어 수질내로 들어가는데 이를 직세동맥이라 한다. 반류교환의 기전은 반류배가의 기전과 유사한데 내수질 영역에서는 삼투질 농도가 높아 용질은 혈관 안으로, 수분은 혈관 밖으로 이동하게 된다. 그러나 직세동맥이 다시 수질에서 피질로 올라가므로 용질은 혈관 밖으로 수분은 혈관 안으로 이동하여 반류배가와 비슷한 과정으로 요농축이 이루어진다.

요형성 기전의 요약
(Summary of urine formation mechanism)

사구체의 모세혈관 벽에서 한외여과가 발생되며 이곳에서 혈장내 수분을 혈구와 단백질로부터 일차적으로 분리한다. 사구체에서 여과된 액은 근위세뇨관을 통하며 이 곳은 포도당, 아미노산, 중탄산염 등과 같은 대부분의 용질이 재흡수되는 부위로 수분과 염분의 65~70%가 이 곳에서 재흡수 된다. 근위직세뇨관에서는 유기물질의 분비가 발생된다.

근위세뇨관을 거친 액은 Henle 고리를 통과하면서 하행각 및 상행각의 용질 및 수분 이동의 차이로 인하여 수질의 간질조직에서 고삼투성을 유지하고 Henle 고리를 통과하는 액은 저장성으로 전환된다. 또한 25%의 NaCl과 15%의 수분이 추가적으로 재흡수되며 원위세뇨관으로 연결된다.

원위세뇨관에서는 일부 남아있는 수분과 나트륨이 재흡수되며 집합관으로 연결된다. 집합관은 ADH가 작용하는 부위로 ADH 분비의 증가는 이 곳에서의 수분 투과성을 증가시켜 최종적으로 수분의 재흡수가 발생된다. 결국 이 부위에서 최종적으로 요의 용적과 삼투질 농도가 결정된다.

신기능의 측정
(Measurement of renal function)

신기능의 측정을 위해서는 무뇨(anuria), 핍뇨(oliguria), 다뇨(polyuria), 부종(edema), 식욕부진, 오심, 구토 등 환자의 증상을 우선 파악하는 것이 무엇보다 중요하다. 무뇨는 1일 소변량이 100 mL 미만인 경우를 의미하며 핍뇨는 1일 소변량이 400 mL 이하를 기준으로 한다. 또한 고혈압 유무, 탈수 증상 유무 등도 함께 조사하고 이뇨제나 투석 등의 병력이 없는지도 면밀히 조사하여야 한다.

실험실적 검사방법은 혈액 검사와 함께 소변 검사(urinalysis)를 실시함으로써 상당한 정보를 얻을 수 있다. 소변의 육안적 검사로 신장 계통의 출혈 및 감염을 알 수 있으며 현미경적으로 세균, 원주체(cast), 결정체(crystals), 세포 등을 확인할 수 있다(표 3-3). 대표적인 신기능 검사시의 목록과 정상치는 표 3-4과 같다.

소변의 비중(specific gravity)은 소변의 용질 농도를 의미하며 세뇨관의 기능을 간접적으로 나타낸다. 그러나 이는 단백질, 포도당, 이뇨제, 항생제 등에 의하여 오차가 발생될 수 있으므로 소변 삼투압의 측정이 더욱 선호된다. 핍뇨가 있는 환자에서 삼투압이 500 mOsm/L이상인 경우 신전성 고질소혈증(prerenal azotemia)을 의심할 수 있고 350 mOsm/L 이하인 경우에는 급성 세뇨관괴사(acute tubular necrosis)를 의심할 수 있다. 24시간 소변 검사에서 단백질이 750 mg 이상일 경우 신실질 질환(renal parenchymal disease)을 의심할 수 있으며 단백질의 많은 증가는 사구체 손상까지 의심할 수 있다. BUN과 creatinine은 신장의 일반적인 기능을 반영하는데 사구체와 신세뇨관 기능이 50% 정도 감소할 경우 증가하게 된다. Creatinine이 1.5 mg/dL 이상 증가한 경우에는 신부전을 의심하여야 한다. Creatinine 청소율이 30 mL/min 미만인 경우 심한 신부전을, 30~59 mL/min의 경우 중등도의 신부전을 반영한다.

표 3-3 정규적인 요분석의 정상치

색	미색, 호박색
혼탁도	투명
비중	1.002~1.035
pH	4.5~8.0
적혈구	0~5
백혈구	0~4
세균, 원주체, 결정체	없음
당, 케톤, 단백, 빌리루빈	검출되지 않음

표 3-4 기본적인 신기능 검사 목록 및 정상치

소변	정상치	혈장	정상치
나트륨(Sodium)	50~200 mmol/24h	나트륨(Sodium)	135~145 mmol/L
칼륨(Potassium)	30~100 mmol/24h	칼륨(Potassium)	3.5~5.0 mmol/L
염소(Chloride)	100~300 mmol/24h	염소(Chloride)	95~105 mmol/L
삼투압(Osmolality)	300~1000 mOsm/kg	삼투압(Osmolality)	280~295 mOsm/kg
비중(Specific gravity)	1.003~1.030	BUN	8.0~20.0 mg/dL
Creatinine	11~26 mg/kg/24h	Creatinine	0.7~1.5 mg/dL
Creatinine 청소율	80~120 mL/min	중탄산	21~28 mmol/L
Urea 청소율	60~95 mL/min	칼슘(Calcium)	8.5~11.0 mg/dL
H^+	60 mEq/24h	마그네슘(Magnesium)	1.5~2.7 mg/dL

수액요법

Chapter 04

    수액 요법이란 정맥로를 통하여 수분, 전해질 및 영양분을 공급하고 체액의 비정상적인 상태를 교정하는 방법을 말하며 정상 성인의 하루 수분 소실량은 약 2,000~2,500 mL 정도이며 이에 비하여 보충량이 적절히 이루어지지 않을 경우 세포외액의 결핍 및 과다 현상과 전해질의 이상이 발생될 수 있다.

    정상 성인의 하루 수분 섭취량은 약 2,500 mL 정도이며 1,200 mL는 음료로, 1,000 mL는 음식물에 포함된 수분의 형태로, 그리고 나머지 300 mL는 에너지 대사 과정에 의하여 생성되는 수분의 형태로 수분을 섭취하게 된다. 이중 소변으로 1,200 mL(1.0 mL/kg/hr), 호흡기로 400 mL, 피부로 800 mL, 땀으로 100 mL, 대변으로 100~150 mL의 수액이 배출된다. 호흡기나 피부를 통한 수분의 소실을 불감 수분 소실(insensible water loss)이라고 하며 이는 자신이 느끼지 못하는 수분 소실을 의미한다. 전해질은 Na^+ 70~100 mEq/L, K^+ 40~60 mEq/L, Mg^{++} 8~20 mEq/L, Cl^- 70~100 mEq/L 정도로 배설되며 수액 및 전해질 보충이 부족하거나 과량 투여된 경우 여러 가지 임상적인 증상이 나타나게 된다.

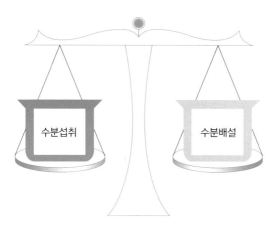

수분 섭취량과 배설량은 항상 균형을 이루어야 하며 이 균형에 이상이 발생되면
세포외액량의 과다, 결핍 현상과 함께 각 전해질 이상이 동반된다.

세포외액량의 결핍
(Extracellular fluid volume deficit)

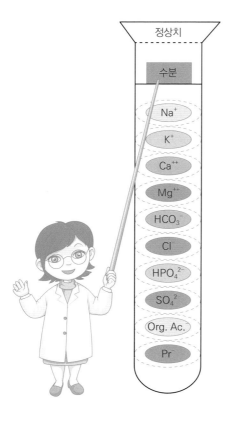

정상치

수분

Na$^+$

K$^+$

Ca^{++}

Mg^{++}

HCO$_3^-$

Cl$^-$

HPO$_4^{2-}$

SO$_4^{2-}$

Org. Ac.

Pr

임상소견

병력
- 수분 섭취 부족
- 구토
- 설사
- 전신 감염으로 인한 고열과 수분 및 전해질의 소모 증가
- Fistulous drainage
- 장폐쇄

징후 및 증상
- 피부 건조, 점막 건조
- 급작스런 체중 감소
- 혓바닥이 말라 갈라짐
- 핍뇨 및 무뇨

검사실 소견
- 혈침, 혈색소, 적혈구 증가
- 건강 신장 소유자에서 소변Cl$^-$의 감소

동의어 원발성 혹은 저장성 탈수(primary or hypotonic dehydration), 저용량(hypovolemia) 등이 간혹 쓰이기는 하나 정확한 이름이 되지는 못한다.

세포외액량의 결핍 즉, 체액 소실 상태시 구강 점막의 건조, 피부의 긴장도 상실 등의 증상이 나타나며 심한 경우 혈압의 감소, 빈맥, 빈호흡, 청색증 등의 임상 증상이 발생될 수 있다.

수분 섭취의 중단 혹은 필요량 이하의 섭취시 세포외액량의 결핍이 발생되며 체중의 감소를 동반하게 된다. 세포외액으로부터 수분과 전해질이 감소되면 일부의 불감소실에 의하여 세포외액은 고장성이 되어 세포내액과의 평형을 이루기 위해 세포내액이 세포외액으로 이동하게된다. 결과적으로 혈장, 간질

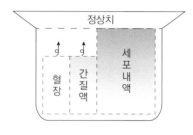

세포외액량의 결핍

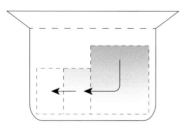

세포외액의 정상치 이하 감소
고장액성 세포외액이 세포내의 수분을 끌어냄

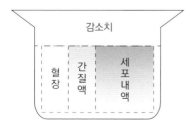

세포내·외액 사이의 평형 상태 유지
정상치로 되기까지 수일 소요 가능

액 및 세포내액을 포함한 전체 체액량이 감소되며 이러한 감소를 체액량 감소(body fluid volume deficit)라 한다. 따라서 세포외액량의 감소는 체액량의 감소를 의미하며 진정한 의미의 체액량 감소는 세포외액 및 세포내액의 감소를 함께 나타낸다.

1. 세포외액량 결핍의 판단(Evaluation of ECF volume deficit)

심한 세포외액의 결핍은 임상적인 증상 및 감시 장치 등을 포함한 여러 가지 방법으로 체액 상태를 판정하여 적절한 종류와 양의 수액을 공급하여야 한다(Point). 앙와위시 저혈압을 동반한 빈맥이 있을 경우에는 심각한 세포외액의 결핍을 의미한다.

> **Point** 세포외액 결핍 상태의 판정 지침
>
> 1. 체중의 감소(과거 체중과의 비교)
> 2. 혈압의 감소
> 3. 요량의 감소
> 4. 심박동수의 증가
> 5. 맥박의 강도 감소
> 6. 기립경사검사
> 7. 기타 증상-피부 긴장도, 구강 건조
> 8. 의식 상태의 변화

1) 이학적 검사(Physical examination)

피부 긴장도, 점막 상태, 말초동맥의 촉진, 심박동수, 혈압 등을 보면 세포외액량의 소실 정도를 알 수 있다(표 4-1).

표 4-1 체액 소실의 징후

징후	체액 소실 정도		
	5%	10%	15%
점막	경한 건조	중등도 건조	심한 건조
심박동수	정상. 약한 증가	증가	심한 증가
혈압	정상	약한 감소	감소
기립경사검사	경도	중등도	심한 변화
소변량	약한 감소	감소	심한 감소

2) 실험실적 검사(Laboratory test)

일련의 헤마토크리트, 동맥혈 pH, 혈청 및 소변의 나트륨 농도, 소변의 비중 및 혈청 creatinine과 BUN 비율을 측정함으로써 혈관내 용적 상태를 평가할 수 있다. 그러나 이러한 실험실적 검사법은 어느 한가지 결과 값만으로 혈관 용적 상태를 파악할 수는 없으며 다른 변수 인자들에 의하여 결과 값이 변화될 수 있고 결과 값이 나오기까지는 시간이 많이 소요된다는 단점이 있다.

혈관 용적이 감소되면 헤마토크리트가 증가한다. 용적의 감소 정도가 경한 경우 알칼리증이 발생할 수 있고, 용적의 감소 정도가 심한 경우 대사성산증이 나타날 수 있다. 소변의 비중은 1.010 이상으로 증가하고 소변 삼투압은 400 mOsm/kg 이상으로 증가하며 소변 나트륨 농도는 20 mEq/L 이하로 감소된다. 혈청 나트륨 농도는 증가하며 BUN:creatinine 비율이 10:1 이상으로 증가한다.

3) 중심정맥압(Central venous pressure) 및 폐동맥압(Pulmonary arterial pressure)

중심정맥압은 과거부터 수액 주입의 지표로 오랜 기간 동안 사용되어왔다.

또한 250 mL 정도의 수액을 bolus로 투여하고(fluid challenge) 중심정맥압의 변화 정도를 측정해 수액 반응성(fluid responsiveness)을 평가하는 도구로 사용하였다. 하지만 이어진 연구에서 중심정맥압 자체는 혈관 용적 및 수액 반응성과 무관한 것으로 밝혀졌다. 중심정맥압에 영향을 끼칠 수 있는 요인은 매우 다양하기 때문에 중심정맥압의 경향을 다각도로 평가하는 것이 도움이 될 것이다. 폐동맥압은 중심 정맥압이 임상 증상과 일치하지 않거나 우심실 부전 등의 질환이 있는 경우에 유용하나 부정맥의 발생, 폐동맥의 천공 등과 같은 생명을 위협하는 합병증이 발생될 수 있으므로 신중하게 고려하여야 한다.

4) 기립경사검사(Tilt test)

환자의 혈관내 용적의 적절성을 평가하는 또 한가지 방법은 기립성 저혈압(orthostatic hypotension)의 발생 여부를 확인하는 것이다. 이 방법은 바로 누운자세에서 환자의 혈압과 심박수를 먼저 측정한 후 45°정도 상체를 올렸을 때 수축기혈압이 10 mmHg 이상 감소하거나, 심박동수가 분당 10회 이상 증가하면 혈관내 용적이 부족함을 의미한다. 하지만 환자의 나이 및 저혈량 정도에 따라 검사의 정확도가 매우 달라 신중하게 판단해야 한다.

5) 심장 초음파

심장 초음파검사로 이완기말 좌심실 용적을 측정하여 전부하를 평가할 수 있다. 검사자에 따라 변이가 심하지만 심실의 기능이나 움직임, 심장의 충만감 등으로 실시간 수액반응을 살필 수 있다. 하지만 심근수축력 및 심실 유순도의 영향으로 일회심박출량이 달라질수 있어서 실제 수액 정주에 따른 일회심박출량의 증가 여부는 정확하게 예측하기 힘든 경우가 많다. 따라서 이완기말 좌심실 용적이 전부하 평가에는 좋은 도구이나 이것을 수액 반응성과 일치하는 것으로 해석하기는 어렵다.

6) 수액 투여 반응성 감시장치

과거에 수액 요법의 지표로 오랫동안 사용되었던 중심정맥압이 실제 혈유량과 일치하지 않고, 심장 초음파를 통한 측정값이 심장 전부하 평가에는 도움이 되나 수액반응성에는 연관시킬수 없음으로 인해 수액 투여에 대한 정적인 (static) 지표가 아닌 동적인(dynamic) 지표에 대한 필요가 나타났다.

2000년대 초에 기계 호흡 중인 환자에서 심장과 폐의 상호작용으로 수액 투여에 대한 반응성을 예측할 수 있음이 재기되었다. 즉, 흡기와 호기에 따라 복귀정맥혈이나 동맥혈압, 일회박출량에 변화가 일어나는 것을 이용해 혈관내 용적을 평가한다. 대표적으로 맥압변이(pulse pressure variation, PPV), 일회박출량변이(stroke volume variation, SVV)가 있고 이 값이 클수록 호흡주기에 따른 일회심박출량 변이가 큰 저혈량 상태에 있음을 의미한다.

2. 수액 투여량의 결정

체중의 감소는 세포외액량의 감소를 의미하며 세포외액 감소 정도의 지침이 될 수 있다(표 4-2). 세포외액량의 감소시 궁극적인 치료 목표는 유효순환혈액량을 증가시키는 것이다. 투여하는 수액의 종류 및 총량, 공급 경로 및 속도 등은 주어진 여건에 따라 변한다. 심혈관계가 정상인 환자는 등장성 식염수나 젖산링거(lactated Ringer) 용액을 매 15분당 1 L씩 빠르게 정주하여 부족한 체

표 4-2 체중 감소에 따른 세포외액 결핍의 정도(체중 70 Kg 기준)

정도	체중 감소	수분 감소
경증(< 2%)	< 1.4 Kg	< 1.4 L
중등증(2–5%)	1.4–3.5 Kg	1.4–3.5 L
중증(> 6%)	> 4.2 Kg	> 4.2 L

액을 교정시킬 수 있다. 이 경우 최고 3~4 L 까지 투여 가능하며 많은 양의 수액을 투여할 경우에는 중심정맥압이나 폐동맥 쐐기압 등의 변화를 주의 깊게 관찰하여야 한다. 그러나 심혈관계 기능이 제한된 환자는 10분에 걸쳐 정질용액 200 mL를 정주하고 중심정맥압이나 폐동맥 쐐기압의 증가를 관찰하면서 생명 징후(vital sign)의 안정과 요량이 0.75~1.0 mL/kg/hr로 증가할 때까지 주의 깊게 투여하여야 한다. 이 경우 중심정맥압이 2 cmH$_2$O, 폐동맥 쐐기압이 3 torr 이하로 증가하는 경우 계속적인 수액 보충이 필요하며, 중심정맥압이 2~5 cmH$_2$O, 폐동맥 쐐기압이 3~7 torr 사이의 변화를 보이면 10분을 기다린 후 다시 측정하여 수액보충의 지표로 삼는다. 중심정맥압이 5 cmH$_2$O, 폐동맥 쐐기압이 7 torr 이상의 속도로 증가하면 수액 투여를 제한하여야 한다(Challenge test). 과거에는 중심정맥압과 폐동맥 쐐기압을 기준으로 하였다면 최근에는 감시 장치의 발달로 심장 박출량 혹은 맥압변이(PPV) 등을 이용해 수액을 투여한다. 즉 10분에 걸쳐 정질용액을 250 mL를 투여하고 심박출량이 15% 이상 증가하거나 맥압변이가 13% 이하로 감소하는 경우 수액 반응성이 있다 판단한다. 적절한 요량이 유지되기 전이나, 생명 징후가 안정되기 전에 혈관내액의 과용적 상태가 의심되면 수액 투여를 중단하고 그 원인을 살펴보아야 한다.

일반적으로 정질용액을 투여할 경우 유효순환혈액량의 증가 정도는 용액의 조성에 따라 달라진다. 당대사(glucose metabolism)가 정상일 때 5% 포도당 용액의 투여는 무용질 수분을 투여하는 것과 동등하게 되므로 전체액 구획에 고루 분포된다. 즉, 5% 포도당액 1 L를 투여하면 혈관내 용적은 2%(75~100 cc)정도 증가한다. 나트륨을 함유한 용액은 주로 세포외액의 용적을 증가시키므로 1 L의 생리식염수를 투여하게 되면 혈액량이 6%(300 cc)정도 증가하게 된다. 또한 교질용액의 경우에는 주로 혈관내 구획에서만 용적의 팽창을 일으키므로 상당한 혈액량의 증가를 가져오게 된다. 따라서 세포외액량의 결핍 혹은 체액량의 결핍시 체액 구획의 어느 구획을 증가시킬 것인가를 염두에 두고 투여할 용액의 종류를 선택하는 것이 중요하다. 다만 대량의 포도당을 함유한 용액을 빠르게 투여하면 혈장포도당 농도가 증가되어 소변을 통한 당배설의 증가와 함께 나트륨과 수분의 신장으로의 배설 또한 증가되므로 체액 소실이 더욱 악화될 수 있어 주의를 요한다.

세포외액량의 과다
(Extracellular fluid volume excess)

세포외액의 과잉은 일차적으로 혈장과 간질액의 증가를 의미하며 비정상적으로 증가된 Na^+가 세포외액내의 수분을 증가시키며 세포외액의 전해질 농도에는 변화를 주지 않는다. 가장 흔한 세포외액 과잉의 원인은 등장성 식염수의 과다 투여이며 이외에 울혈성 심부전, 만성 신질환, 만성 간질환 등에서도 발생될 수 있다.

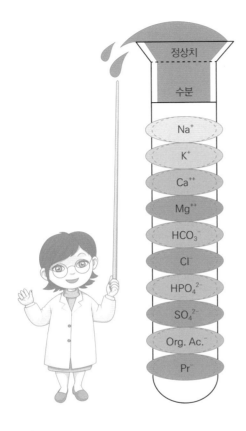

정상치

수분

Na$^+$

K$^+$

Ca^{++}

Mg^{++}

HCO$_3$

Cl

HPO$_4{}^{2-}$

SO$_4{}^{2-}$

Org. Ac.$^-$

Pr$^-$

임상소견

병력
- 울혈심부전증
- 부신피질 호르몬의 과잉 투여
- 염분의 과잉 섭취
- 고알도스테론증
- 염분성 등장액의 혈관내 과량 주입
- 신장 질환

징후 및 증상
- 급작스런 체중 증가 .... 5% 이상
- 함요 부종
- 수술시 조직의 부종
- 폐의 Moist rales
- 안검의 부종
- 빈호흡
- 맥박이 강해짐

검사실 소견
- 비정상적인 세포외액의 과잉 상태로 인한 혈색소, 적혈구 수치의 정상치 이하 감소

동의어 수분 과잉(overhydration)

세포외액량의 과다는 수분 과잉(overhydration)이란 말로 자주 쓰이지만 올바른 용어가 아니다. 왜냐하면 세포외액의 증가는 수분 증가분만이 아니라 전해질의 증가로도 생기기 때문이다.

세포외액의 과다 원인은 모세혈관과 간질액 사이의 체액 이동을 조절하는 Starling force의 장애에 의하며 모세혈관내 정수압이 증가하거나 모세혈관내의 삼투압이 감소할 경우 발생된다. 여기에 속하는 질환들로는 심부전, 신증후군

(nephrotic syndrome)등이 있으며 ADH 생성 조절의 장애가 있을 경우에도 발생된다. 체액량의 과다시 염분 제한과 이뇨제의 투여가 중요한 치료이다.

정질용액
(Crystalloid solution)

정질용액과 교질용액은 1861년 Thomas Graham에 의하여 두 구획간의 투과 속도에 따라 최초로 구별되었다. 정질용액은 기본적으로 NaCl을 포함한다. Na^+는 세포외액에 주로 함유되어 있는 용질로서 세포외 전체에 고루 분포되어 있다. 세포외액중 75~80% 정도가 혈관외액 즉, 간질액으로 구성되어 있으므로 정질용액의 투여시 75~80% 정도는 혈관을 빠져 나와 간질액으로 분포하게 된다. 결국 정질용액의 투여시 주요한 효과는 혈장량의 증가보다는 조직간액의 증가이다. 따라서 경한 출혈시에는 간질액이 혈관내로 들어오게 되므로 정질용액의 투여는 부족된 간질액을 보충하게 될 수 있으며 동시에 혈관내 용적의 증가를 가져올 수 있게 된다.

그림 4-1은 각종 정질용액의 투여시 혈장과 간질액의 증가를 나타내는 그림으로 0.9% 생리식염수의 경우 1 L 투여 후 혈장량은 275 mL, 간질액은 825 mL 증가함을 볼 수 있으며 전체적으로 1,100 mL의 용적 효과를 나타낸다. 이때 초과된 100 mL의 용적은 세포내에서 세포외 공간으로 체액의 이동이 발생된 것이며 이는 NaCl이 세포외액에 비하여 약간 삼투압이 높기 때문에 생기는 현상이다.

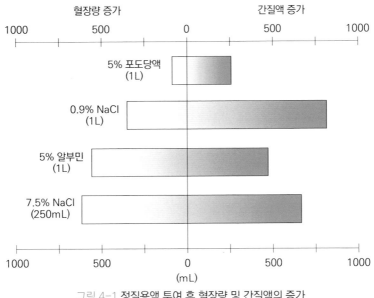

그림 4-1 정질용액 투여 후 혈장량 및 간질액의 증가

    기본적으로 수분만이 소실된 경우에는 저장성 정질용액을 투여하며 수분 및 전해질 모두 소실된 경우에는 등장성 정질용액 투여를 원칙으로 한다. 경우에 따라서는 케톤산혈증을 예방하거나 고장성으로 유지하기 위하여 포도당을 첨가하기도 한다.

    다음에 몇 가지 대표적인 정질용액들에 관하여 살펴보고자 한다(표 4-3).

표 4-3 수액 제제의 종류 및 구성 성분의 비교

	Na⁺ (mEq/L)	Cl⁻ (mEq/L)	K⁺ (mEq/L)	Ca⁺⁺ (mEq/L)	Mg⁺⁺ (mEq/L)	완충제 (mEq/L)	pH	삼투압 (mosm/L)	기타
1. 정질 용액									
혈청	140	103	5	5	2	HCO_3^- (26)	7.4	289	칼로리 (250Kcal/L)
0.9% NaCl	154	154					5.7	308	

	Na⁺	Cl⁻	K⁺	Ca⁺⁺	Mg⁺⁺	완충제	pH	삼투압	기타
0.45% NaCl	77	77					5.7	154	
3% NaCl	513	513					5.7	1026	
5% NaCl	855	855					5.7	1710	
7.5% NaCl	1283	1283					5.7	2567	
D5/W							4.3	253	포도당 (50g/L)
D10/W							3.8	505	포도당 (100g/L)
D5/S	154	154					4.2	586	포도당 (50g/L)
D5/R	130	109	4	3		Lactate (28)	4.9	525	포도당 (50g/L)
1 : 2 S/D	51	51						288	포도당 (33.3g/L)
1 : 3 S/D	39	39						284	포도당 (37.5g/L)
1 : 4 S/D	31	31						284	포도당 (40g/L)
Lactated Ringer용액	130	109	4	3		Lactate (28)	6.7	273	
Normosol Plasma—Lyte	140	98	5		3	Acetate (27) Gluconate (23)	7.4	295	

D5/W, 5% dextrose in water ; D10/W, 10% dextrose in water ; D5/S, 5% dextrose in normal saline ; D5/R, 5% dextrose in Lactated Ringer용액 ; 1 : 2 S/D, dextrose in 1/3 normal saline ; 1 : 3 S/D, dextrose in 1/4 normal saline ; 1 : 4 S/D, dextrose in 1/5 normal saline

2. 교질 용액

	Na⁺ (mEq/L)	Cl⁻ (mEq/L)	K⁺ (mEq/L)	Ca⁺⁺ (mEq/L)	Mg⁺⁺ (mEq/L)	완충제 (mEq/L)	pH	삼투압 (mosm/L)	기타
덱스트란-40							4.0	255	분자량(40 kDa) 포도당(50g/L)
5% 알부민	+	+					6.9± 0.5	+	
젤라틴	154	125							분자량(30–35 kDa)
펜타스판 (10% 펜타스 타치)	154	154					5.0	326	분자량(250 kDa)
볼루벤 (6% HES 130/0.4)	154	154					4.0 ~ 5.5	308	분자량(130 kDa)

	Na	Cl	K	Ca	Mg	Buffer	pH		
볼루라이트 (6% HES 130/0.4)	137	110	4		1.5	Ace- tate(34)	5.7 ~ 6.5	287	분자량(130 kDa)
헥스텐드 (6% HES 670/0.75)	143	124	3	5	0.9	Lactate(28)		307	분자량(670 kDa)
테트라스판 (6% HES 130/0.42)	140	118	4	2.5	1	Ace- tate(24) Malate(5)	5.6 ~ 6.4	296	분자량(130 kDa)

kDa: kilodaltons
+: 제조사에 따라 다양함

1. 등장성 식염수(Isotonic saline)

 0.9% NaCl을 등장성 식염수 혹은 생리 식염수(normal saline)이라고 하는데 등장성 식염수는 NaCl이 리터 당 9gm밖에 들어있지 않기 때문에 엄격한 의미에서 생리 식염수라는 말은 부적절하다(1 N의 NaCl은 58 gm/L). 많은 양의 등장성 식염수를 투여할 경우 대사성 산증이 나타날 수 있는데 이는 등장성 식염수 내에 포함된 Cl^-(154 mEq/L)가 혈장내의 양(103 mEq/L)보다 많음으로 인하여 hyperchloremia가 발생되기 때문이다. 또한 과량의 등장성 식염수의 투여는 신장 혈류를 감소시킬 수 있다.

2. Lactated Ringer 용액(Hartmann 용액)

 이 수액은 최초에는 심근 기능의 증가를 위하여 고안된 정질용액으로 균형 전해질 용액(balanced electrolyte solution)이라고도 하며 NaCl 용액에 Ca^{++}와 K^+이 포함되어 있다. 대사성 산증의 발생을 막기 위하여 lactate(28 mEq/L)가 완충제로 첨가되어 있는데 lactate는 간에서 bicarbonate로 전환된다. 용액내의 Ca^{++}와 K^+이 이온 중성화를 위한 Na^+의 요구량을 감소시키기 때문에 등장성 식염수

표 4-4 Lactated Ringer 용액 투여시 부적합한 약물들

부적합한 약물	부분 부적합한 약물	부적합 의심 약물	
Amicar	Ampicillin	Amikacin	Nitroprusside
Amphotericin	Minocycline	Cleocin	Penicillin
Cefamandole	Vibramycin	Bretylium	Propranolol
Metaraminol		Cyclosporin	Vasopressin
Pentothal		Mannitol	Urokinase
		Nitroglycerin	

에 비하여 Na$^+$의 양이 적으며(130 mEq/L) lactate 역시 Cl$^-$의 요구량을 감소시켜 이 역시 등장성 식염수에 비하여 적은 양(109 mEq/L)이 포함되어 있다. 그러나 임상적으로 이 용액이 등장성 식염수에 비하여 우수한 효과는 거의 없다.

용액내에 함유된 Ca^{++}이 약물에 결합하여 효과를 감소시킬 수 있으며(표 4-4) 수혈시 혈액 제제에 함유된 citrate와 결합하여 혈전을 생성할 수 있다는 점 때문에 수혈시 혈액의 희석제로는 사용해서는 안된다.

3. Plasma-Lyte(=normosol)

이 용액은 완충 능력이 첨가된 정질용액으로 혈장과 pH가 가장 유사하다. 특징적으로 Ca^{++} 대신에 Mg^{++}이 함유되어 있어 Ca^{++}에 의한 혈관 수축의 예방 및 "no-reflow" 현상을 방지할 수 있다는 장점이 있다. 그러나 Mg^{++}의 함유는 이것이 부족한 환자에는 유용하나 신기능이 감소된 환자에서는 고마그네슘혈증(hypermagnesemia)이 유발될 수 있다는 단점을 가진다. 또한 Mg^{++}의 혈관 이완 효과로 인하여 저혈량증 환자에서의 보상적인 혈압 증가 효과가 감소하게 된다.

4. Dextrose 용액

5% dextrose 용액(1 리터 당 50 gm의 dextrose 함유)은 증류수, 식염수, Ring-er 용액 등에 dextrose를 혼합하여 사용되며 1 리터 당 170 Kcal를 공급한다(3.4 Kcal/gm dextrose). 과거 장기간 금식된 환자에서 탄수화물의 공급을 위하여 사용되었으나 이러한 칼로리의 보충은 최근 고영양 치료법(enteral 및 parenteral)의 표준화로 인하여 이 용액의 칼로리 보충에 대한 의의성은 희석되어 가고 있다. 용적 증가 효과는 그림 4-1과 같이 별로 없으며 용액에 함유된 dextrose가 삼투압을 증가시켜 포도당 대사에 장애가 있는 환자에서는 포도당이 축적되어 세포의 탈수 현상이 발생될 수 있다. 이외에도 정상인에서 약 5% 정도 lactate 의 생성을 증가시키며 그 정도는 Ringer 용액보다 더 현저하다. 이러한 lactate 의 생성 증가는 특히 중추신경계에 저장됨으로써 허혈성 뇌손상 환자의 증상을 악화시키기도 한다.

Dextrose와 뇌허혈; 중추신경계에서 필요한 에너지는 포도당에 의존한다. 뇌허혈 발생시 포도당의 투여는 혐기성 당분해 작용을 증가시켜 많은 양의 젖산(lactic acid)을 생성시키며 이 젖산의 축적은 혈류를 더욱 감소시키게 되므로 뇌혈류가 불충분한 환자에서는 포도당을 투여하지 않는 것이 좋다.

교질용액
(Colloid solution)

교질용액은 분자가 크기 때문에 정질용액과는 달리 확산 장벽을 통하여 자유

롭게 이동하지 못하므로 혈관내에 남아 혈장량을 증가시킨다. 정질용액의 반감기가 20~30분 정도인데 비하여 대부분의 교질용액은 반감기가 3~6시간에 이른다. 덱스트란, Hydroxyethyl starch(HES) 등과 같은 교질용액은 빠르고 장기간 혈관내액을 보충시키기 위하여 유용하며 혈액 제제 투여에 따른 합병증을 줄일 수 있으나 혈액의 산소 운반 능력을 증가시키지는 못한다. 또한 혈액응고 장애, 신독성, 알레르기와 같은 면역 반응을 일으킬 수 있다. 따라서 알부민을 제외한 교질용액은 패혈증, 신기능 장애 환자에서 투여가 권장되지 않는다.

1. 알부민(Albumin)

알부민은 혈장 삼투압의 75~80%를 담당하고 있으며 약물 및 이온의 운반에 중요한 운반 단백질이다. 5%(50 gm/L) 혹은 25%(250 gm/L)의 용액으로 인간의 혈청 단백질을 가열(60°C로 최소한 10시간)하여 등장성 식염수에 희석되어 상품화되어 있다. 25% 용액은 Na^+가 아주 소량만이 포함되어 있어 저염 알부민(salt-poor albumin)이라고도 하며 소량으로 투여한다. 5% 알부민은 교질 삼투압이 20 mmHg로 혈장의 교질 삼투압(20 mmHg)과 비슷하며 투

표 4-5 대표적인 교질용액의 비교

종류	평균 분자량 (kilodaltons)	혈장량 증가 효과	작용시간
5% 알부민	69	0.7~1.3배	12~24시간
25% 알부민	69	4.0~5.0배	12~24시간
10% 덱스트란	40	1.0~1.5배	6시간
젤라틴	30~35	0.7~0.8배	1~3시간
펜타스판	250	1.45배	4~6시간
볼루벤	130	1.0배	3~4시간
헥스텐드	670	1.6배	8시간

여된 양의 50%가 혈관내에 남아있게 되며 그 효과는 12~18시간에 이른다. 그러나 25% 알부민의 경우에는 교질 삼투압이 70 mmHg 정도이므로 간질액의 수액을 혈관내로 끌어들임으로 인하여 투여된 양의 4~5배 정도 혈장량을 증가시키게 된다(표 4-5). 결국 25% 알부민 100 mL를 투여한 경우 혈장량은 400~500 mL 정도 증가하게 되나 간질액이 감소되기 때문에 혈관내 용적을 증가시키기 위해서 사용되지는 않는다.

2. Hydroxyethyl starch(HES)

HES는 값이 비싼 알부민을 대치하기 위하여 합성된 교질용액으로 전분에서 얻어지는 amylopectin으로 이루어져 있다. 농도, 분자량, 몰치환 정도, C2:C6 비율, 용매 등 물리적, 화학적 특징이 서로 다른 다양한 제품들이 있다. 혈장 증량 효과는 5% 알부민과 비슷하며 비용이 알부민에 비해 낮다는 장점이 있다. HES는 혈액내의 아밀라제(amylase)에 의해 작은 조각으로 분해되고, 분해된 조각들은 신장에서 체외로 배출된다. HES의 청소율은 몇 주까지 연장될 수는 있지만 교질 삼투압 효과는 24시간 이내에 소실된다. HES는 혈청 아밀라제에 의하여 분해되는 특징으로 인하여 투여 후 5~7일 동안 2~3배 정도로 혈청 아밀라제를 증가시킬 수 있으므로 급성 췌장염(acute pancreatitis)과 감별 진단을 하여야 한다. 혈액 응고 장애에 관한 논란이 있으나 이는 초기 고분자량의 HES 약물에서 더욱 심하게 나타났었고 현재 4세대 HES인 헥스텐드(balanced 6% 670/0.75), 볼루라이트(balanced 6% HES 130/0.4)는 혈액응고에 미치는 영향이 적다. 따라서 von Willebrand병과 같은 혈액 응고 이상 환자에서는 HES 사용을 피하고, 24시간 이내에 1,500 mL 이하로 HES 사용을 줄이는 것을 권고하고 있다.

3. 덱스트란(Dextrans)

이 용액은 포도당 합성체로 10% 덱스트란-40(Reomacrodex, 분자량 40,000)과 6% 덱스트란-70(Macrodex, 분자량 70,000) 제제가 상품화되어 있다. 덱스트란-70이 혈장량 증가 효과가 더욱 좋으나 덱스트란-40은 혈액 점성도(viscosity)를 감소시켜 미세순환의 혈류를 향상시키는 장점이 있다. 이 용액은 1.5 gm/kg/day 이상으로 대량 사용할 경우 혈소판 작용을 방해하여 출혈 경향이 나타나는 단점이 있으며 과거에는 알러지 반응이 많이 나타났으나 요사이는 제조법의 개발로 인하여 0.032% 정도에 불과하다. 20 mL/kg/day 이상으로 사용한 덱스트란은 적혈구 표면에 막을 형성하는 효과가 있어 혈액 교차 반응을 방해할 수 있으며 드물게는 사구체(glomerulus) 혈액의 과삼투 현상으로 여과 압력(filtration pressure)이 낮아져 신부전(renal failure)을 야기할 수도 있다는 단점이 있다. 이러한 부작용들 때문에 덱스트란을 혈관 내 용적 증가를 목적으로 사용하는 경우는 현저히 감소하였다.

4. 젤라틴(Gelatin)

젤라틴은 소의 콜라겐을 분해하여 만든 혈량 증량제이다. 혈관 내 용적 증가에 대한 효과는 크지 않은데 이는 젤라틴이 간질 공간으로 이동이 빠르고, 신장을 통한 배설이 비교적 빠르며, 세망내피계(reticuloendothelial system)에서 단백질 분해 효소에 의해 분해되기 때문이다. 투여한 젤라틴 용액 부피보다 혈관 내 용적 증가가 적어서 반복 투여가 필요할 수 있다. 드물지만 히스타민에 의한 알레르기 반응이 나타날 수 있다.

정질용액과 교질용액의 선택
(Choosing between colloids and crystalloids)

수액 요법시 정질용액과 교질용액 중 어느 것을 선택하느냐에 관해서는 논란이 많으나 다음의 사항들을 기준으로 판단하는 것이 일반적이다(표 4-6).

1. 출혈 시 효과

15% 이하의 경한 출혈의 발생시 부족한 혈관내의 용적을 대치하기 위하여 간질액이 혈관내로 이동하게 된다. 정질용액 투여시 그림 4-1과 같이 혈장량의 증가보다는 간질액의 증가 효과가 더욱 우수하기 때문에 이 정도의 경한 출혈의 경우에는 정질용액을 투여함으로써 부족된 간질액을 보충시킬 수 있다. 그러나 15% 이상의 출혈시에는 신체의 여러 가지 보상 기전에도 불구하고 심박출량이 감소되며 이 경우 수액 요법의 일차적 목표는 혈관내 용적을 증가시켜

표 4-6 정질용액 및 교질용액의 장단점

용액	장점	단점
정질용액	값이 싸다	말초 부종 발생이 쉽다
	신혈류가 증가한다	폐부종 발생이 쉽다
	간질액 증가가 우수하다	
교질용액	적은 양으로도 효과가 우수하다	값이 비싸다
	장기간 혈장이 증가된다	혈액응고 장애가 가능하다
	말초 부종이 적다	폐부종 발생이 쉽다
		사구체 여과율이 감소될 수 있다
		삼투성 이뇨가 발생될 수 있다

심박출량을 적절히 유지하여 주는 것이다. 따라서 교질용액이 정질용액에 비하여 3배 정도의 혈관내 용적의 증가 효과가 있기 때문에 중등도 혹은 그 이상의 심할 출혈시에는 교질용액을 선택하는 것이 빠른 혈관내 용적의 증가에 따른 심박출량의 증가를 가져올 수 있으므로 훨씬 더 효율적이다.

대부분의 임상에서 3~4 리터 이상의 수액 투여가 필요한 경우에는 교질용액과 정질용액을 1:3 비율로 함께 투여하는 것이 일반적이다.

2. 부종의 위험성(Risk for edema)

혈관내로 투여된 정질용액은 많은 양이 간질액으로 이동되므로 많은 양의 정주시 말초 부종의 발생 가능성이 증가한다. 그러나 교질용액이라고 해서 반드시 말초 부종의 위험이 없는 것은 아니다. 특히 알부민을 함유한 제제에서 그러한데 알부민은 혈관내뿐만이 아니라 그 이상의 양이 간질액에 있기 때문이다. 폐부종 역시 정질용액 및 교질용액 모두 마찬가지로 발생 가능하나 폐모세혈관이 파괴된 환자에서는 정질용액이 더욱 발생 가능성이 증가되며 예방을 위해서는 수액의 종류보다는 적절한 감시장치하에 투여하는 것이 더욱 중요하다.

3. 혈역학적 효과(Hemodynamic effects)

교질용액이 심박출량과 산소 운반량의 증가가 더 우수하나 산소 운반량의 증가에 관해서는 아직 논란이 많다. Lactated Ringer 용액과 알부민을 투여한 후 심박출량의 증가를 보면 정질용액에 비하여 교질용액이 더욱 심박출량의 증가에 우수함을 알 수 있다.

4. 가격

교질용액이 정질용액에 비하여 훨씬 더 값이 비싸며 등장성 식염수를 기준으로 3~6배 이상으로 비싸다.

결론적으로 혈장량의 증가가 주요 목표일 경우에는 교질용액의 투여가 바람직하며 전체 세포외액량의 증가가 목표일 경우에는 정질용액을 선택하는 것이 좋다. 즉, 체액의 어느 구획을 보충시켜 줄 것인가를 결정하면 정질용액과 교질용액 중 어느 한가지를 선택할 수 있게 되며 각각의 장단점을 신중히 고려하여 선택하여야 한다.

나트륨 균형 장애

Chapter 05

정상 나트륨 균형
(Normal sodium balance)

1. 나트륨의 생리적 작용(Physiologic action of sodium)

나트륨은 인체의 삼투 안정성에 가장 중요한 역할을 하는 이온이다. 나트륨 장애 질환은 혈장 나트륨 농도가 증가 혹은 감소하는 경우이며 대부분 신장에서의 조절 기전에 의하여 정상치를 유지하게 된다.

고나트륨혈증(hypernatremia)과 저나트륨혈증(hyponatremia)은 단순히 나트륨 양의 증가 혹은 감소를 의미하는 것이 아니라 나트륨의 양과 세포외액량 사이의 상호 관계에 의한 나트륨 전해질의 농도 변화를 의미한다. 따라서 고나트륨혈증과 저나트륨혈증은 세포외액량이 증가, 정상 혹은 감소된 모든 경우에 나타날 수 있다.

세포외액량이 감소된 경우의 고나트륨혈증은 전체 나트륨 양이 감소된 정도에 비하여 전체 자유 수분의 감소가 더욱 많은 경우 발생되며, 세포외액량이 정상인 상태에서 발생되는 고나트륨혈증은 전체 나트륨 양은 정상이나 전체 자유 수분만이 감소됨으로 인하여 발생된다. 세포외액량이 증가되어 있는 고나트륨혈증은 전체 자유 수분의 증가에 비하여 전체 나트륨의 양이 더욱 증가하는 상황에서 발생된다(표 5-1).

저나트륨혈증 역시 전체 나트륨의 양과 세포외액량 사이의 상호 관계에 의하여 발생된다. 세포외액량이 감소된 경우의 저나트륨혈증은 전체 자유 수분의 감소에 비하여 전체 나트륨 양이 감소가 더욱 많은 경우 발생되며, 세포외액량이 정상인 상태에서 발생되는 저나트륨혈증은 전체 나트륨 양은 정상이나 전체 자유 수분만이 증가됨으로 인하여 발생된다. 세포외액량이 증가되어 있는 저나트륨혈증은 전체 나트륨 양의 증가에 비하여 전체 자유 수분량이 더욱 증가하는 상황에서 발생된다(표 5-1). 전체 나트륨의 양과 자유 수분량의 상호 관계의 이해는 차후 치료 방향 설정에 중요한 지침이 되므로 이의 관계를 정확히 파악하는 것이 중요하다.

표 5-1 나트륨 증가 및 감소시 전체 나트륨의 양과 자유 수분량의 변화

	세포외액량	전신의 나트륨 양	전신의 자유 수분량
고나트륨혈증	감소	↓	↓↓
	정상	→	↓
	증가	↑↑	↑
저나트륨혈증	감소	↓↓	↓
	정상	→	↑
	증가	↑	↑↑

2. 나트륨의 섭취 및 배설(Uptake and excretion of sodium)

체내 나트륨 양의 조절은 항이뇨 호르몬(ADH), 갈증 기전, 신장에서의 나트륨 농축 기전 등에 의하여 세포외액량과 함께 조절된다. 체내 흡수된 나트륨은 하루 70~100 mEq 정도 배설되며 이는 NaCl 5 gm에 해당된다. 체내 전체량은 2,700~3,000 mEq에 달하며 이중 뼈에 있는 1,000 mEq를 제외한 나머지 2,000 mEq 정도가 삼투압에 관여된다.

소변에서의 나트륨 농도는 10 mEq/L 이하이나 이는 나트륨의 하루 섭취량에 따라 변화된다. 실제로 furosemide를 사용한 경우 소변에서의 나트륨 농도는 75 mEq/L 까지 증가된다.

3. 혈장 나트륨 농도(Plasma sodium concentration)

나트륨의 정상 혈장 농도는 135~145 mEq/L이며 체내 나트륨의 대부분이 세포외액 구획에 있으며 세포내액에는 소량(10mEq/L)만이 존재한다. 따라서 혈장 나트륨 농도의 변화는 체내 전체 나트륨 양의 변화와 세포외액량의 변화를 반영한다고 볼 수 있다.

세포외액의 나트륨 농도 과잉
(Sodium concentration excess of extracellular fluid)

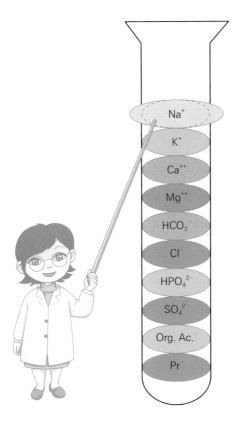

📋 **임상소견**

병력
- 수분 섭취 부족
- 설사
- 염분의 과다 섭취
- 바닷물 섭취
- 음식물을 삼키지 못하는 경우
- 신장 기능 저하
- 심호흡, 빈호흡으로 인한 과량의 수분 소실
- 급성 기관지 염증
- 열성 질환
- 중탄산의 부족
- 의식 상실

징후 및 증상
- 마르고 진한 점막
- 붉으스레한 피부
- 체온 상승
- 누선 억제
- 거칠고 마른 혀
- 핍뇨 및 무뇨

검사실 소견
- 혈장 나트륨치 : 145 mEq/L 이상
- 혈장 염소치 : 106 mEq/L 이상
- 요비중 : 1.030 이상

동의어 고나트륨혈증(hypernatremia)

전해질 농도 과잉(electrolyte concentration excess)

총 전해질 농도 증가(excess in total electrolyte concentration)

수분 부족/탈수(순수 수분감소)(water depletion/dehydration (pure water depletion))

세포외액의 염분 과잉이라는 말은 표 5-1에서 설명한 바와 같이 고나트륨혈증의 한 가지 경우에 불과하다. 따라서 실제로는 세포외액의 "염분 과잉"이라는 말보다는 "나트륨 농도의 과잉"이라는 표현이 더욱 적절하며 따라서 차후 고나트륨혈증을 기준으로 설명하고자 한다.

고나트륨혈증의 가장 기본적인 기전 중의 하나는 신체의 염분 소실이 동반되지 않고 자유 수분만이 소실되는 경우로서 세포외액량이 감소하면서 고장성이 된다.

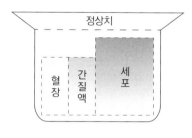

수분 소실로 인하여 세포외액량이 정상치 이하로 감소되고 고장성이 된다.

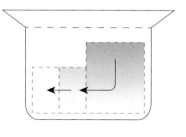

세포외액의 고장성으로 인한 삼투압에 의해서 세포내액이 세포외액 공간으로 이동되고 총 체액량은 정상치 이하로 감소된다.

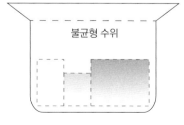

혈관내액의 단백질로 인한 교질 삼투압이 작용하여 간질액으로부터 혈관내로 서서히 수분이 이동된다. 시간이 지나면 세포내·외액의 삼투압은 평형을 이룬다.

119

이러한 기전은 세포외액량의 감소에 따른 기전과 유사하나 4장에서 설명한 세포외액량의 감소(extracellular fluid volume deficit) 경우는 수분과 전해질 모두가 감소되고 일부 불감소실에 의하여 세포외액이 고장성이 되지만 이 경우는 세포외액의 자유 수분이 소실됨으로 인하여 상대적으로 혈장 나트륨 농도가 증가되어 세포외액이 고장성으로 된다는 것이 다르다. 이는 삼투압 차이에 의하여 세포로부터 세포외액으로 수분을 이동하게 하며 결과적으로 혈장, 간질액, 세포내액 모두가 정상치 이하로 감소하게 된다. 결국 전체액량의 감소가 나타나고 이는 세포외액량의 감소시와 유사한 결과가 된다. 그러나 이 경우는 혈관내에 남아 있는 단백질로 인한 삼투압 차이에 의하여 간질액으로부터 혈관내로 수분의 이동이 발생된다는 점이 다르다.

1. 고나트륨혈증과 고삼투압(Hypernatremia & hyperosmolality)

고삼투 현상은 전체액량에 비하여 전체 용질의 양이 증가하는 경우 발생되므로 항상 고나트륨혈증($[Na^+] > 145$ mEq/L)과 관련된 것은 아니다. 즉, 고혈당의 경우나 혈장내 삼투질 농도를 증가시키는 비정상 물질이 있을 경우에는 고나트륨혈증 없이도 고삼투압 현상은 나타날 수 있다. 고나트륨혈증은 나트륨에 비하여 수분 소실이 많은 경우나 나트륨 배설이 감소된 경우 발생될 수 있다. 신장에서 나트륨 배설에 이상이 생기면 갈증 기전이 극대화되어 고나트륨혈증을 방지하려는 기전을 갖게 된다. 따라서 고나트륨혈증은 물을 마실 수 없는 환자나 노인, 의식이 저하되어 있는 환자들에서 많이 발생된다. 고나트륨혈증에서 전체 나트륨의 양은 이미 설명한 바와 같이 증가뿐만이 아니라 정상 혹은 감소할 수도 있다.

표 5-2 체액에 따른 나트륨 농도의 차이

체액	나트륨 농도
소변	< 10
설사	40
위장 분비물	55
땀	80
췌장 분비물	145
소장 분비물	145

2. 고나트륨혈증의 원인(Causes of hypernatremia)

정상 혈장 나트륨 농도는 135~145 mEq/L이므로 135 mEq/L 이하의 낮은 나트륨 농도를 가진 수분이 소실될 경우나 145 mEq/L 이상의 높은 나트륨 농도를 가진 수액을 투여할 경우 발생된다. 또한 고나트륨혈증은 신장 및 신외(extrarenal) 수분 소실량이 섭취량에 비하여 많을 경우 발생된다. 수분 섭취가 감소되면서 수분을 소실하는 경우 세포외액의 나트륨 농도의 증가가 발생되며 특히 더운 날씨나 열성 질환이 있는 경우 쉽게 발생될 수 있다. 이의 가장 흔한 원인으로는 갈증 장애, 삼투성 이뇨, 과다한 수분 소실 등의 세 가지 기전이 있다.

수분 섭취의 부족이 발생되는 경우로는 혼수, 만성 질환 등에 의하여 갈증 호소를 잘 하지 못하는 환자들에서 흔히 볼 수 있다.

1) 고나트륨혈증 및 세포외액량의 감소
　　(Hypernatremia & low extracellular volume)

전체 수분과 나트륨 모두 감소되어 있으나 수분의 소실이 나트륨의 소실에 비하여 더욱 많은 경우로서 세포외액의 감소 즉, 저혈량증 증상이 동시에 나타나게 된다. 결국 저장성 수분(hypotonic fluid)이 소실되는 경우로서 저혈량증 (hypovolemia)과 혈장 삼투압의 증가가 발생된다(표 5-2). 그러나 혈관내 고장 성으로 인하여 혈관외액이 혈관내로 이동함에 따라 혈관내 용적의 보충이 어 느 정도 이루어지므로 주요 장기의 저관류 상태를 일으킬 만한 저혈량증은 잘 발생되지 않는다.

원인으로는 신장에서의 삼투성 이뇨에 의한 과다한 이뇨 작용, 구토, 설사 및 발한 등이 있으며 모든 체액에는 나트륨이 포함되어 있으므로 이 체액들의 소 실은 결국 어느 정도의 나트륨 소실을 함께 야기하게 된다. 신장이 원인인 경우 소변에서의 나트륨 농도는 20 mEq/L 이상이고 설사, 발한 등과 같이 신장 이외 의 원인인 경우 소변 나트륨 농도는 10 mEq/L 이하가 됨을 볼 수 있다.

2) 고나트륨혈증 및 정상인 세포외액량 (Hypernatremia & normal extracellular volume)

피부, 호흡기, 신장 등을 통하여 순수 수분이 소실되는 경우로서 저혈량증 증 상 없이 발생될 수도 있다. 가장 흔한 원인으로는 요붕증(diabetes insipidus)으 로서 이 질환은 ADH 분비 자체의 감소(central diabetes insipidus)나 신세뇨관 에서 ADH에 반응하지 않는 경우(nephrogenic diabetes insipidus)에서 요 농축 능력이 소실됨으로 인하여 발생된다.

① 중추성 요붕증(Central diabetes insipidus)

이 질환은 시상하부나 뇌하수체 주위의 병소로 인하여 혹은 신경외과 수술, 폐쇄성 두부 손상, 뇌막염 등의 경우에서 발생될 수 있다. 소변량이 많고 소변에서 당분이 검출되지 않으며 혈장 삼투압에 비하여 소변의 삼투압이 낮을 경우 진단할 수 있다. 의식이 없는 경우 갈증 욕구의 소실로 급격하게 저혈량증에 빠질 수 있다. 수액 공급을 중단한 후 수 시간 이내에 소변 삼투압이 30 mOsm/L이상 증가하지 않으면 중추성 요붕증을 의심할 수 있으며 외부에서 ADH를 투여한 후 소변의 삼투압이 증가하게 되면 확진이 된다. 이때 소변 삼투압은 최소 50% 이상 증가하게 된다. 치료는 vasopressin, DDAVP (Desmopressin) 등을 투여한다.

② 신장성 요붕증(Nephrogenic diabetes insipidus)

선천적으로도 발생될 수 있으나 주로 만성 신장 질환, 저칼륨혈증과 같은 전해질 장애, 약물 등에 의하여 발생된다. 이 질환은 ADH의 분비는 정상이나 신장이 ADH에 반응하지 않음으로 인하여 발생된다. 따라서 중추성 요붕증과는 달리 외부에서 ADH를 공급하여도 소변 삼투압이 증가하지 않는다. 중추성 요붕증의 경우 소변 삼투압은 200 mOsm/L 이하이나 신성 요붕증의 경우에는 200~500 mOsm/L의 삼투압을 가진다. 치료는 원인 질환을 제거하고 수분 보충을 적절히 하여 주어야 한다.

3) 고나트륨혈증 및 세포외액량의 증가
(Hypernatremia & increased extracellular volume)

이 경우는 많은 양의 3% NaCl과 같은 고장성 식염수를 투여하는 경우나 대사산증을 치료하기 위하여 중탄산염을 투여할 때 주로 발생되며 Cushing 증후군, 원발성 고알도스테론증(primary hyperaldosteronism)에서도 발생된다.

3. 고나트륨혈증의 징후 및 증상
(Signs and symptoms of hypernatremia)

정도가 심하지 않을 경우에는 타액의 감소, 점막의 건조 등의 가벼운 증상이 나타난다. 고나트륨혈증의 정도가 심하게 되면 세포내 탈수 현상으로 인하여 일차적으로 신경학적 증상이 나게 된다. 불안, 기민증, 착란, 과반사 등이 나타나며 심할 경우 경련, 혼수, 심지어 호흡 정지로 인하여 사망까지 가능하다.

세포외액에 비하여 뇌세포내가 상대적으로 저장성이므로 이로 인하여 뇌세포가 수축되면 뇌혈관의 손상을 줄 수 있으며 간혹 지주막하 출혈 등과 같은 뇌출혈이 동반되기도 한다.

증상의 정도는 혈청 나트륨 농도의 양보다는 뇌세포로부터 수분이 소실되는 속도에 더욱 영향을 받는다. 따라서 급성으로 고나트륨혈증이 발생될 경우 위험성이 더욱 증가하게 된다. 만성 상태에서는 뇌세포내에서 글루타민 등과 같은 아미노산과 inositol 등이 증가하여 삼투질 농도를 증가시켜 뇌신경 세포내로 수분을 유입시키게 되므로 증상이 약하게 나타난다.

4. 고나트륨혈증의 치료(Treatment of hypernatremia)

고나트륨혈증은 임상적으로 매우 중요한 상태이고 사망률이 높으므로 환자 관리시 초기 단계에서부터 수분−전해질 불균형 상태에 빠지지 않게 하는 것이 가장 중요하다. 그러나 고나트륨혈증이 일단 발생되었을 경우 이의 치료 목표는 원인 질환을 제거하고 혈장 삼투압을 정상화시키는 것이다(그림 5−1). 수분 소실은 D_5/W와 같은 저장성 수액으로 48∼72시간에 걸쳐 서서히 교정하여 준다.

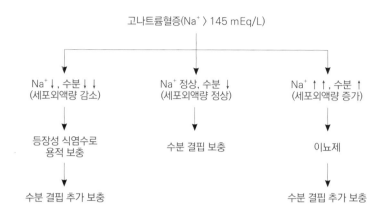

그림 5-1 고나트륨혈증의 치료 지침

1) 고나트륨혈증 및 전체 세포외액량의 감소
(Hypernatremia & low extracellular volume)

　전체 나트륨의 감소가 있음에도 불구하고 세포외액의 감소가 더욱 많음으로 인하여 발생된 고나트륨혈증의 경우에는 저염성 수액보다는 등장성 식염수를 사용하여 우선 혈장량을 빨리 증가시켜 주어 심박출량을 유지시켜 주어야 한다. 이 경우에서 저장성 용액으로 나트륨 농도를 먼저 감소시키려 하면 이 용액은 세포에 비하여 저장성이므로 세포내 과용적 상태가 발생될 수 있으므로 등장성 식염수나 반생리식염수(half-normal saline)를 투여하여야 한다. 경우에 따라서는 5% 알부민이나 6% HES 등의 교질용액을 투여하여 혈관내 용적을 정상화시키기도 하며 일단 혈관내 용적이 정상화 되면 48시간에 걸쳐 자유 수분 결핍량을 보충하여 준다. 자유 수분 결핍량의 보충은 전체액량과 혈장 나트륨 농도의 곱은 항상 일정하다는 원리에 근거를 두며 공식은 다음과 같다.

현재 전체액량 × 현재 혈장 나트륨 농도 = 정상 전체액량 × 정상 혈장 나트륨 농도

따라서 현재 체액량은 다음과 같은 공식으로 표현될 수 있다.

현재 전체액량 = 정상 전체액량 ×(140 / 현재 혈장 나트륨 농도)

이때 정상 전체액량을 구함에 있어 전체액량의 정상치는 남자의 경우 체중의 60%, 여자의 경우 50%를 차지하나 자유 수분 결핍이 동반된 고나트륨혈증의 경우에는 정상에 비하여 전체액량은 약 10% 감소되므로 남자의 경우는 0.5 × 체중(kg), 여자의 경우는 0.4 × 체중(kg)으로 한다. 일단 현재 전체액량이 계산되면 수분 부족은 정상 전체액량과 현재 전체액량의 차이로 인하여 알 수 있게 된다.

전체 수분 결핍량 = 정상 전체액량 − 현재 전체액량

전체 수분 결핍량이 구하여 지면 수액을 선택하여 어느 정도의 양을 투여할지를 결정하여야 한다. 이는 다음의 공식에 의하여 구할 수 있다.

투여량(L) = 전체 수분 결핍량 ×(1 / 1−X)

이때 X는 등장성 식염수에 대한 나트륨 농도의 비율이며 등장성 식염수에서는 나트륨 농도가 154 mEq/L이고 반생리식염수의 경우에는 75 mEq/L이므로

X 값은 0.5가 된다.

70 kg 남자에서 혈장 나트륨 농도가 160 mEq/L일 경우 수분 결핍량을 구하고 수분 결핍을 보충하기 위하여 half-saline을 투여할 경우 투여량을 구하여 보자.

정상 전체액량 = 0.5 × 70 = 35 L, 현재 전체액량 = 35 × 140 / 160 = 30.5 L,

따라서 이 환자의 전체 수분 결핍량은 35 − 30.5 = 4.5 L 가 된다.

투여량(L) = 전체 수분 결핍량 ×(1 / 1 − X) 이라는 공식에 의하여

4.5 ×(1 / 1 − 0.5) = 9 L 가 된다. 이때 투여 속도는 48시간 이상에 걸쳐 투여하는 것이 이상적이므로 9,000 mL/ 48 hr = 188 mL/hr 따라서 시간당 188 mL의 속도로 투여한다.

2) 고나트륨혈증 및 정상인 세포외액량
(Hypernatremia & normal extracellular volume)

요붕증과 같이 전체 나트륨의 양은 변화 없으나 체내 자유 수분의 감소로 인한 고나트륨혈증의 경우에는 단지 수분 보충만을 빠르게 하여 준다. 수분 결핍량은 위와 같은 방법으로 구하며 뇌부종의 예방을 위하여 2~3일에 걸쳐 서서히 교정하여 준다. 중추성 요붕증의 경우 vasopressin을 투여하여 더 이상의 자유 수분 소실이 없도록 하여 주며 이때 수분 중독증이나 저나트륨혈증이 나타날 수 있으므로 혈장 나트륨 농도를 주의깊게 관찰하여야 한다.

3) 고나트륨혈증 및 전체 세포외액량의 증가(Hypernatremia & increased
extracellular volume)

고장성 수액이나 중탄산염의 투여로 인해 발생된 전체 나트륨의 증가로 인한 고나트륨혈증의 경우에는 이뇨제를 투여하여 소변으로 나트륨의 배설 양을

증가시켜 준다. Furosemide와 같은 이뇨제를 사용하는 경우 소변 삼투압이 75 mEq/L 정도로 되어 과도한 요가 생성되어 고나트륨혈증을 악화시킬 수 있으므로 소변량을 참조하여 D_5/W를 투여하여 혈장량을 유지시켜 준다.

　고나트륨혈증시 빠른 나트륨 농도의 교정은 대단히 위험하다. 고나트륨혈증 시 뇌세포는 보상 기전에 의하여 아미노산 등의 용질의 양을 증가시켜 뇌실질을 보존할 수 있도록 되어 있기 때문에 급속히 혈청 삼투질 농도를 강하시키면 혈장이 상대적으로 저장성이므로 뇌종창이 발생되어 경련, 뇌부종, 영구적인 신경학적 손상 및 사망 등이 가능하므로 시간당 1 mEq/L 이상의 정도로 감소시키는 것은 금기이다. 따라서 혈청 전해질 농도를 2시간 간격으로 자주 측정하여야 한다. 또한 5% 포도당 수액을 빠른 속도로 대량 투여하면 고혈당과 삼투성 이뇨를 유발하여 고장성 상태를 더욱 악화시키므로 주의하여야 한다.

세포외액의 나트륨 농도 부족
(Sodium concentration deficit of extracellular fluid)

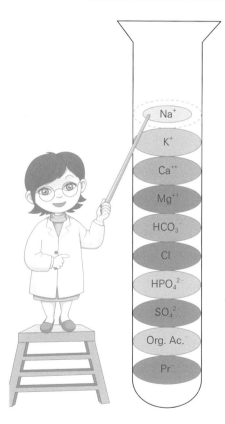

📋 임상소견

병력

- 과량의 발한 후 순수 수분(plain water) 섭취
- 저장성 포도당액의 과량 주입
- 위장관 세척 후 수분 섭취 혹은 맹물로 튜브 세척
- 부신 질환시 전해질의 과도한 배설
- 강력한 이뇨제
- 수분 부종(water edema)

징후 및 증상

- 피로
- 근육 약화
- 불안
- 설사
- 복통
- 핍뇨 및 무뇨
- 경련, 혼수, 섬망

검사실 소견

- 혈장내 나트륨 ; 135 mEq/L 이하
- 혈장내 염소 ; 98 mEq/L 이하
- 혈장내 염소 + 중탄산 ; 123 mEq/L 이하
- 혈장 단백질 농도의 변동이 심함
- 요비중 ; 1.010 이하

동의어 저나트륨혈증(hyponatremia)
전해질 농도 저하(electrolyte concentration deficit)
순수 염분 부족(pure salt depletion)
저염분 증후군/수분 중독증(low sodium syndrome/water intoxication)
총 전해질 농도 부족(deficit in total electrolyte concentration)

가끔 세포외액의 염분 부족과 저나트륨혈증(hyponatremia)을 혼동하여 사용되나 엄격한 의미에서는 서로 구별된다. 저나트륨혈증은 세포외액의 나트륨 부족 없이도 세포외액의 증가에 의하여 상대적으로 나타날 수 있기 때문이다. 결국 세포외액의 나트륨 부족은 저나트륨혈증의 일종이므로 저나트륨혈증을 기준으로 설명하기로 한다.

세포외액의 가장 많은 양이온은 나트륨(142 mEq/L)이며 가장 많은 음이온은 염소(103 mEq/L)이므로 신체로부터 체액 전해질이 소실될 경우 일차적으로 나트륨과 염소 이온이 소실된다. 이 두 전해질들은 세포외액 전해질의 약 80%를 차지하며 정상 상태 하에서 전해질 1 mEq 당 3.3 L의 수분을 함유한다. 세포외액의 전해질 농도 저하 등으로 인하여 삼투압의 균형이 깨지면 세포내로 수분이 이동하게 된다. 이 시점은 혈장 나트륨이 135 mEq/L 이하로 감소되는 경우 발생된다.

세포외액의 나트륨 결핍은 나트륨의 양 자체가 부족한 상황을 의미하며 저나트륨혈증은 혈관내 용적에 비하여 상대적으로 나트륨 농도가 감소된 상태를 의미하므로 저나트륨혈증은 세포외 구획에서 전해질에 비하여 수분이 빠르게 증가하거나 수분에 비하여 전해질이 빠르게 소실될 경우 발생될 수 있다.

혈장내 나트륨 농도가 감소될 경우 발생되는 일반적인 생리 기전은 다음과 같다. 혈장내 나트륨 농도의 감소는 혈장 삼투압을 감소시키므로 이때 세포외액 즉, 혈장 및 간질액의 삼투압이 저장성이 되기 때문에 수분은 세포외액에서 세포내로 이동하게 된다. 감소된 세포외액량은 세포외액의 삼투압이 높을 경우에는 갈증 자극 등에 의하여 수분 섭취를 유도하지만 세포외액이 저장성인 경우에는 이 기전이 작용하지 않는다. 세포외액의 수분이 세포 내로 이동하면 혈장 단백질 농도가 증가하게 되고 이로 인하여 혈장내 삼투압이 증가하여 모세혈관의 정맥쪽 부위에서 간질액이 혈관 내로 이동하게 되어 결과적으로 세포내 수분은 증가하고 혈장량을 포함하여 세포외액 전체가 감소된다(그림 5-2). 세포내 수분의 증가로 인하여 임상에서 부종을 관찰할 수 있다.

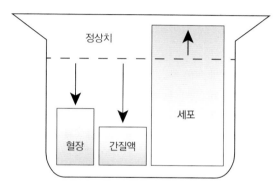

그림 5-2 세포외액의 나트륨 감소시 수액의 이동

1. 저나트륨혈증의 원인(Causes of hyponatremia)

나트륨 결핍은 신체 분비물에 의하여 수분과 전해질이 소실되는 경우 혹은 순수 수분(plain water)만을 투여할 경우 발생될 수 있다. 과도한 발한과 함께 수분의 섭취, 저염식의 섭취, 반복된 수분을 이용한 관장(enema) 및 위장관 세척, 전해질이 포함되지 않은 수액의 과량 투여, 설사에 의한 체액 소실을 수분으로만 보충할 경우, 부신 질환, 강력한 이뇨제의 사용, ADH 분비를 증가시키는 질환(예; bronchogenic carcinoma, 뇌 손상, 뇌하수체 종양 등) 등이 원인이 된다.

저나트륨혈증은 혈청 나트륨 농도가 135 mEq/L 이하를 말하며 이때 전신에서의 나트륨 양과 세포외 용적은 감소, 정상 혹은 증가할 수 있다(표 5-3).

표 5-3 저나트륨혈증의 원인 및 소변의 나트륨 농도

전신 나트륨 상태	소변 나트륨 농도	
	>20 mEq/L	<20 mEq/L
나트륨 감소	이뇨제 삼투성 이뇨(glucose, mannitol) mineralocorticoid 결핍 염분소실성 신병증(salt-losing nephropathies) 신 세뇨관 산증(renal tubular acidosis)	구토, 설사 3차 공간 소실 (화상, 췌장염, 복막염)
나트륨 정상	SIADH Glucocorticoid 결핍 갑상선 기능 저하 약물 : Chlorpropamide 　　　 Cyclophosphamide 　　　 Vincristine 　　　 Carbamazepine	
나트륨 증가	신부전 간경변증 신증후군	울혈심부전증

1) 저나트륨혈증 및 세포외액량의 감소
(Hyponatremia & low extracellular volume)

이는 저용량성 저나트륨혈증(hypovolemic hyponatremia) 혹은 저장성 저나트륨혈증(hypotonic hyponatremia)이라고도 한다. 체액이 소실되면서 이에 비하여 저장성 용액을 투여할 경우 결과적으로 수분 감소에 비하여 나트륨 농도의 감소가 더욱 심하게 되어 발생된다. 이는 자유 수분의 감소에 비하여 나트륨의 감소가 더욱 많은 경우로서 저나트륨혈증 및 세포외액 용적의 감소가 동반된다. 전체 나트륨의 감소를 동반하는 저나트륨혈증의 원인은 신장 및 신외의 두 가지로 분류되며 소변 삼투압의 측정은 원인 감별에 도움이 된다. 신장에 의한 경우로서 가장 흔한 것은 과량의 thiazide 이뇨제 등을 사용한 경우, 부신 기능 부전 등이 있으며 이 경우 소변의 나트륨 농도는 20 mEq/L 이상으로 증가한다. 신장 외의 원인으로는 지속적인 구토 및 설사 등과 같은 위장관의 배설에 의한 것으로 이 경우는 소변의 나트륨 농도가 10 mEq/L 이하가 된다.

2) 저나트륨혈증 및 정상인 세포외액량 (Hyponatremia & normal extracellular volume)

등용량성 저나트륨혈증(isovolemic hyponatremia)이라고도 하며 부종이나 저혈량증이 없는 저나트륨혈증은 glucocorticoid의 부족, 갑상선 기능저하, SIADH(syndrome of inappropriate antidiuretic hormone secretion) 및 약물(chlorpropamide, cyclophosphamide) 등에 의하여 나타날 수 있다. SIADH는 소변 나트륨 농도가 20 mEq/L 이상이고 소변 삼투압이 100 mOsm/L 이상인 것이 특징이며 종양, 중추신경계 및 호흡기 질환 등이 원인이 될 수 있으며 혈청 나트륨 농도가 120 mEq/L 이하로 심하게 감소될 수 있다. 이외에도 수분 중독증(water intoxication)이 이 범주에 속한다.

3) 저나트륨혈증 및 전체 세포외액량의 증가 (Hyponatremia & increased extracellular volume)

과용량성 저나트륨혈증(hypervolemic hyponatremia)이라고도 한다. 전체 나트륨의 양과 전체액량 모두 증가한 경우로 나트륨의 양에 비하여 수분의 양이 더욱 증가하면 저나트륨혈증이 나타난다. 이를 부종성 저나트륨혈증(edematous hyponatremia)이라고도 하는데 울혈성 심부전, 간경변증, 신부전, 신증후군 등이 그 예로 비삼투성 ADH 증가와 세뇨관 희석 부위에 나트륨 배달의 감소로 인하여 나타난다.

2. 저나트륨혈증의 징후 및 증상
(Signs and symptoms of hyponatremia)

저나트륨혈증 발생시 세포내 수분의 증가로 인하여 일차적으로 신경 증상이 나타나며 그 정도는 혈관내 저삼투압의 발생 속도에 따라 결정된다. 혈청 나트륨 농도가 125 mEq/L 이상인 경증 및 중등도의 저나트륨혈증 시에는 오심, 무력감 등의 일반적인 증상 이외의 특이한 증상은 나타나지 않는다. 그러나 정도가 심하게 되면 세포의 부종으로 인하여 섬망, 혼수 등의 뇌 증상이 나타날 수 있으며 대개 혈청 나트륨 농도가 120 mEq/L 이하가 되면 발생되고 이 경우 치사율이 50%에 달하게 된다.

혈청 나트륨의 감소가 만성적으로 서서히 감소될 경우 혈청 나트륨 치가 100 mEq/L 이하가 되어도 그 증상이 약하게 나타날 수 있으며 이는 세포 내에서 보상 기전에 의하여 나트륨, 칼륨, 아미노산 등의 용질을 배출시키기 때문이다. 따라서 만성적인 저나트륨혈증의 신경 증상은 세포내 용적의 증가에 의한 것이 아니라 세포외액의 나트륨 농도가 낮음으로 인하여 세포막 전위차(cell membrane potential)에 의하여 나타나는 것이다.

혈관내 나트륨의 감소시 세포외액이 세포 내로 이동하게 되므로 혈액량이 감소되고 신혈류가 감소된다. 초기에는 혈압이 어느 정도 유지되나 이후 수축기압이 감소하고 맥박이 약해진다. 심할 경우 입술과 손톱에 청색증이 나타날 수 있다(표 5-4).

표 5-4 저나트륨혈증의 증상 및 징후

증상	징후
무기력	이상감각
지남력소실(disorientation)	Cheyne–Stokes 호흡
근경련	저체온증
오심	심부건반사 감소
무관심	경련
식욕부진	
흥분	

3. 저나트륨혈증의 치료(Treatment of hyponatremia)

저나트륨혈증의 치료 목표는 원인 질환의 치료와 함께 혈청 나트륨의 농도를 증가시켜 주어 정상 삼투압을 유지시켜 주는 것이며 세포외액에서 수분에 대한 나트륨의 비율을 증가시켜 세포 용적을 정상으로 회복시키는데 있다. 이상적인 치료 지침은 혈청 나트륨치를 계속적으로 파악하는 것이며 증상이 경미할 경우에는 자유수분 공급을 제한하며 대부분 경증 환자는 수분의 제한적 공급만으로도 치료가 가능하다.

1) 저나트륨혈증 및 세포외액량의 감소
(Hyponatremia & low extracellular volume)

저나트륨혈증을 치료함에 있어 세포외액의 용적을 측정하는 것이 중요하다. 세포외액이 감소되어 있는 환자에서 저나트륨혈증의 증상이 나타나면 3% NaCl 등과 같은 고장성 식염수를 투여한다. 증상이 없을 경우에는 등장성 식염수의 투여만으로도 충분하다. 등장성 식염수의 투여는 부족한 용적과 전해질을 공급할 수 있으며 이 경우 부족된 세포외액의 용적이 교정되면 수분의 이뇨로 인하여 저절로 혈청 나트륨의 농도가 정상화 될 수 있다.

2) 저나트륨혈증 및 정상 세포외액량
(Hyponatremia & normal extracellular volume)

세포외액량이 정상인 경우에는 저나트륨혈증의 증상이 있는 환자는 furose-mide를 이용하여 이뇨 작용을 시키면서 고장성 식염수를 투여하여 혈장 나트륨 농도를 증가시킨다.

3) 저나트륨혈증 및 세포외액량의 증가
(Hyponatremia & increased extracellular volume)

전체 나트륨 양이 증가되어 있는 저나트륨혈증의 경우에는 일차적으로 수분을 제한하는 동시에 원인 질환을 치료하고 경우에 따라 이뇨제를 사용한다. 부신 및 갑상선 기능 부전 등의 원인 질환이 있는 경우에는 호르몬 치료를, 심부전의 경우에는 심박출량을 증가시켜 준다.

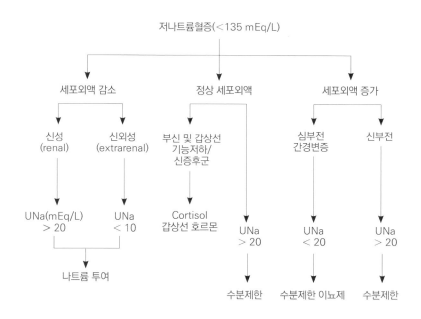

그림 5-3 저나트륨혈증의 치료 지침

저나트륨혈증 치료시 혈청 나트륨의 치료 목표는 125~130 mEq/L 정도로 유지하는 것을 목표로 하며 혈청 나트륨 농도가 110~120 mEq/L 이하이고 중추신경계 증상이 동반되는 등의 심한 경우에는 3% 혹은 5% NaCl 등의 고장성 식염수를 이용하여 적극적으로 치료하여야 한다(그림 5-3). 즉, 저나트륨혈증의 증상이 급격히 발생할 경우에는 혈청 나트륨의 농도를 125~130 mEq/L로 증가시켜 주어야 한다. 혈청 나트륨 양의 증가를 위하여 필요한 나트륨 투여량은 나트륨의 결핍량을 구함으로써 알 수 있으며 다음과 같이 구한다.

나트륨 결핍량 = (원하는 나트륨 농도 − 현재 나트륨 농도) × 전체액량 일반적으로 저나트륨혈증을 빠르게 교정하여야 할 경우에는 혈청 나트륨 농도를 130 mEq/L 정도로 올려주는 것이 이상적이므로 필요한 나트륨의 양은 다음과 같다.

(130 − 측정된 혈청 나트륨) × 0.6 혹은 0.5 × 체중 = 필요한 나트륨 양

이때 0.6과 0.5는 각각 남자와 여자의 체중에 대한 전체액량을 의미한다.

70 kg 남자에서 측정된 나트륨의 농도가 120 mEq/L일 경우 나트륨 부족량을 구하여 보자.
남성의 체액량은 체중의 약 60%를 차지하므로 0.6 × 70 × (130 − 120) = 420 mEq가 된다.
이 환자에서 3% NaCl을 사용할 경우 이 용액은 1 L 당 513 mEq의 나트륨을 함유하고 있으므로 420 / 513 ≒ 820 mL, 따라서 3% NaCl 820 mL를 투여하면 혈청 나트륨의 농도를 130 mEq/L로 증가시켜 줄 수 있게 된다.
중추신경계 손상을 방지하기 위하여 혈청 나트륨의 증가는 한 시간에 0.5 mEq/L 이상 증가되지 않도록 하며 따라서 이 환자에서 혈청 나트륨 농도 부족이 10 mEq/L이므로 총 20 시간에 걸쳐 투여하여야 한다. 즉, 820 mL의 양을 20 시간에 걸쳐 투여하므로 시간당 41 mL를 투여하는 것이 적절하다.

표 5−5는 결핍된 나트륨 보충을 위한 3%, 5% NaCl 및 등장성 식염수의 전해질 양을 나타내며 고장성 식염수를 투여할 경우 첫 1/2의 양을 투여한 후 추가 투여할 경우에는 혈장 염소와 중탄산 농도를 측정하고 환자를 면밀히 관찰하면서 투여하여야 한다. 고장성 식염수를 이용하여 혈청 나트륨 농도를 120~125 mEq/L 이상으로 급속히 증가시키는 것은 상당히 위험한데 이는 뇌세포 내에서 세포 용적을 정상화 시키기 위한 보상 기전에 의하여 나트륨, 칼

류, 아미노산 등의 용질을 배출시킨 상태에서 고장성 식염수를 투여하면 뇌세포에 비하여 혈관내 용액이 상대적으로 고장성이 되므로 central pontine myelinolysis라고 하는 중추신경계 손상이 가능하며 치명적일 수 있기 때문이다.

표 5-5 나트륨 결핍 치료를 위한 수액

종류	Na$^+$ (mEq/L)	Cl$^-$ (mEq/L)
3% 식염수	513	513
5% 식염수	855	855
생리 식염수	154	154

4. 가성 저나트륨혈증(Pseudohyponatremia)

과도한 혈청 지질 및 단백질의 증가는 혈장량을 증가시키며 혈청 나트륨 농도를 감소시킨다. 고지질혈증 혹은 고단백혈증 상태에서는 검사를 의뢰한 혈청 시료에서 수분 용적이 상대적으로 감소되어 있다. 이는 혈청 단위 용적당 수분 용적의 감소로 인하여 전체 나트륨양은 감소된 것처럼 나타난다. 그러나 실제로 단위 수분 용적당 나트륨 농도가 정상이므로 측정된 삼투질농도는 정상이 되므로 이 경우는 저장성 저나트륨혈증(hypotonic hyponatremia)이 되지는 않으며 이를 가성 저나트륨혈증이라 한다.

칼륨 균형
장애

Chapter 06

정상 칼륨 균형
(Normal potassium balance)

1. 칼륨의 생리적 작용(Physiologic action of potassium)

칼륨은 세포막에서의 전기생리학적으로 중요한 역할을 담당할 뿐 아니라 탄수화물과 단백질의 합성에도 관여한다. 칼륨의 세포내와 세포외에서의 비율이 전기적 차이를 야기하며 이로 인하여 근육, 신경 등의 기능이 활성화된다.

2. 칼륨의 섭취 및 배설(Uptake and excretion of potassium)

칼륨의 일차적인 공급원은 음식물 섭취를 통한 경로이다. 정상적으로 성인은 하루 평균 60~90 mEq 정도의 양을 섭취하며 연령에 따라 요구량이 변하게 된다. 성인에서는 하루 1.0~1.5 mEq/kg 정도가 필요한 반면에 유아의 경우에는 2 mEq/L 정도가 필요하다. 칼륨은 신장에 의하여 주로 배설되고 일부는 위장관과 피부(5~10 mEq)를 통하여 배설된다.

3. 혈장 칼륨 농도(Plasma potassium concentration)

체내 칼륨의 대부분은 세포내에 존재하며 전체 양은 약 50~55 mEq/kg 정도로 정상 성인에서 약 3,500~4,000 mEq 정도가 되며 65~75%는 근육 세포에 주로 존재한다. 전체 칼륨의 양 중에서 약 2% 정도인 70 mEq 만이 세포외액에 존재하며 세포외액에서 혈장이 차지하는 비율이 20%이므로 전체 칼륨의

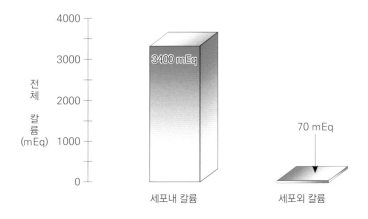

그림 6-1 성인에서의 칼륨분포

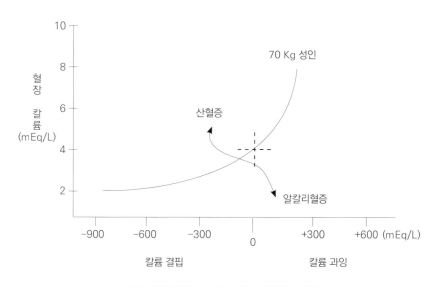

그림 6-2 혈장 칼륨의 농도와 전체 칼륨양의 관계

0.004%인 15 mEq 만이 혈장 내에 포함된다(그림 6-1).

결국 이러한 분포 특징에 의하여 세포내 칼륨 이온 농도는 약 150 mEq/L로 추측되며 혈장 칼륨 농도가 3.5~5.0 mEq/L가 된다. 엄격한 의미에서 혈장 칼륨 농도가 전체 칼륨양을 의미한다고 볼 수는 없지만 혈장 칼륨의 측정치는 전체 칼륨양을 간접적으로 반영함으로써 고칼륨혈증과 저칼륨혈증의 판단 기준으로 이용된다.

혈장 칼륨과 전체 칼륨양 사이에는 그림 6-2와 같은 곡선형의 관계가 성립된다. 정상 범위 이하에서의 혈장 칼륨 1 mEq/L의 감소는 전체 칼륨의 200~400 mEq 정도의 감소를 의미하며 정상 범위 이상에서의 혈장 칼륨 1 mEq/L의 증가는 전체 칼륨의 100~200 mEq 정도의 증가를 나타낸다. 즉, 저칼륨혈증은 고칼륨혈증에 비하여 체내 칼륨 변화가 2배로 변하여야 같은 정도의 혈청 칼륨 농도 변화를 가져온다. 이러한 차이는 세포 내에 칼륨의 저장이 많으므로 칼륨이 감소될 경우 세포내에서 세포외부로 칼륨이 이동되어 어느 정도는 부족된 혈청 칼륨을 보충할 수 있기 때문이다.

칼륨 분포의 조절
(Regulation of potassium distribution)

1. 세포내·외액간의 칼륨 이동

세포내와 세포외의 칼륨 이동은 여러 기전에 의하여 조절된다. 예로 대량의 칼륨이 체내에 급속히 투여되었을 경우 혈청내의 칼륨 농도는 증가되지 않는다. 이는 칼륨이 세포내로 급속히 이동하여 혈청내 칼륨 농도의 상승을 예방하기 때문이다. 이와 같이 세포내와 세포외의 칼륨 농도 비율을 조절하는 기전으로는 능동적 및 수동적 운반 과정이 있다(그림 6-3).

1) 능동적 운반 과정

세포내액 및 세포외액 간의 칼륨 분포 조절에 가장 중요한 기전으로 세포막의 Na^+-K^+ ATPase 효소에 의한 기능이다.

세포내부는 기본적으로 음전하를 이루는데 이러한 세포내의 전기적 음성

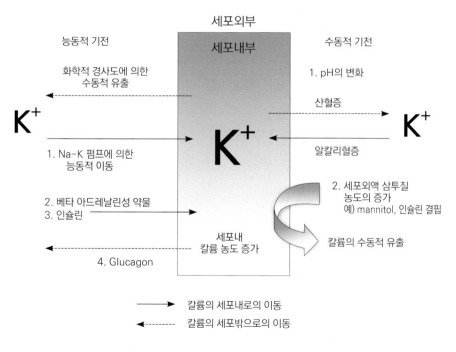

그림 6-3 칼륨의 세포내액과 세포외액간의 이동

이 칼륨의 세포 밖으로의 이동을 원칙적으로 방해한다. 그러나 세포내의 높은 칼륨 농도로 인한 화학적 경사도에 의하여 세포막에 있는 칼륨 통로(potassium channel)를 통하여 세포 밖으로 칼륨의 수동적 누출이 자연히 발생된다. Na^+-K^+ ATPase 효소는 Na^+-K^+ 펌프를 자극하여 칼륨을 능동적으로 세포내로 운반하여 수동적으로 누출된 칼륨 불균형에 대하여 평형을 이루게 하여 주는 역할을 한다.

Na^+-K^+ 펌프에 의한 기전 이외에도 능동적 운반을 위한 몇 가지 기전이 있다. 인슐린은 포도당에 대한 효과와는 독립적으로 세포막에 있는 Na^+-K^+ ATPase의 활성을 증가시켜 세포외액에서 세포내액으로 칼륨의 이동을 촉진시키며 특히 간 및 골격근 조직에서의 칼륨 섭취가 증가된다.

Epinephrine, isoproterenol 등과 같은 β-아드레날린성 약물 역시 Na^+-K^+ ATPase의 활성을 증가시켜 칼륨의 세포내 재흡수를 증가시켜 혈청 칼륨 농도를 감소시킨다. α-아드레날린성 약물들은 간 혹은 근육에서의 칼륨 분비를 증가시켜 혈장 칼륨 농도를 증가시키나 이는 일시적인 현상으로 나타난다.

2) 수동적 운반 과정

칼륨의 수동적 운반 기전으로는 세포외액의 pH 변화가 가장 대표적인 기전이다. 산혈증시에는 H^+ 이온이 세포내로 들어가면서 전기적 균형을 이루기 위하여 칼륨이 세포 밖으로 빠져 나오고 알칼리혈증시에는 칼륨이 세포 내로 흡수되어 들어가게 된다. 일반적으로 혈액내 pH가 0.1 변하면 혈장내 칼륨 농도는 0.6 mEq/L씩 변하나 항상 규칙적이지는 않다. 또한 세포외액의 유효삼투질 농도가 증가되면 세포 수축과 세포내 칼륨 농도의 증가가 발생되며 이는 결과적으로 세포내액에서 세포외액으로 칼륨의 수동적 누출을 촉진시키게 된다. 이러한 현상을 용매끌기(solvent drag)라 한다. 대표적인 경우가 mannitol 투여 혹은 인슐린 결핍 환자에서 볼 수 있는 고칼륨혈증의 경우이다. 대개 혈장 삼투질 농도가 10 mOsm/L 증가하면 혈장 칼륨 농도는 0.6 mEq/L 정도 증가한다.

저체온증은 칼륨의 세포내 흡수를 증가시켜 혈청 칼륨 농도를 감소시킨다.

2. 신장에서의 조절

사구체에서 거의 대부분의 칼륨이 여과되며 근위세뇨관, Henle 고리, 원위 세뇨관 및 집합관 전 영역에 걸쳐 재흡수된다. 소변으로의 칼륨 배설은 원위 세뇨관과 집합관에서 알도스테론에 의한 분비에 의하여 발생된다. 세포외액의 칼륨 농도가 증가하면 소변으로의 칼륨 배설이 증가하며 부신에서 알도스테론의 생성이 증가된다. 삼투성 이뇨와 같이 세뇨관내 유속이 증가하면 칼륨 분비가 증가한다.

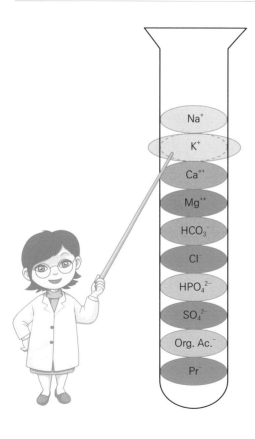

세포외액의 칼륨 농도 과다
(Potassium concentration excess of extracellular fluid)

📋 **임상소견**

병력
- 신질환
- 부신 기능 부전
- 화상 초기
- 과다 정맥 주사
- 심한 외상
- 수은 중독
- 핍뇨 및 무뇨
- 과도한 칼륨의 섭취

징후 및 증상
- 설사
- 복통
- 오심 · 구토
- 흥분
- 허약
- 현기증
- 근육통
- 근경련

검사실 소견
- 심전도상 T파의 텐트형 돌출 및 ST 분절의 함몰
- 혈장 K^+치 ; 5.6 mEq/L 이상

동의어 고칼륨혈증(hyperkalemia)
고포타슘혈증(hyperpotassemia)

　　고칼륨혈증은 혈장 칼륨 농도가 5.5 mEq/L를 초과한 경우로 신장에서의 칼륨 배설 능력이 좋아 쉽게 발생되지는 않는다. 칼륨의 과잉 부하에도 불구하고 정상인에서 고칼륨혈증이 쉽게 발생되지 않는 이유는 신장의 칼륨 배설 능력, 교감신경계의 자극 및 인슐린 분비에 의한 칼륨의 세포내 흡수 방어 기전이 발생되기 때문이다.

1. 고칼륨혈증의 원인(Causes of hyperkalemia)

　　고칼륨혈증은 신체에서 칼륨 배설에 장애가 발생하거나 세포내액에서 세포외액으로 칼륨이 이동하는 경우(세포횡단 이동) 발생되며 간혹 가성고칼륨혈증(pseudohyperkalemia)의 형태로 발생될 수도 있다(표 6-1). 소변의 칼륨양 측정은 세포 횡단 이동에 의한 고칼륨혈증인지, 신장에서의 배설 장애로 인한 것인지를 감별하는데 유용하다. 고칼륨혈증 환자에서 소변에서 칼륨 농도가 30 mEq/L 이상이면 세포횡단에 의한 혈청 칼륨의 증가를 의심하고 30 mEq 이하이면 신장에서의 칼륨 배설에 장애가 있음을 의미한다.

표 6-1 고칼륨혈증의 원인

1. 신장에서의 배설 장애

급성 신부전(가장 흔한 원인)
만성 신부전
알도스테론 결핍 – Addison 질환, 21–hydroxylase adrenal enzyme deficiency
　　　　저레닌성 저알도스테론증(hyporeninemic hypoaldosteronism)
세뇨관 기능 장애 – 신이식, 폐쇄성 요붕증, SLE(systemic lupus erythematosus)
약물 – prostaglandin 합성 억제제, ACE inhibitor, cyclosporin,
　　　　heparin, K^+–sparing 이뇨제, NSAID

2. 세포내에서 세포외액으로의 이동

산혈증	인슐린 결핍
저산소증	쇼크
탈수	경련
저체온	화상
척추 손상	파상풍(tetanus)
약물 – succinylcholine, digitalis, β2–차단제, arginine hydrochloride	
대장 절제술	심한 운동
주기성 마비(periodic paralysis)	

3. 칼륨 섭취의 증가

저칼륨혈증시 칼륨의 과량 투여(특히 신기능 불량시)	칼륨–페니실린
수혈	

4. 가성고칼륨혈증

용혈	허혈성 혈액 채취
가족성 가성고칼륨혈증(familiar pseudohyperkalemia)	백혈구 증가증(5~7만/mm^3 이상)
혈소판 증가증(100만/mm^3 이상)	

1) 신장에서의 배설 장애

　신장에서의 칼륨 배설 장애는 ① 사구체에서의 여과 감소, ② 알도스테론 활동성의 감소, ③ 원위세뇨관 및 집합관에서의 칼륨 배설 장애로 나타난다.

　사구체 여과율이 5~10 mL/min 이하로 감소되거나 요량이 하루에 1 L를 넘지 않을 경우 혈장내 칼륨 저류로 인한 고칼륨혈증이 발생될 수 있으며 칼륨 섭취량이 많은 환자에서 증상은 더욱 심하게 나타난다.

알도스테론은 원위 세뇨관에서 나트륨을 재흡수시키고 칼륨을 배설하는 호르몬으로 이것이 부족한 경우 칼륨 배설 장애에 의한 고칼륨혈증이 나타날 수 있으나 드물게 발생되며, 염분 섭취의 부족, 신기능 이상이 동반된 경우에서 고칼륨혈증이 흔히 발생된다.

알도스테론의 합성이 감소하는 질환으로는 Addison 질환과 21-hydroxylase adrenal enzyme deficiency 등이 있다. Addison 질환(일차성 부신 기능 부전)은 부신에서 glucocorticoid와 mineralocorticoid 모두의 생성에 결함을 가지는 질환으로 약 50%의 환자에서 고칼륨혈증을 동반한다.

저레닌성 저알도스테론증(hyporeninemic hypoaldosteronism 혹은 Type IV 원위 세뇨관 산혈증)은 고칼륨혈증시 칼륨 배설을 위한 알도스테론 생성에 장애가 생기는 질환으로 칼륨 섭취가 증가하거나 칼륨보존 이뇨제를 사용한 경우 증상이 나타난다. 이 질환은 알도스테론 부족으로 인한 나트륨 재흡수 감소가 발생되어 고염소성 대사산증(hyperchloremic metabolic acidosis)이 동반된다. NSAID, ACE inhibitor, 헤파린, 칼륨보존 이뇨제, calcineurin inhibitor 등과 같은 약물들이 신장에서의 칼륨 배설을 방해하여 고칼륨혈증이 발생될 수 있다. NSAID는 prostaglandin에 의한 renin 합성의 억제, ACE inhibitor는 angiotensin II에 의한 알도스테론 생성의 억제, 헤파린은 알도스테론 분비의 억제에 의하여 고칼륨혈증이 발생될 수 있다.

2) 세포내에서 세포외액으로 칼륨의 이동

당뇨병성 산혈증 환자에서는 세포횡단 칼륨 이동에 의하여 고칼륨혈증이 발생되며 쇼크 상태가 되면 세포내 나트륨이 증가됨과 동시에 세포로부터 혈장으로 칼륨의 이동이 발생되어 고칼륨혈증이 발생된다.

Succinylcholine 투여시 0.5 mEq/L 정도의 혈청 칼륨 농도가 증가되는데 근육 손상, 화상, 척추 손상 환자에서는 더욱 심하게 증가될 수 있으므로 주의하여야 한다. Digitalis는 세포막의 Na^+-K^+ ATPase 활성을 억제하므로 과량 사용시 고칼륨혈증이 발생될 수 있다. Arginine hydrochloride는 대사성 알칼리혈증 치료시 사용하는 약물로 arginine이 세포내로 들어가면서 세포내의 칼륨을 세포외액으로 배출케 하는 작용을 가진다.

심한 운동은 근육 세포에서 칼륨 분비를 증가시켜 일시적으로 혈장내 칼륨 농도를 증가시킨다.

3) 칼륨 섭취의 증가

저칼륨혈증 환자에서 칼륨 보충을 하는 동안 과량 투여로 인하여 고칼륨혈증이 흔히 발생되며 이때 나트륨 양을 적절히 보충시켜주지 못한 경우나 β_2 차단제를 사용한 환자, 신기능에 이상이 있는 환자, 인슐린 결핍 환자들에서 고칼륨혈증의 정도는 더욱 악화될 수 있다.

추정 혈액량(estimated blood volume) 이상으로 대량 수혈을 하는 경우 저장혈의 적혈구로부터 칼륨이 빠져나와 고칼륨혈증이 발생될 수 있다. 대부분의 경우에서는 증가된 칼륨이 신장을 통하여 배설되지만 쇼크 환자나 저혈량증 환자는 심각한 고칼륨혈증을 야기할 수 있다. 저장혈은 하루 지날 때마다 0.25 mEq의 속도로 칼륨이 증가하며 2주 경과한 전혈은 4.4 mEq, 농축적혈구는 3.1 mEq의 칼륨이 증가하게 된다.

4) 가성고칼륨혈증(Pseudohyperkalemia)

일단 혈액 검사를 실시하여 고칼륨혈증이 나타나면 일차적으로 가성고칼륨혈증(pseudohyperkalemia)을 감별 진단하여야 한다. 적혈구에서 혈청으로 칼륨이 유리되는 용혈(hemolysis)이 가성고칼륨혈증의 가장 흔한 원인이 되며, 혈액검사 결과 칼륨치가 높은 경우의 약 20% 정도가 이 현상에 의한 결과이다. 가성고칼륨혈증은 채혈시 지혈대를 지나치게 꼭 매거나 장시간 사용하였을 경우 근육에서 칼륨이 배출되거나 혈액이 농축되어 혈액내의 칼륨 농도가 증가되어 나타난다. 가성고칼륨혈증의 또 다른 원인으로는 심한 백혈구 증가증이나 혈소판 증가증이 있는 경우 채혈된 혈액이 응고되면서 세포로부터 칼륨이 빠져나와 실제보다 높게 측정될 수 있다.

이러한 이유로 아무런 증상이 없는 환자에서 혈액 검사 결과 고칼륨혈증이 나타나면 치료를 시행하기 전에 반드시 다시 채혈하여 검사하여 보는 것이 권장된다.

2. 고칼륨혈증의 징후 및 증상(Signs and symptoms of hyperkalemia)

고칼륨혈증시 가장 중요한 증상은 심장 및 골격근에 나타나는 증상이다.

1) 심전도의 변화

고칼륨혈증시 가장 심각한 결과는 심장 증상이며 이는 치명적일 수 있다. 고칼륨혈증시 심전도 변화는 심장의 흥분성(excitability), 자동성(automaticity) 및 전도(conductivity) 장애에 의하며 혈청 칼륨치의 증가에 따라 특이한 심전도 변화가 동반되어 결국 심박출량이 감소하게 된다. 일반적으로 혈청 칼륨치가

6.0 mEq/L 이상이 될 경우 심전도 변화가 시작되며 7.0~8.0 mEq/L 이상이 되면 항상 심전도 이상이 동반된다. 따라서 대개 선택수술(elective surgery)을 받는 환자에서 허용되는 혈청 칼륨 농도는 2.7~5.5 mEq/L 이내의 범위가 적당하다. 심전도의 이상적인 변화는 전흉부 전극(precordial lead)에서 잘 나타난다.

심전도상 대칭성의 높고 뾰족한 텐트형의 T파가 가장 먼저 나타나는 변화이다(그림 6-4). 고칼륨혈증시의 심전도 변화는 혈장 칼륨 농도의 정도와 반드시 일치하는 것은 아니지만 어느 정도는 혈장 칼륨 농도의 증가에 따라 변화되므로 어느정도는 진단에 도움을 줄 수 있다(표 6-2).

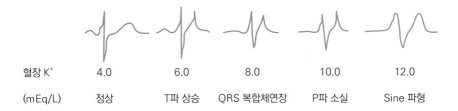

혈장 K⁺	4.0	6.0	8.0	10.0	12.0
(mEq/L)	정상	T파 상승	QRS 복합체연장	P파 소실	Sine 파형

그림 6-4 고칼륨혈증시의 심전도 변화

표 6-2 혈장 칼륨 농도 증가에 따른 심전도 변화의 순서

혈장 칼륨 농도 증가 정도	심전도 변화
경한 증가	대칭성의 높고 뾰족한 T파 (symmetrically peaked T)
중등도 증가	QRS 폭이 늘어남(QRS widening) PR 간격의 연장(PR prolongation) P파의 평탄 혹은 소실(depression & disappearance of P wave) R파의 소실(loss of R wave) ST 분절 하강(ST depression)
심한 증가	Sine 파형 심실 세동 심정지

2) 신경근육 증상

자통감(tingling sensation), 지각마비(paresthesia), 쇠약감, 이완성 마비(paralysis) 등의 증상이 나타난다. 골격근의 쇠약감은 혈청 칼륨 농도가 8 mEq/L 이상이 되기 전까지는 일반적으로 나타나지 않는다. 근육의 쇠약감은 succinylcholine 투여시의 기전과 마찬가지로 탈분극 현상에 의하여 나타나며 결과적으로 마비를 초래한다.

3) 수분 및 전해질 변화

고칼륨혈증은 원위세뇨관에서 $H^+ + NH_3 \rightarrow NH_4^+$로 되는 과정이 억제되어 암모니아 생성을 감소시키고 요중 NH_4^+ 배설을 감소시켜 대사성 산증(metabolic acidosis)을 초래한다.

4) 내분비 변화

부신을 자극하여 혈장 알도스테론치를 증가시키며 혈장 레닌의 활성도를 감소시키나 임상적으로 큰 의미는 없는 정도이다. 또한 고칼륨혈증은 인슐린과 glucagon 분비를 자극한다.

3. 고칼륨혈증의 치료(Treatment of hyperkalemia)

고칼륨혈증을 치료하여야 하는 궁극적인 이유는 심장마비의 잠재적인 위험성 때문이다. 고칼륨혈증의 정도가 경하고 만성적으로 발생된 경우에는 식사로의 섭취를 제한하거나 기타 고칼륨 유발 약제의 사용을 피하는 것만으로도 충분한 치료가 될 수 있다. 그러나 급성으로 고칼륨혈증이 진행된 경우에는 심장에의 영향으로 인하여 치명적일 수 있으므로 즉각적인 치료를 하는 것이 좋다. 고칼륨혈증의 치료는 심전도의 변화, 골격근 쇠약의 정도, 혈장 칼륨 농도치에 초점을 맞추어 시행한다.

고칼륨혈증시 심전도의 변화를 파악하면 치료 방향의 설정에 도움을 얻을 수 있다. 일반적으로 6.0~6.5 mEq/L 이상의 고칼륨혈증시 QRS 복합체의 연장이 발생되므로 이 경우 즉각적인 치료를 하여야 한다. 치료는 표 6-3을 지침으로 시행하며 각 약제들의 특징은 아래와 같다.

표 6-3 고칼륨혈증의 치료 방법

치료 방법	용량	작용 발현 시간	지속 시간	작용 기전
1. 칼륨 섭취 제한 2. 유발 약제 사용 피함 3. 약제				
ㄱ. Calcium gluconate Calcium chloride	10~20 mL(10% 용액) 10~20 mL(10% 용액)	수분	15~30분	직접 길항
ㄴ. Sodium bicarbonate	4~150 mEq (1 mEq/mL 용액)	15~30분	3~6시간	세포내 이동
ㄷ. 인슐린 및 포도당	10 unit RI (in 50% dextrose) 유지용량: 1 unit RI (in 10% dextrose)	15~30분	3~6시간	세포내 이동
ㄹ. Kayexalate	경구용: 40 gm 관장용: 50~100 gm	120분 60분		칼륨 제거 칼륨 제거
ㅁ. β_2 agonist 4. 과환기	epinephrine 20 μg/min			세포내 이동 세포내 이동
5. 투석	복막 투석 혈액투석	1~3시간 즉각		칼륨 제거 칼륨 제거

1) Calcium gluconate

칼슘이 칼륨의 세포막에서의 기능을 직접적으로 길항하는 작용이 있어 고칼륨혈증의 심장 전도 장애에 대한 길항 목적으로 사용된다. Calcium gluconate, calcium chloride 모두 사용될 수 있으나 calcium gluconate를 많이 사용한다. 작용 발현 시간이 빠른 장점이 있는 반면에 지속 시간이 20~30분 정도로 짧다는 단점이 있다. Digoxin 투여 환자에서는 칼슘이 digoxin 중독증을 악화시킬 수 있으므로 100 mL의 등장성 식염수에 희석하여 20~30분에 걸쳐 서서히 투여하면서 주의하여 사용하여야 하며 고칼륨혈증이 digoxin 중독증에 의한 증상일 경우 calcium gluconate의 사용은 금기이다.

Calcium gluconate와 calcium chloride의 비교 고칼륨혈증이 순환계의 약화를 초래한 경우에는 calcium chloride가 더욱 효과적이다. Calcium chloride는 calcium gluconate에 비하여 동량에서 3배 정도 칼슘 농도가 많이 포함되어 있다. 이로 인하여 심장 수축력과 말초 혈관 압력의 증가에 더욱 효과적이게 된다.

2) 중탄산염(Sodium bicarbonate)

혈청 칼륨을 세포내로 이동시키는 기능을 가진다. 대사성 산증이 동반되는 경우 사용하며 1 mEq/mL 용액 50 mL 즉, 50 mEq를 투여하면 5분 이내에 혈청 칼륨이 세포내로 이동된다. 중탄산염은 칼슘과 결합하므로 칼슘을 투여한 경우에 사용해서는 안된다.

3) 인슐린 및 포도당

여러 약물 요법중 가장 효과적인 방법으로 특히 신부전 환자에서 효과적이다. 인슐린이 칼륨의 세포내 흡수를 증가시키게 되어 혈장 칼륨 농도를 감소시키게 되며 이때 저혈당 방지를 위하여 포도당을 공급하여 준다. 50% dextrose

에 RI(regular insulin) 10 unit를 혼합하여 50 mL로 만들어 우선 투여하고 이후 10% dextrose와 RI 10 unit를 혼합하여 유지 용량으로 사용한다. 이 방법의 최고 효과는 투여 30분 후이며 혈청 칼륨 농도를 1.5~2.5 mEq 감소시키게 된다.

4) Kayexalate®

Sodium polystyrene sulfonate로서 양이온 교환수지로 작용한다. 경구 혹은 관장용으로 사용되며 신기능이 불량한 환자에게 효과적이다. 완화제로 20% sorbitol에 혼합하여 사용된다. 관장용으로 사용시에는 1 gram당 혈청 칼륨치를 1.0 mEq 감소시키고 경구용은 0.5 mEq 감소시킨다. Kayexalate®는 나트륨을 포함하고 있어서 1 gram당 약 2~3 mEq의 나트륨 증가효과가 있어 신부전 환자에서 고혈압, 세포외액의 증가, 부종 등을 악화시키는 부작용이 나타날 수 있으며 이 경우 furosemide를 사용하여 이뇨 작용을 촉진시켜 주어야 한다.

5) Kalimate®

Calcium polystyrene sulfonate로서 Kayexalate®의 나트륨 증가 부작용을 없애기 위하여 화학 구조의 나트륨을 칼슘으로 대치시킨 물질이다.

6) β_2 agonist

Epinephrine(비선택적 β_2), terbutaline(선택적 β_2) 등과 같은 약물들이 혈청 칼륨 농도를 감소시키며 epinephrine은 분당 20 µg의 용량으로 사용할 수 있으며 기타 다른 β_2 agonist 약물들은 혈청 칼륨치가 7.0 mEq/L이상의 경우에 특히 유용하게 된다.

7) 과환기(Hyperventilation)

인위적인 과환기는 동맥혈 탄산가스 분압($PaCO_2$)을 감소시키고 이는 빠르게 혈청 칼륨 농도를 감소시킨다. $PaCO_2$가 40 mmHg에서 30 mmHg로 감소되면 혈청 칼륨은 0.5 mEq 감소되며 $PaCO_2$가 20 mmHg로 감소되면 혈청 칼륨은 1 mEq 감소된다.

8) 투석(Dialysis)

과다한 체내 칼륨 제거에는 투석 요법이 약물 요법보다 훨씬 더 효과적 일 수 있으며 복막투석보다는 혈액투석이 더욱 빠르며 효과적이다. 이 방법은 다른 약물들에 의한 치료로 반응하지 않는 경우에 고려된다. 혈액 투석시 혈장 칼륨의 최소 감소치 는 50 mEq/h에 달하며 복막투석 시에는 10~15 mEq/h 정도이다.

9) Mineralocorticoid

고칼륨혈증의 원인이 알도스테론의 감소에 의한 경우일 때 시행한다.

고칼륨혈증의 치료시 혈청 칼륨 농도의 측정은 필수적이나 이는 검사 결과가 나오기까지 어느 정도 시간이 소요되므로 심전도를 이용한 감시가 치료 효과 판정에 가장 좋은 지침이 됨을 명심하여야 한다.

세포외액의 칼륨 농도 부족
(Potassium concentration deficit of extracellular fluid)

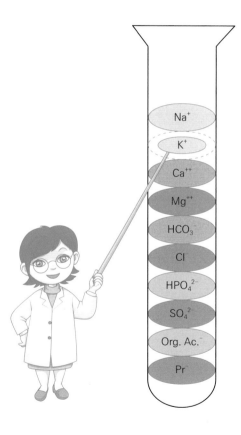

📋 임상소견

병력
- 당뇨병성 산혈증의 회복기
- 설사
- 누공(fistula) 배설
- 궤양성 대장염
- 칼륨 없는 수액 공급
- 강력 이뇨제
- 구토
- 화상 3일 후
- 부신의 알도스테론(aldosterone) 생성 종양
- 열 피로성 질환(heat stress disease)

징후 및 증상
- 운동근: 전신적 쇠약 및 피로
          반사 작용의 감소 혹은 소실
          탄력성 감소
          시체처럼 퍼져 누움
- 심장근: 약한 빈맥, 심음의 저하
          혈압 저하, digitalis에 과잉 반응
- 위장관계: 구토, 장마비
- 호흡근: 숨이 참, 얕은 호흡
- 정신: 우울, 정신이 희미해짐

검사실 소견
- 심전도상 T파의 평탄 혹은 역상 및 ST 분절의 함몰
- 혈장 K⁺치: 3.5 mEq/L 이하

동의어 | 저칼륨혈증(hypokalemia) / 저포타슘혈증(hypopotassemia)

알칼리성 저칼륨혈증(alkalotic hypokalemia)

저염소성 알칼리혈증(hypochloremic alkalosis) ·

1. 저칼륨혈증의 원인

저칼륨혈증은 혈장 칼륨 농도가 3.5 mEq/L 이하인 경우로 전체 칼륨양이 감소된 경우 혹은 세포막을 통하여 세포 외에서 세포 내로 칼륨이 이동한 경우에 발생된다(표 6-4).

표 6-4 저칼륨혈증의 원인

발생기전	원인	상태	질환
칼륨 고갈	신외 원인 (extrarenal cause)	섭취 부족 대량발한 위장관 소실	식욕부진 금식 설사 토식증(geophagia) 궤양성 대장염
	신성 원인 (renal cause)	Mineralocorticoid 과다상태 Batter 증후군 이뇨상태 항생제 치료 신세뇨관 산증 Liddle 증후군 Gittelman 증후군	고알도스테론혈증 Adrenogenital syndrome 이뇨제 사용 Mannitol Glycerol Penicillin Amphotericin B 제 I 형 제 II 형
세포 횡단 이동		알칼리혈증 인슐린 과다 β_2-adrenergic 약물 저칼륨혈성 주기성 마비	대사성 호흡성

1) 칼륨 고갈(Potassium depletion)

칼륨 고갈은 신장 혹은 신장 이외의 부위에서 발생되는데 소변의 칼륨 농도와 염소 농도를 측정함으로써 원인을 감별할 수 있다.

① 신장에서의 칼륨 소실(Renal potassium loss)

고혈압 환자의 치료를 위한 이뇨제 사용의 경우에서 흔히 발생될 수 있으며 비위관으로의 배출, 알칼리혈증, 마그네슘 고갈 등의 경우에서도 발생된다. 비위관으로의 배출이나 알칼리혈증이 원인일 경우에는 소변에서의 염소 농도가 15 mEq/L이하로 낮게 측정되며, 마그네슘 고갈이나 이뇨제 사용이 원인인 경우에는 요중 염소 농도가 25 mEq/L 이상으로 측정된다. 마그네슘 고갈의 경우 신세뇨관에서 칼륨 재흡수 능력에 장애가 발생된다.

② 신장 이외에서의 칼륨 소실(Extrarenal potassium loss)

가장 흔한 원인은 설사(diarrhea)이다. 대변에는 칼륨 농도가 75 mEq/L로 높으나 정상의 경우에서는 하루 대변량이 200 mL 이하이므로 실제 칼륨 농도에 큰 영향을 미치지는 못한다. 그러나 설사가 있는 경우에는 하루 대변량이 10 L까지 가능하므로 장기간 혹은 심한 설사 환자에서는 심각한 칼륨 고갈 현상이 발생될 수 있다. 위액(gastric juice)은 혈청에 비하여 칼륨 농도가 5배 정도이므로 저칼륨혈증이 발생될 수 있다.

2) 세포 횡단 이동(Transcellular shift)

이는 세포 내에서 세포 외로 칼륨이 이동하는 경우이다. β_2-아드레날린성 약물들이 β_2-아드레날린성 수용체를 자극하여 칼륨의 세포내 이동을 촉진시키는데 기관지 확장제 등을 사용하게되면 이 기전에 의하여 세포내로 칼륨의 이동이 촉진되어 저칼륨혈증이 발생될 수 있다. 이 약물들을 상용량 사용하는 경우에는 그 위험성은 극히 적지만 이뇨제를 함께 사용하는 환자에서는 주의하

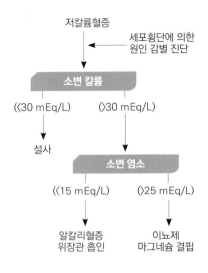

그림 6-5 저칼륨혈증의 접근법

여야 한다.

알칼리혈증, 저체온증, 인슐린 등이 세포내로의 칼륨 이동을 촉진시킨다. 저체온증의 경우 발생되는 저칼륨혈증은 체온 상승시 가역적으로 회복되며 심한 저체온증시에는 세포 파괴로 인하여 오히려 고칼륨혈증이 발생될 수 있다.

이상과 같은 원인들에 의하여 저칼륨혈증이 발생되기 때문에 저칼륨혈증 발생시 그림 6-5와 같은 방법을 이용하면 원인 접근에 상당한 도움을 얻을 수 있다.

2. 저칼륨혈증의 징후 및 증상(Signs and symptoms of hypokalemia)

저칼륨혈증시 골격근의 약화와 심전도의 변화가 가장 기본적인 증상이다. 혈청 칼륨 농도가 2.5~3.5 mEq/L 정도 범위 이내에서는 증상이 나타나지 않거

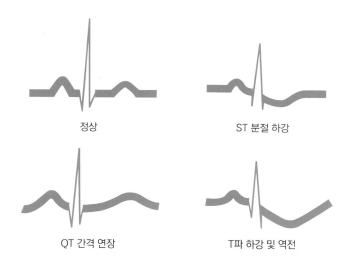

정상   ST 분절 하강

QT 간격 연장   T파 하강 및 역전

그림 6-6 저칼륨혈증시의 심전도 변화

나 미약하게 나타난다.

1) 부정맥

혈청 칼륨 농도가 3.0 mEq/L 이하로 감소되면 심전도상 부정맥이 발생되기 시작하며 digitalis 치료를 받는 환자에서는 3.5 mEq/L의 농도에서도 심전도 이상이 발생될 수 있다(그림 6-6). 저칼륨혈증의 1/2 이상의 환자에서 저명한 U 파형(높이가 1 mm 이상)의 출현이 특징적이며 T 파형이 평탄 혹은 역전되고 QT 간격이 연장되는 심전도 소견이 나타난다. 한가지 명심할 것은 저칼륨혈증 자체가 심각한 부정맥을 야기하는 것이 아니라 마그네슘 결핍, digitalis 등과 같은 인자들이 함께 동반되면서 부정맥이 발생된다는 점이다.

2) 신경근장애

저칼륨혈증은 신경과 근육 조직에 흥분성 변화를 야기한다. 혈청 칼륨 농도가 2.5 mEq/L 이하가 되면 근육 쇠약이 발생된다. 피로, 쇠약감, 마비 등의 증상이 나타나며 심하면 호흡 근육 마비까지 가능하다.

3) 신장 기능의 장애

신장에서 혈관 수축이 발생되어 신혈류 감소, 사구체 여과율의 감소, 심한 경우 만성 신부전으로 진행될 수 있다.

4) 수분 및 전해질 변화

갈증중추에 대한 효과로 다뇨가 발생되며 신장에서 암모니아 생성을 증가시키고 대사알칼리증이 발생된다.

5) 위장관 장애

위장관 운동의 감소로 변비, 장폐색증이 발생될 수 있다.

6) 내분비 변화

알도스테론 분비 감소, 레닌 활성의 증가, prostaglandin 증가, 인슐린 감소 등의 증상이 나타난다.

3. 저칼륨혈증의 치료(Treatment of hypokalemia)

세포내 칼륨 농도를 임상에서 실제로 측정할 수 없으므로 혈장 칼륨 농도를 통해 칼륨 결핍의 정도를 간접적으로 측정한다(표 6-5).

표 6-5 저칼륨혈증시의 칼륨 결핍

혈장 칼륨 농도(mEq/L)	칼륨 결핍	
	mEq	전체 칼륨에 대한 비율(%)
3.0	175	5
2.5	350	10
2.0	470	15
1.5	700	20
1.0	875	25

Point 빠른 칼륨 보충의 적응증

· 심한 저칼륨혈증(<2.5 mEq/L)
· 당뇨병성 케톤산증
· 저칼륨혈증에 의한 심실 부정맥의 발생
· Digitalis 중독증
· 심한 대사성 알칼리혈증: pH > 7.55

그러나 저칼륨혈증의 치료는 혈청 칼륨 농도 자체만이 아닌 임상 증상 등을 고려한 후 치료한다. 일반적으로 심한 부정맥, 마비, 간성 혼수 등의 합병증이 없을 경우에는 경구적으로 천천히 교정함을 원칙으로 한다. 그러나 급성으로 칼륨이 소실된 경우에는 즉각적인 칼륨의 보충이 필요하며 저칼륨혈증 시에는 빠르게 칼륨을 보충하여 치료하여야 한다(**Point**).

1) 칼륨 보충(Potassium replacement)

칼륨 부족량을 계산한 후 구강 혹은 정주로 부족한 칼륨을 투여한다. 경구용 보충이 보다 안전하며 하루 60~80 mEq 정도를 보충하게 되는데, 교정을 위해서는 수일간의 시간이 요구된다.

정주용 투여는 심장 이상 및 근육 쇠약 등의 증상이 있는 경우 사용되며 칼륨 투여의 안전한 용량은 하루 3 mEq/kg이 적당하다. 정주치료의 목표는 혈청 칼륨치 자체의 교정이 아니라 당장의 위험한 증상을 제거하는 것이란 점을 명심하여야 한다. 일반적으로 KCl을 가장 많이 사용하나 대사성 산증이 있는 환자에서는 potassium bicarbonate, potassium acetate, potassium citrate 등을 사용할 수 있고 당뇨병성 케톤산증과 같은 저인산혈증(hypophosphatemia) 환자에서는 potassium phosphate를 사용하기도 한다.

2) KCl

pH의 변화가 생기지 않고 사용하기 편한 이유로 KCl의 형태로 많이 사용하며 대사알칼리증이 동반되어 있을 경우 감소된 염소를 보충시켜 줄 수 있어 유용하다. 한 앰플에 10, 20, 30, 40 mEq용으로 상품화되어 있으며 1 mL는 1.5∼2 mEq로 농축되어 있다. KCl은 높은 삼투압을 나타내므로 투여시 혈관 자극을 줄이기 위하여 중심 정맥을 사용하는 것이 좋다. 그러나 시간당 20 mEq 정도의 빠른 속도로 투여할 경우 중심 정맥으로 투여하면 우심장에서 일시적인 고칼륨혈증 상태가 되어 위험할 수 있다. 참고적으로 2 mEq/L 용액의 KCl은 삼투질 농도가 4,000 mOsm/kgH$_2$O에 달한다.

3) KCl 용액 혼합 방법

100 mL의 등장성 식염수에 20 mEq의 KCl을 혼합하거나 1 L에 40 mEq를 혼합하여 사용한다.

4) KCl 투여 속도 및 원칙

일회 용량은 7~8 mg/kg(0.1 mEq/kg)를 초과할 수 없으며, 투여 속도는 시간 당 10~20 mEq를 초과할 수 없다(0.2 mEq/kg/h). 그러나 혈청 칼륨 농도가 1.5 mEq/L 이하로 심한 저칼륨혈증이거나 심각한 부정맥이 동반된 경우에서는 시간당 최고 40 mEq 까지 사용할 수 있으며 이 경우에는 중심 정맥보다는 말초 혈관 두 군데로 투여하는 것이 우심장에 부담을 감소시킬 수 있다.

일반적인 경우에는 칼륨 용액을 시간당 10 mEq의 속도로 투여하며 혈청 칼륨 농도가 2.0~2.5 mEq/L의 범위인 경우에는 시간당 20 mEq의 속도로 투여한다. 드물게 5분에 걸쳐 0.1 mEq/kg의 일회용량을 투여하기도 하나 세심한 주의가 필요하다. Digitalis 중독증에 의한 저칼륨혈증의 경우 0.5~1.0 mEq의 용량을 2~3분에 걸쳐 서서히 투여할 수 있으며 이때 심전도 파형이 정상화될 때까지 2~3분 간격으로 투여할 수 있다.

KCl을 투여하여도 즉각적으로 혈청 칼륨 농도가 증가하지는 않으며 그 이유는 그림 6-2에 의한 칼륨 결핍과 혈청 칼륨 농도의 변화 곡선을 보면 이해할 수 있을 것이다. 일반적으로 심한 저칼륨혈증의 경우 완전한 치료를 위해서는 36~48시간이 소요된다. KCl을 투여하여도 저칼륨혈증이 교정되지 않으면 혈청 마그네슘 농도를 확인하여야 한다. 마그네슘의 결핍은 소변으로의 칼륨 배설을 증가시키고 치료에 반응하지 않는 저칼륨혈증을 나타내기 때문이다.

칼슘 균형
장애

Chapter 07

정상 칼슘 균형
(Normal calcium balance)

1. 칼슘의 생리적 작용(Physiologic action of calcium)

칼슘은 인산(phosphorous)과 함께 골격 구조에 중요한 역할을 하는 전해질로 근육 수축, 신경전달 물질(neurotransmitter) 및 호르몬의 방출, 혈액 응고, 골대사(bone metabolism) 등에 관여한다.

2. 칼슘의 섭취 및 배설(Uptake and excretion of calcium)

정상 성인은 하루 600~800 mg 정도의 칼슘을 섭취하며 대부분 소장을 통하여 흡수한다. 섭취된 칼슘은 대변으로 최고 80%까지 배출된다. 또한 신장이 칼슘의 배설에 중요한 역할을 담당하며 신장을 통하여 하루 평균 100 mg 정도가 배설되는데 배설의 정도는 생리적 상황에 따라 하루 50 mg에서 300 mg에 이르기까지 다양하게 변화된다. 사구체에서 여과된 칼슘의 98%가 재흡수되는데 근위세뇨관과 Henle 고리의 상행각에서는 나트륨의 재흡수와 동반되어 재흡수된다. 그러나 원위세뇨관에서 나트륨의 재흡수는 알도스테론에 의하여 이루어지는 반면에 칼슘의 재흡수는 부갑상선 호르몬(parathyroid hormone)의 작용에 의하여 재흡수되어 지는 것이 특징이다. 결국 부갑상선 호르몬의 증가는 칼슘의 재흡수를 촉진시키고 신장을 통한 배설을 감소시키게 된다.

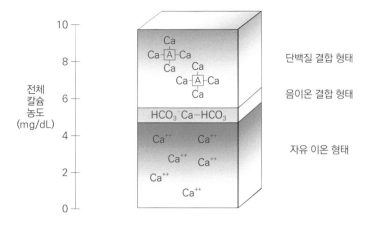

그림 7-1 체내 칼슘의 분포

3. 혈장 칼슘 농도(Plasma calcium concentration)

정상적으로 신체 전체의 칼슘 농도는 8.5~10.5 mg/dL(2.1~2.6 mmol/L)이다. 이중 약 45~50%가 자유 이온 형태(free ionized form)로 존재하며 40%는 단백질에 결합된 형태로 존재하는데 이중 80%는 알부민에 결합된다. 나머지 5~10%는 중탄산염, sulfate, phosphate, citrate 등과 같은 음이온과 결합된 형태로 존재한다. 이중 생리적으로 가장 중요한 역할을 하는 형태는 자유 이온 형태의 칼슘(Ca^{++})이며 정상적으로 4.5~5.0 mg/dL(2.2~2.5 mEq/L 혹은 1.1~1.25 mmol/L) 정도로 존재한다(그림 7-1). 한가지 꼭 명심하여야 할 점은 대부분의 임상에서 칼슘의 측정은 세 가지 형태의 칼슘 모두를 측정할 수 있으므로 결과치가 어느 형태의 칼슘 농도를 나타내는가를 확실하게 조사하여 분석해야 오류를 막을 수 있다. 전체 칼슘의 양은 mg/dL의 단위로, 이온화 칼슘의 양은 mmol/L의 단위로 나타내는 것이 보통이다.

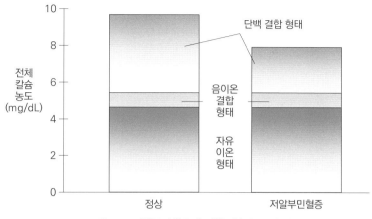

그림 7-2 저알부민혈증에 의한 칼슘 농도의 변화

혈장 알부민 농도가 감소하면 전체 칼슘 농도의 감소가 발생된다. 그러나 이경우의 전체 칼슘 농도의 감소는 단백질과 결합하는 형태의 칼슘이 감소되는것이므로 이온화 칼슘 농도에는 영향을 주지 못한다(그림 7-2). 일반적으로 칼슘의 생리학적 작용은 이온화 칼슘에 의하여 발생되므로 저알부민혈증에 의한저칼슘혈증은 생리적으로 중요하지 않다. 따라서 저알부민혈증이 있는 환자에서 저칼슘혈증이 나타나면 이온화 칼슘의 감소 여부를 확인하여야 하며 이온형태 칼슘의 감소에 의한 저칼슘혈증을 진성 저칼슘혈증(true hypocalcemia)이

표 7-1 칼슘 이온 측정시 오차가 발생될 수 있는 조건 및 결과

조건	이온 칼슘의 변화
산성 pH	증가
알칼리성 pH	감소
헤파린	감소
저나트륨혈증(<120 mEq/L)	감소
고나트륨혈증(>155 mEq/L)	증가
혈구 대사(blood cell metabolism)	증가

라 한다.

혈장 pH의 변화는 단백질에 결합된 형태의 칼슘에 직접적으로 영향을 미쳐 이온화 칼슘 양의 변화를 가져온다. 즉, 산증은 칼슘이 알부민과 결합하는 것을 방해하여 이온화 칼슘을 증가시키며 알칼리증은 이온화 칼슘을 감소시킨다. 대개 알부민 1 g/dL의 변화는 0.8 mg/dL 정도의 전체 혈장 칼슘 농도의 변화를 야기한다. 혈장 pH가 0.1 감소할 때마다 이온화 칼슘이 약 0.8 mEq/L(0.16 mg/dL) 증가하며 pH가 0.1 증가할 때마다 약간의 양만이 감소된다.

이온화 칼슘은 생리적으로 중요하므로 혈액 검사시 혈장 칼슘 농도가 아닌 이온화 칼슘 농도를 직접 확인하는 것이 바람직하다. 그러나 다음과 같은 조건들에서는 채혈된 혈액에서 이온화 칼슘 측정에 오차가 발생될 수 있으므로 주의한다(표 7-1).

혈청 농도 단위인 mg/dL, mEq/L 및 mmol/L의 관계는?
; mg/dL는 다음의 공식에 의하여 mEq/L로 변환될 수 있다.

$$mEq/L = \frac{mg/dL \times 10}{원자량} \times 원자가$$

칼슘은 원자량이 40 gm이고 2가 이온이므로 1 equivalent(Eq)는 20 gm이 된다. 따라서 정상 혈청 칼슘 농도는 약 10 mg/dL이므로 위의 공식에 의하여 mEq/L = (10 mg/dL × 10) × 2 / 40 gm = 5.0 mEq/L가 된다.
칼슘은 1 리터당 40 gm(원자량)이 포함되어 있으며 이는 칼슘 1 mole은 40 gm임을 의미한다. 또한 칼슘은 2가 이온이기 때문에 칼슘 1 equivalent는 20 gm이 된다. 즉, 칼슘 1 mM은 2.0 mEq가 되며 반대로 칼슘 1 mEq는 0.5 mM이 된다. 따라서 위의 5.0 mEq/L 농도는 2.5 mM/ L로 전환될 수 있다.

4. 세포외액에서의 이온화 칼슘 농도의 조절
(Regulation of extracellular ionized calcium concentration)

전체 칼슘의 99%가 뼈에 포함되어 있으며 나머지 0.5∼1% 정도가 세포외액 교환성으로 존재한다. 세포외액의 칼슘은 다음 세 가지 기전에 의하여 조절된다.

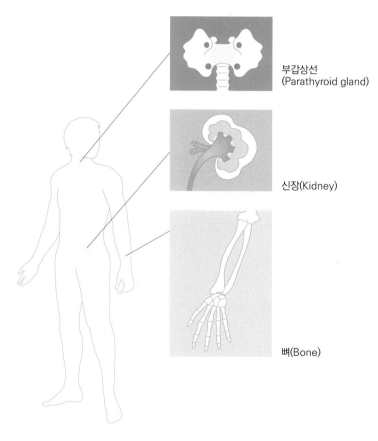

부갑상선
(Parathyroid gland)

신장(Kidney)

뼈(Bone)

그림 7-3 칼슘 균형에 관여하는 대표적인 장기들

1) 부갑상선 호르몬(Parathyroid hormone, PTH)

부갑상선 호르몬은 혈장 칼슘 조절에 가장 중요한 역할을 하는데 혈청 이온화 칼슘 농도가 감소되면 부갑상선 호르몬의 분비가 자극되고 혈청 칼슘 농도가 증가되면 부갑상선 호르몬의 분비가 감소된다. 부갑상선 호르몬에 의한 칼슘 증가는 첫째, 뼈에 있는 칼슘의 이용, 둘째, 원위세뇨관에서의 칼슘의 재흡수, 셋째, 소장에서의 흡수 증가에 의한다.

2) 비타민 D(Vitamin D)

비타민 D는 인체에서 여러 가지 형태로 존재하는데 이 중 1, 25−dihydroxy-cholecalciferol이 생리학적으로 가장 중요한 역할을 한다. 이물질은 내인성 cholecalciferol이 간과 신장을 경유하면서 생기는 물질이다. 1, 25−dihydroxy-cholecalciferol로의 전환은 부갑상선 호르몬 및 저인산혈증(hypophosphatemia)에 의하여 증가된다. 비타민 D는 소장에서 칼슘의 흡수를 증가시키고, 뼈에서 부갑상선 호르몬의 작용을 촉진시키며, 원위세뇨관에서 칼슘의 재흡수를 증가시킨다.

3) 칼시토닌(Calcitonin)

칼시토닌은 갑상선(thyroid gland)에서 분비되는 호르몬의 일종으로 뼈에서의 칼슘 재흡수를 방해하고 소변으로의 배설을 증가시킨다. 칼시토닌의 분비는 고칼슘혈증시 증가되고 저칼슘혈증시 감소된다.

세포외액의 칼슘 과다
(Calcium excess of extracellular fluid)

📋 임상소견

병력
- 부갑상선 기능항진증
  (hyperparathyroidism)
- 다발성 골수종(multiple myeloma)
- 악성 종양
- 우유의 과량 섭취(milk−alkali 증후군)
- 비타민 D의 과량 투여
- paget 질환
- 장기간 운동 부족
  (chronic immobilization)
- 신장 질환

징후 및 증상
- 식욕 감퇴
- 체중 감소
- 심부성 골 통증
- 신결석
- 질소혈증
- 오심
- 갈증, 다뇨증
- 요부 통증
- 근육 약화증
- 피로

검사실 소견
- 혈장 칼슘치 5.8 mEq/L 이상
- X−ray상 전반적 골 첨공
  (bony cavitation)
- Sulkowitch 소변 검사 ; 칼슘 침전 과량

동의어 고칼슘혈증(hypercalcemia)

표 7-2. 부갑상선 기능항진증과 혈장 칼슘 농도

종류	혈장 칼슘 농도
일차성	증가
이차성	감소
삼차성	정상 혹은 증가

1. 고칼슘혈증의 원인(Causes of hypercalcemia)

입원 환자에서 고칼슘혈증이 발생된 경우의 약 90%는 부갑상선 기능항진증과 악성 종양에 의한 것이며 50세 이상의 고령 환자에서 많이 발생된다. 이미 설명한 바와 같이 부갑상선 호르몬은 뼈에 있는 칼슘의 이용, 원위세뇨관에서의 칼슘의 재흡수 및 소장에서의 칼슘 흡수 증가에 의하여 혈장 칼슘 농도의 증가를 유발한다.

부갑상선 기능항진증(hyperparathyroidism)시 칼슘 농도가 증가되는데 부갑상선 기능항진증은 세가지로 분류된다(표 7-2). 혈장 칼슘 농도의 변화와는 관계없이 부갑상선 호르몬을 분비하는 질환을 일차성 부갑상선 기능항진증(primary hyperparathyroidism)이라 하며 부갑상선 기능항진증의 약 90%를 차지한다. 만성적인 저칼슘혈증에 의하여 부갑상선 호르몬이 증가되는 경우를 이차성 부갑상선 기능항진증(secondary hyperparathyroidism)이라 한다. 이차성 부갑상선 기능항진증이 지속되면 혈장 칼슘 농도가 정상이거나 증가되면서 부갑상선 호르몬의 분비가 증가되는데 이를 삼차성 부갑상선 기능항진증(tertiary hyperpara-thyroidism)이라 한다.

악성 종양 환자에서는 뼈 파괴(bony destruction)나 고칼슘혈증을 야기하는 중간물질(예; PTH-like substance, osteoclast factor, prostaglandin)들의 분비로

고칼슘혈증이 발생될 수 있으며 혈장 이온화 칼슘 농도가 3.5 mmol/L 이상의 심한 고칼슘혈증의 경우에서 가장 많은 원인을 차지한다. 고칼슘혈증을 나타내는 악성 종양의 25~50%가 유방암이다. 이외에도 우유의 과량 섭취, 비타민 D의 과량 섭취 등의 경우에도 고칼슘혈증이 나타날 수 있다.

2. 고칼슘혈증의 징후 및 증상
(Signs and symptoms of hypercalcemia)

식욕 감퇴, 오심, 구토, 쇠약감, 다뇨증 등과 같은 일반적인 증상에서부터 심한 경우 혼수 및 의식소실에 이르기까지 다양한 임상 증상이 나타난다(표 7-3). 전체 혈청 칼슘 농도가 12 mg/dL 이상이거나 이온화 칼슘 농도가 3.0 mmol/L 이상에서 나타나기 시작하여 전체 혈청 칼슘 농도가 14 mg/dL 이상이거나 이온화 칼슘 농도가 3.5 mmol/L 이상인 경우에서는 거의 모든 경우에서 증상이 나타난다.

16 mg/dL 이상의 고칼슘혈증시 심전도 장애가 동반되며 PR 간격 연장, ST 분절 및 QT 간격의 감소 징후가 나타난다. 대개 고칼슘혈증의 초기에는 혈압이 증가하나 이후 저혈량증이 동반된다. 고칼슘혈증은 고칼슘뇨(hypercalci-uria)를 형성하여 삼투성 이뇨(osmotic diuresis)를 증진시키게 되며 이는 궁극적으로 저혈량증을 발생케 하므로 고칼슘혈증시 흔히 저혈량증의 발생을 볼

표 7-3 고칼슘혈증의 증상

위장관계	오심, 구토, 식욕감퇴, 변비, 장폐색증, 췌장염
심혈관계	저혈량증, 저혈압
	심전도상 ST 분절 및 QT 간격의 감소, PR 간격 연장
신장계	사구체 여과율 감소, BUN 및 creatinine 증가, 다뇨증, 신결석
신경계	혼수, 의식감퇴, 의식 소실
기타	근육 약화, 피로(특히 하지에서), 의식 장애

수 있다. 저혈량증의 발생은 소변으로의 칼슘 배설을 감소시켜 혈청 칼슘 농도가 빠르게 증가하는 악순환이 되기도 한다. 고칼슘혈증은 인산 및 마그네슘과 같은 다른 전해질 이상과 함께 나타날 수 있다. 특히 저마그네슘혈증(hypomagnesemia)이 동반된 경우 부정맥의 발생률이 증가된다.

3. 고칼슘혈증의 치료(Treatment of hypercalcemia)

증상이 없으면서 혈청 칼슘 농도가 14 mg/dL 이하인 경우에는 특별한 치료를 할 필요가 없으며 단지 소변량을 적절히 유지하는 정도의 수액 투여만으로도 충분하다.

적극적인 치료는 고칼슘혈증에 따른 임상 증상이 나타나거나 혈청 칼슘 농도가 14 mg/dL 이상인 경우(혹은 이온화 칼슘 농도가 3.5 mmol/L 이상)에서 실시한다(표 7-4). 고칼슘혈증의 치료는 아래와 같이 실시하며 이와 동시에 원인을 조사하여 치료하여 주는 것이 궁극적인 치료이다.

표 7-4 고칼슘혈증의 치료

약제	용량	비고
생리식염수	상황에 따라 결정	초기 치료, 저혈량증의 교정
Furosemide	2시간마다 40~80 mg 정주	생리식염수 효과 상승
Calcitonin	12시간마다 4U 근주 혹은 피하주사	수 시간내 작용 발현
		[Ca^{++}] 최고 0.5 mmol/L 감소
Hydrocortisone	하루 200 mg 2~3회 나누어 정주	주로 calcitonin과 함께 사용
Pamidronate	24시간에 걸쳐 90 mg 점적	작용 발현 시간 늦음
		4~5일 후 최고효과
		Calcitonin보다 효과 강함
Plicamycin	4시간에 걸쳐 25 mcg/kg 정주,	부작용 심함(골수 억제)
	매 24시간마다 반복 가능	

1) 생리 식염수의 투여(Saline infusion)

증상이 심한 경우의 고칼슘혈증은 즉각적인 치료를 요하는 데 가장 효과적인 치료는 생리 식염수를 투여하여 저혈량증을 교정하면서 이뇨를 촉진시켜 신장으로의 칼슘 배설을 증가시키는 것이다. 그러나 신부전이나 심부전이 있는 환자에서는 위험할 수 있으므로 이 경우에서는 투석을 실시하여 칼슘을 제거한다.

2) Furosemide

생리식염수의 투여만으로는 칼슘 농도를 정상치로 감소시키지 못한다. 따라서 furosemide를 매 2시간마다 40 mg에서 80 mg을 정주하여 소변으로의 칼슘 배설을 더욱 촉진시켜 주어야 한다. Furosemide를 사용함으로써 나오는 소변량은 생리식염수를 투여하여 반드시 보충해주어야 하는데 저혈량증의 발생이 고칼슘혈증 현상을 더욱 촉진시키기 때문이다. 생리식염수와 함께 furosemide를 사용함으로써 시간당 200~300 mL 정도로 이뇨를 증진시킬 수 있으며 다른 전해질 변화를 함께 감시하면서 교정하여야 한다.

3) 칼시토닌(Calcitonin)

생리 식염수와 furosemide를 사용함으로써 고칼슘혈증을 빠르게 교정할 수는 있지만 이는 뼈 재흡수에 의한 고칼슘혈증의 경우 근원적인 치료 방법이 결코 되지는 못한다. 칼시토닌은 뼈에서의 칼슘 재흡수를 방해하는 호르몬으로 피하나 근육 주사로 매 12시간마다 체중 kg 당 4 unit를 투여한다. 수시간 이내에 작용이 발현되나 효과는 혈청 칼슘 농도를 최고 0.5 mmol/L 정도밖에 감소시키지는 못한다.

4) Hydrocortisone

Corticosteroid는 비타민 D의 작용을 증진시키고 림프성 악성 조직(lymphoid neoplastic tissue)의 성장을 방해함으로써 혈청 칼슘 농도를 감소시키는 기능을 가진다. 칼시토닌과 스테로이드를 함께 사용하면 다발성 골수종(multiple myeloma)이나 신부전에 의한 고칼슘혈증의 치료에 효과적이다. 대개 hydrocortisone 200 mg을 2~3회 나누어 정주한다.

5) Pamidronate

이 약물은 biphosphonates로 알려진 화학 물질로 칼시토닌의 작용과 마찬가지로 뼈 재흡수에 의한 고칼슘혈증의 치료에 사용된다. 칼시토닌이 혈청 칼슘 농도의 감소 작용이 미약한데 반하여 pamidronate는 보다 강력하게 뼈 재흡수를 방해하여 혈청 칼슘 농도를 정상치로 감소시킬 수 있다. 그러나 작용 발현 시간이 느려 혈청 칼슘 농도의 빠른 감소가 필요한 상황에서는 유용하지 못하다는 단점이 있다.

6) Plicamycin(Mithramycin)

항암제의 일종으로 뼈에서의 칼슘 재흡수를 방해한다. Pamidronate보다는 작용 발현 시간이 빠르나 골수 억제와 같은 심각한 부작용 가능성으로 인하여 최근에는 pamidronate로 대치되는 경향이 있다.

7) 투석(Dialysis)

신 및 심부전 환자에서 칼슘을 제거하기 위한 효과적인 방법이다.

세포외액의 칼슘 부족
(Calcium deficit of exracellular fluid)

📋 임상소견

병력
- 원발성 부갑상선기능부전증
- Citrate 포함된 혈액의 다량 투여
- 피하조직의 심한 염증
- 무칼슘 수액의 과량 투여
- 급성 췌장염
- 산증의 교정 직후
- 설사, 전반적 복막염
- 부갑상선 적출술
- 장 shunt 수술
- Fluoride의 중독
- 비타민 D 길항 구루병(rickets)
- 초기 육아조직 형성 시기의 화상
- 가성부갑상선기능부전증
- 지방변

징후 및 증상
- 복통
- Carpopedal spasm
- 근육경련
- Tetany
- 입주위의 이상 감각
- 저림, 무감각
- 과민성 반사
- 후두 천명(stridor)

검사실 소견
- 혈장 칼슘치 ; 4.5 mEq/L 이하
- 심전도상 QT 분절의 연장

동의어 저칼슘혈증(hypocalcemia)

표 7-5 저칼슘혈증의 원인

부갑상선 기능 저하	
	외과적
	원발성
	저마그네슘혈증
	패혈증
가성 부갑상선 기능 저하	
비타민 D 결핍	영양 섭취 부족
	흡수 장애
	비타민 D 대사 장애
고인산혈증	
칼슘 침착	췌장염
	지방 색전증
음이온과의 결합	대량 수혈
	중탄산염의 투여
	알부민의 대량 투여

1. 저칼슘혈증의 원인(Causes of hypocalcemia)

저칼슘혈증은 혈장 이온화 칼슘 농도가 4.5 mEq/L 이하인 경우를 말하며 부갑상선기능 저하가 저칼슘혈증의 가장 흔한 원인이 된다(표 7-5). 부갑상선기능저하는 원발성, 외과적 수술, 부신 기능저하, 저마그네슘혈증 등에 의하여 발생된다.

마그네슘 결핍은 부갑상선 호르몬 분비를 방해하고 뼈에서의 칼슘 재흡수를 방해하여 저칼슘혈증을 초래한다.

패혈증(sepsis)시에는 명확한 기전이 밝혀지지는 않았지만 아마도 부갑상선 호르몬의 분비를 억제하거나 알부민에 칼슘이 결합함으로 인하여 저칼슘혈증이 생길 것으로 추정된다. 신부전 환자에서는 고인산혈증(hyperphosphatemia)

으로 인하여 저칼슘혈증이 흔히 발생된다.

알칼리혈증시 칼슘의 알부민 결합이 증가되어 이온화 칼슘이 감소되며 이러한 현상은 대사성 알칼리혈증보다는 호흡성 알칼리혈증의 경우에서 흔히 동반된다. 따라서 마취중 과환기(hyperventilation)에 의하여 인위적으로 유발된 호흡성 알칼리혈증은 혈장 이온화 칼슘 농도를 급격히 감소시키게 된다. 중탄산염을 투여하는 경우에 투여된 중탄산염에 칼슘이 결합하여 이온화 칼슘이 감소될 수 있다.

비타민 D 결핍은 저칼슘혈증을 유발하는데 이는 비타민 D가 소장에서 칼슘 흡수를 증가시키고, 뼈에서 부갑상선 호르몬의 작용을 촉진시키며, 원위세뇨관에서 칼슘의 재흡수를 증가시키는 작용이 있기 때문이다.

수혈을 받는 환자의 15%에서 이온화 칼슘 농도의 감소가 발생된다. 이는 혈액 제제에 포함된 citrate에 의하여 음이온 결합 형태의 칼슘이 증가하여 자유 이온화 칼슘이 감소되기 때문이다. 이 현상은 일시적인 저칼슘혈증을 나타내나 신부전이나 간질환이 있는 환자들에서는 보다 심하고 장기적인 저칼슘혈증을 나타낼 수 있다. Citrate에 의한 저칼슘혈증시 이론적으로 응고 장애가 발생될 수 있으나 이는 임상적으로 큰 문제가 되지 않는 정도이다. 따라서 요사이 대량 수혈시 응고 장애를 예방할 목적으로 칼슘을 투여하는 것은 권장되지 않는다.

신부전시 비타민 D의 1,25-dihydroxycholecalciferol로의 전환 장애가 발생되어 소장 및 뼈에서의 칼슘의 재흡수 감소로 혈장 이온화 칼슘이 감소되어 인산의 저류가 발생된다. 이때 증가된 인산은 칼슘과 결합하여 연조직내에 침착되며 이 결과 혈장 칼슘 농도는 더욱 감소하게 된다. 이외에도 급성 췌장염시 지방에 칼슘이 축적되어 저칼슘혈증이 발생될 수 있으며 화상, 지방 색전증시에는 자유 지방산(free fat acid)이 칼슘과 결합함으로 인하여 저칼슘혈증이 발생된다.

2. 저칼슘혈증의 징후 및 증상
(Signs and symptoms of hypocalcemia)

저칼슘혈증시 신경 말단에서 아세틸콜린(acetylcholine)의 방출에 의하여 심장과 신경근 조직의 흥분 작용이 생기며 심근 및 혈관 평활근의 수축력 감소에 따른 증상을 관찰할 수 있다.

과반사(hyperreflexia), 전신성 발작(generalized seizure), 마비, 의식 혼탁, 후두 천명(후두 경련)등이 나타날 수 있다. 저칼슘혈증시 특징적으로 Trousseau's sign(수족 경련)과 Chvostek's sign(저작근 경련)을 관찰할 수 있다. 그러나 정상인의 25%에서 Chvostek's sign이 나타날 수 있으며 Trousseau's sign은 저칼슘혈증 환자의 30%에서 나타나지 않는다.

저칼슘혈증시 혈역학적으로 저혈압, 중심정맥압의 증가, 심박출량의 감소가 전형적으로 나타난다. 심실의 이소성 활동성(ectopic activity)이 증가되는데 이러한 증상은 이온화 칼슘 농도가 0.8~1.0 mmol/L 정도의 경한 저칼슘혈증시에는 잘 나타나지 않으나 0.65 mmol/L 이하의 심한 저칼슘혈증시에는 심실 빈맥이나 치료에 잘 반응하지 않는 심한 저혈압이 발생될 수도 있다.

심장의 흥분성을 증가시켜 QT 간격 연장 등의 부정맥이 발생되며, 심근 수축력의 감소로 저혈압 및 심부전이 발생될 수 있다. 그러나 이러한 심장에의 작용은 저칼슘혈증의 정도와 반드시 일치하는 것은 아니다.

3. 저칼슘혈증의 치료(Treatment of hypocalcemia)

증상이 동반된 저칼슘혈증은 내과적 응급 상태로 즉각 치료를 하여야 하며 칼슘의 보충과 함께 원인 질환을 파악하여 치료하여야 한다.

칼슘 보충을 위하여 두 가지의 칼슘염 용액이 주로 사용된다. 칼슘염 용액으로는 calcium chloride(10% 용액 3~5 mL)와 calcium gluconate(10% 용액 10~20 mL)가 사용되는데 10% calcium chloride 10 mL는 272 mg(13.6 mEq)의 Ca^{++}이 포함되어 있으며 10% calcium gluconate 10 mL는 90 mg(4.6 mEq)의 Ca^{++}이 포함되어 있다. 따라서 calcium chloride가 calcium gluconate에 비하여 3배 정도 강한 용액이 된다.

칼슘염 용액은 고장성 용액(calcium chloride; 2,000 mOsm/L, calcium gluconate; 680 mOsm/L)이므로 투여시 가능하면 굵은 혈관을 사용하는 것이 좋으며 가는 말초혈관만이 확보되어 있는 경우에는 calcium gluconate가 좀더 삼투압이 낮기 때문에 정맥 및 연부 조직에 자극을 적게 줄 수 있다. 200 mg(10% calcium chloride 8 mL, 10% calcium gluconate 22 mL)의 칼슘 투여는 전체 혈장 칼슘을 1 mg/dL 정도 상승시키나 이 효과는 30분 이내에 소실된다. 칼슘 보충시 200 mg을 100 mL의 등장성 식염수에 혼합하여 10분에 걸쳐 서서히 정주한 다음 혈장 이온화 칼슘치를 측정하면서 반복 투여하거나 시간당 1~2 mg/kg의 속도로 연속적으로 정주하는 것이 좋은데 대개 6시간 정도 연속 투여하는 것이 일반적이다.

칼슘 제제를 투여시 중탄산염이나 인산이 함유된 용액과 함께 사용하면 침전물이 형성되므로 주의하여야 한다. 마그네슘 결핍으로 인하여 발생된 저칼슘혈증은 칼슘 제제를 투여하여도 교정이 되지 않으며 이 경우에는 마그네슘을 보충함으로써 저칼슘혈증이 교정될 수 있다. 대량 수혈시 citrate에 의한 저칼슘혈증의 발생은 일시적인 것으로 투여된 citrate가 간과 신장에서 대사되면서 자연히 정상화될 수 있다.

신부전에 의한 저칼슘혈증은 소장에서 인산의 흡수를 감소시키기 위하여 인결합제를 투여하여 혈중 인산 농도를 감소시켜 준다.

저칼슘혈증이 만성적으로 발생된 경우에는 경구용(calcium carbonate; Oscal 혹은 calcium gluconate tablet)으로 칼슘을 보충시키거나 비타민 D를 보충시켜 주는데 calcium gluconate tablet에는 500 mg의 칼슘이 포함되어 있다.

저칼슘혈증의 치료시에 투여된 칼슘으로 인하여 혈관 수축, 장기 허혈 등의 부작용이 발생될 수 있으므로 주의를 요한다. 칼슘에 의한 허혈은 이미 혈관이 수축되어 있는 저심박출 환자에서 발생 빈도가 높으며 급격히 대량의 칼슘을 투여하면 세포내 칼슘이 증가되어 세포 손상이 발생될 수 있다. 특히 쇼크 상태의 환자에서 발생 빈도가 증가된다. 이러한 이유로 칼슘 투여는 신중하게 고려하여 투여하여야 하며 칼슘 제제의 정맥 투여는 혈장 이온화 칼슘 농도가 0.65 mmol/L 이하이거나 증상이 동반된 저칼슘혈증에서만 투여하는 것을 원칙으로 한다.

인산
균형 장애

Chapter 08

정상 인산 균형
(Normal phosphorus balance)

1. 인산의 생리적 작용(Physiologic action of phosphorus)

체내 인산의 총량은 500~800 gm 정도이다. 인산은 세포내액의 중요한 구성 전해질로 세포막과 세포내 구조물에 있는 인지질(phospholipid) 및 인단백질 (phosphoprotein)과 같은 유기 물질에 주로 포함되어 있는데 85% 정도가 골격에 존재한다. 나머지 15% 정도의 인산은 무기 인산으로 연조직에 주로 존재한다. 무기 인산은 주로 세포내에 존재하며 당분해, ATP 생성에 관여한다. 즉, 인산은 단백질 합성에 관여하는 phosphonucleotide의 합성 및 에너지원으로 이용되는 ATP의 합성에 필요한 물질이다. 혈장 인산 농도의 감소는 비타민 D의 생성을 증가시키고 반대로 농도의 감소는 비타민 D의 생성을 감소시킨다.

2. 인산의 섭취 및 배설(Uptake and excretion of phosphorus)

정상 성인은 하루 800~1,500 mg의 인산을 섭취한다. 이중 약 80% 정도가 십이지장 및 소장에서 흡수된다. 배설은 주로 신장에서 이루어지며 신장은 체내 인산 농도 조절에 중요한 기능을 가지는데 섭취된 인산과 혈장 인산 농도에 따라 신장에서 적절한 조절 기능을 가진다.

부갑상선 호르몬은 근위세뇨관에서 인산의 재흡수를 방해하여 소변으로의 인산 배설을 증가시킨다.

3. 혈장 인산 농도(Plasma phosphorus concentration)

혈장내 인산은 유기(organic) 및 무기(inorganic)의 두 가지 형태로 존재한
다. 유기 인산(organic phosphorus)은 주로 인지질 형태로 존재하며, 무기 인산
(inorganic phosphorus)의 80%는 신장에서 여과 가능하나 나머지 20%는 여과
가 불가능한 단백질과의 결합 형태로 존재한다. 무기 인산의 대부분은 $H_2PO_4^-$
와 HPO_4^{2-}의 형태로 존재한다.

정상 혈장 인산 농도는 2.5~4.5 mg/dL(0.8~1.45 mmol/L)이며 소아에서는
최고 6 mg/dL 까지가 정상치로 간주된다.

세포외액의 인산 과다
(Phosphorus excess of extracellular fluid)

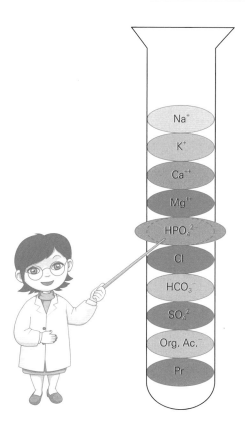

📋 임상소견

병력
- 인산 섭취의 증가
- 신기능 장애
- 세포 용해 및 괴사
- 당뇨병성 케톤산증

징후 및 증상
- 혈장 칼슘 농도 감소에 의한 이차적 증상

검사실 소견
- 혈장 인산치 : 5 mg/dL 이상

동의어   고인산혈증(hyperphosphatemia)

1. 고인산혈증의 원인(Causes of hyperphosphatemia)

고인산혈증은 인산이 함유된 약물(phosphate laxative, potassium phosphate)의 과량 투여로 인하여 섭취가 증가되는 경우 발생될 수 있다. 또한 신기능 부전시 인산 배출의 감소에 의하여, 혹은 임파종(lymphoma)이나 백혈병 치료를 위한 화학요법시 대량의 세포 용해(cell lysis)에 의하여서도 발생될 수 있다.

당뇨병성 케톤산혈증시 고인산혈증이 나타날 수는 있으나 반드시 나타나는 것은 아니다.

2. 고인산혈증의 징후 및 증상
(Signs and symptoms of hyperphosphatemia)

고인산혈증 자체가 직접적으로 어떠한 기능 장애를 가져오지는 않으나 혈장 칼슘 감소가 동반되어 이차적으로 이에 의한 임상 증상이 나타난다. 심한 고인산혈증은 뼈와 연조직에 칼슘인산염(calcium phosphate)의 침착을 증가시켜 조직 손상을 야기하며 혈장 칼슘 농도를 감소시키게 된다.

3. 고인산혈증의 치료(Treatment of hyperphosphatemia)

Aluminum hydroxide나 aluminum carbonate와 같은 인산결합제를 사용하면 혈중 인산 농도를 감소시켜 줄 수 있다. 저칼슘혈증이 동반된 고인산혈증의 경우 calcium acetate tablet를 투여하면 고인산혈증의 교정과 함께 혈장 칼슘 농도를 증가시킬 수 있다. 치료도중 신기능을 동시에 확인하는 것도 상당히 중요하다. 신기능이 불량하여 발생된 고인산혈증은 투석에 의하여 교정할 수 있으나 이처럼 투석이 요구되는 상황은 거의 발생되지 않는다.

세포외액의 인산 부족
(Phosphorus deficit of extracellular fluid)

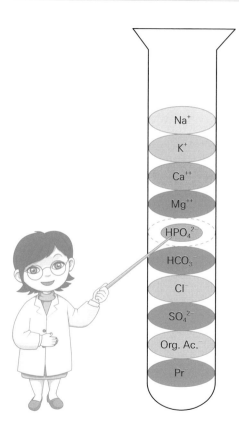

📋 임상소견

병력
- 알칼리혈증
- 탄수화물 섭취
- 인슐린 투여
- 제산제
- 화상
- 당뇨병성 케톤산증

징후 및 증상
- 심근 약화
- 용혈
- 백혈구 기능 장애
- 혈소판 기능 장애
- 근 약화
- 호흡 부전

검사실 소견
- 혈청 인산치 ; 2.5 mg/dL 이하

동의어 저인산혈증(hypophosphatemia)

1. 저인산혈증의 원인(Causes of hypophosphatemia)

저인산혈증은 기본적으로 인산 섭취의 부족 및 배설의 증가와 체액 구획간의 이동 즉, 세포외액에서 세포내로 인산이 이동되는 경우에 의하여 발생된다.

대부분의 경우 세포외액에서 세포내로 인산이 이동하여 저인산혈증이 발생되는데 알칼리혈증, 탄수화물의 섭취, 인슐린의 투여 등이 그 예이다.

과량의 제산제, 심한 화상, 부적절한 인산의 섭취, 당뇨병성 케톤산증, 알코올 금단 시기, 장기간의 호흡성 알칼리혈증 등은 심한 저인산혈증을 유발하는 원인이 될 수 있다. 호흡성 알칼리혈증이 저인산혈증의 원인이 될 수 있는 반면에 대사성 알칼리혈증의 경우에는 저인산혈증이 잘 발생되지 않는다.

2. 저인산혈증의 징후 및 증상
(Signs and symptoms of hypophosphatemia)

1.5~2.5 mg/dL 정도의 경한 저인산혈증의 경우에는 임상 증상이 거의 동반되지 않는다. 그러나 1.5 mg/dL 이하의 심한 저인산혈증의 발생시에는 광범위한 장기 기능 장애가 발생될 수 있다. 이처럼 심한 저인산혈증시에는 심근 약화, 산소 운반의 감소, 용혈, 백혈구 및 혈소판 기능 장애, 뇌질환, 호흡 부전, 대사성 산증, 간기능 장애 등의 증상이 발생될 수 있다.

저인산혈증시 가장 중요한 생리적 변화 중의 하나는 세포의 에너지 생성 장애이다. 이로 인하여 심근 기능 장애와 심박출량의 감소가 발생되며 적혈구의 용혈성 반응이 발생되어 용혈성 빈혈(hemolytic anemia)이 생길 수 있다. 또한 2,3-diphosphoglycerate(2,3-DPG)의 부족으로 인하여 산화헤모글로빈 해리 곡선(oxyhemoglobin dissociation curve)을 좌측으로 이동시켜 조직으로의 산소 해리 장애가 발생될 수 있으며 ATP 생성이 감소된다(그림 8-1).

인산 결핍에 의한 ATP 생성의 감소로 근육 약화 증상이 나타날 수 있으며 극히 드물지만 호흡 부전으로 이어지기도 한다.

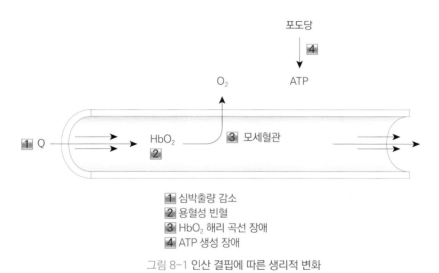

1 심박출량 감소
2 용혈성 빈혈
3 HbO₂ 해리 곡선 장애
4 ATP 생성 장애

그림 8-1 인산 결핍에 따른 생리적 변화

3. 저인산혈증의 치료(Treatment of hypophosphatemia)

경한 저인산혈증시에는 Neuta-Phos 혹은 K-Phos와 같은 경구용 약제를 사용하여 하루 1,200~1,500 mg 정도의 인산을 보충시킨다. 그러나 이 약제들은 설사 등의 부작용이 많이 발생되어 심한 저인산혈증의 경우 사용이 제한된다.

혈청 인산 농도가 1.0 mg/dL 이하이거나 심장 기능 장애, 호흡 부전, 조직 산소화 장애 등의 심각한 증상이 동반된 경우에는 potassium phosphate, sodium phosphate를 정주한다(표 8-1).

표 8-1 정주용 인산 보충 약제

약제	인산 함유량	기타
Potassium phosphate	93 mg(3 mmol)/mL	K^+: 4.3 mEq/mL
Sodium phosphate	93 mg(3 mmol)/mL	Na^+: 4.3 mEq/mL

마그네슘
균형 장애

Chapter 09

정상 마그네슘 균형
(Normal magnesium balance)

1. 마그네슘의 생리적 작용(Physiologic action of magnesium)

마그네슘은 인체에서 나트륨 다음으로 많은 양이온으로 전기적 흥분성 조직의 활동성에 중요한 역할을 한다. 또한 평활근 세포로의 칼슘 이동을 조절하여 심장 수축력과 말초 혈관압의 유지에 중요한 역할을 한다.

급성 심근 경색증이 있는 환자에서 마그네슘은 관상 동맥을 확장시키고 혈소판 응집 현상을 방해하며 부정맥 억제 작용을 나타낸다. 또한 마그네슘은 세포내 칼슘 축적을 방해하여 재관류손상(reperfusion injury) 현상을 방지하는 기능을 가진다.

2. 마그네슘의 섭취 및 배설(Uptake and excretion of magnesium)

정상인의 체내에는 평균 24 gm(2,000 mEq)의 마그네슘이 존재하며 하루 20~30 mEq(240~370 gm) 정도 섭취하며 이중 30~40% 정도만이 소장을 통하여 흡수된다. 신장은 마그네슘 배설의 가장 중요한 부위로 매일 약 5~15 mEq 정도의 양이 소변으로 배설된다.

신장은 마그네슘의 배설뿐만이 아니라 혈장 마그네슘 농도 유지에 중요한 기능을 하는데 마그네슘 섭취가 부족하게 된 경우 신장에서의 마그네슘 배설이 감소됨으로 인하여 혈장 마그네슘 농도가 일정하게 유지되는 것을 볼 수 있다(그림 9-1).

　신장에서의 마그네슘 재흡수는 Henle씨 고리의 굵은 마디 상행각에서 이루어진다. 신장에서 마그네슘 재흡수를 증가시키는 요인들로는 저마그네슘혈증, 부갑상선 호르몬, 저칼슘혈증, 세포외액량 감소, 대사성 알칼리혈증 등이 있으며 배설을 증가시키는 요인들로는 고마그네슘혈증, 고칼슘혈증 등이 있다(표 9-1).

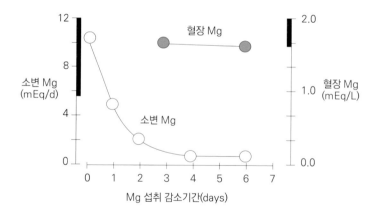

그림 9-1 마그네슘 섭취 감소시 소변 및 혈장 마그네슘 농도의 변화

표 9-1 신장에서의 마그네슘 재흡수에 관여하는 요인

재흡수 증가 요인	저마그네슘혈증 부갑상선 호르몬 저칼슘혈증 세포외액량 감소 대사알칼리증
재흡수 감소 요인	고마그네슘혈증 세포외액량 증가 케톤산증 이뇨제 인산 결핍 알코올 흡수

표 9-2 마그네슘의 체내 분포

조직	마그네슘 양(mmol)	체내 분포 비율(%)
뼈	530	53
근육	270	27
연조직	193	19
적혈구	5	0.7
혈장	3	<0.3
전체	1,001	100

표 9-3 혈청 및 소변의 마그네슘 정상치

혈청 마그네슘	정상치
전체	1.4~2.0 mEq/L (0.7~1.0 mmol/L)
이온화	0.8~1.1 mEq/L (0.4~0.6 mmol/L)
소변 마그네슘	5~15 mEq/day(2.5~7.5 mmol/day)

3. 혈장 마그네슘 농도(Plasma magnesium concentration)

혈청 마그네슘의 정상치는 $0.7 \sim 1.1$ mmol/L($1.4 \sim 2.2$ mEq/L)이며 혈청 마그네슘 농도가 혈장 마그네슘 농도에 비하여 보다 정확한 값을 반영한다. 이는 혈액 표본에 사용되는 항응고제에 의하여 결과 값의 차이를 나타낼 수 있기 때문이다. 체내 마그네슘 중 절반 이상이 뼈에 포함되어 있으며 혈장에는 1% 미만이 존재한다(표 9-2). 이와같이 혈장내의 마그네슘 양이 적기 때문에 체내 전체 마그네슘의 감소가 있는 경우에도 혈장 마그네슘 농도는 정상치로 나타날 수 있다. 혈청 마그네슘 및 소변에서의 마그네슘 정상치는 표 9-3과 같다.

혈장 마그네슘의 55% 정도만이 이온화 형태로 존재하며 33%는 혈장 단백질과, 12%는 인산 및 황산과 같은 이가(divalent) 음이온과 결합된 형태로 존재한다. 따라서 저단백혈증(hypoproteinemia) 등과 같은 경우에 단백질과 결합된 마그네슘 양이 감소하므로 전체 혈청 마그네슘 농도가 감소될 수 있다.

세포외액의 마그네슘 과다
(Magnesium excess of extracellular fluid)

📋 임상소견

병력
- 용혈 반응
- 신기능 부전
- 당뇨병성 케톤산증
- 부신 기능부전증
- 부갑상선 기능항진증
- 약물 – 리튬

징후 및 증상
- 반사 감퇴
- 심장의 방실 전도 장애
- 심정지

검사실 소견
- 혈청 마그네슘 농도 ; 2 mEq/L 이하

동의어 고마그네슘혈증(hypermagnesemia)

1. 고마그네슘혈증의 원인(Causes of hypermagnesemia)

고마그네슘혈증은 주로 신기능 장애가 있는 환자들에서 나타나지만 신부전 환자에서 마그네슘의 섭취가 증가되지 않는 한 고마그네슘혈증은 잘 나타나지 않는다. 그러나 마그네슘이 포함된 설사약이나 제산제를 사용한 경우에 흔히 발생될 수 있다. 또한 creatinine 청소율이 분당 30 mL 이하로 감소되면 신장을 통한 마그네슘의 배설에 장애가 발생되어 고마그네슘혈증이 나타날 수 있다.

마그네슘은 혈청에 비하여 혈색소에 3배 정도 많은 양이 함유되어 있다. 따라서 용혈 반응이 나타나면 혈장 마그네슘 농도가 증가될 수 있다. 그러나 혈색소 250 mL가 완전히 용해될 경우 0.1 mEq/L 정도의 마그네슘 농도를 증가시키므로 상당한 양의 용혈이 발생되지 않는 한 고마그네슘혈증은 잘 발생되지 않는다.

이외에도 당뇨병성 케톤산혈증, 부신 기능 부전증, 부갑상선 기능 항진증 등과 같은 질환이 있을 경우 고마그네슘혈증이 발생될 수 있으며 임신중독증을 치료하기 위하여 사용되는 $MgSO_4$에 의하여 고마그네슘혈증이 발생될 수 있다.

2. 고마그네슘혈증의 징후 및 증상
(Signs and symptoms of hypermagnesemia)

마그네슘은 생리적으로 칼슘 작용을 길항한다. 따라서 고마그네슘혈증의 증상은 칼슘작용 방해에 의한 증상이 나타나며 신경학적, 신경근, 심장에의 증상이 나타난다. 혈청 마그네슘 농도가 4.0 mEq/L 이상이 되면 반사 소실이 발생되고 5.0 mEq/L 이상이 되면 심장의 전도 장애가 발생되어 심혈관계 억제 증상이 나타난다. 혈청 마그네슘 농도가 13 mEq/L 이상의 심한 고마그네슘혈증이 발생되면 심정지가 발생될 수 있다(표 9-4).

고마그네슘혈증은 아세틸콜린의 분비를 방해하여 근육에서 아세틸콜린에 대한 감수성을 감소시킨다. 따라서 혈관 확장과 심근 억제 증상이 나타나게 되는 것이다.

표 9-4 고마그네슘혈증의 증상

혈청 마그네슘 농도	임상 증상
4.0 mEq/L	반사 소실
> 5.0 mEq/L	심실 전도 지연
> 13 mEq/L	호흡근 마비, 심정지

3. 고마그네슘혈증의 치료(Treatment of hypermagnesemia)

마그네슘이 포함된 약물을 사용하여 발생된 고마그네슘혈증은 일단 원인 약물을 중단시켜야 한다. 심한 고마그네슘혈증 및 신기능 감소 환자에서는 혈액 투석이 가장 확실한 치료 방법이 된다. Calcium gluconate 1 gm을 2∼3분에 걸쳐 정주하면 고마그네슘혈증에 의한 심혈관계 증상을 혈액 투석이 실시되기 전까지 일시적으로 방지할 수 있다.

신기능이 적절히 유지되고 있는 환자에서는 0.45% 생리식염수와 같은 수액의 투여 및 furosemide를 투여하면 소변으로의 마그네슘 배설을 증가시켜 혈장 마그네슘 농도를 감소시킬 수 있다. 한가지 주의할 것은 등장성 식염수 사용은 권장되지 않는데 그 이유는 등장성 식염수의 투여는 저칼슘혈증을 유발하며 고마그네슘혈증을 더욱 악화시킬 가능성이 있기 때문이다.

세포외액의 마그네슘 부족
(Magnesium deficit of extracellular fluid)

📋 임상소견

병력
- 구토
- 설사
- 만성 알코올 중독
- 위장관내 흡수 장애
- 무마그네슘 수액의 정주
- 장루관형성술(enterostomy)에 의한 배설

징후 및 증상
- 지남력 장애
- Chvostek's sign 양성
- 경련
- 심부 반사의 증가
- $MgSO_4$ 치료에 양성 반응
- 떨림

검사실 소견
- 혈장 마그네슘치 ; 1.4 mEq/L 이하

동의어   저마그네슘혈증(hypomagnesemia)

1. 저마그네슘혈증의 원인(Causes of hypomagnesemia)

혈청 마그네슘 양이 전체 마그네슘의 1% 미만으로 존재하기 때문에 마그네슘 결핍을 알기 위해서는 혈청 마그네슘 농도를 확인함과 동시에 마그네슘 부족을 야기할 만한 임상적 상황을 함께 파악하는 것이 중요하다. 표 9-5는 마그네슘 결핍을 야기할 수 있는 상황들을 보여준다.

이뇨제의 사용은 저마그네슘혈증 발생의 가장 많은 원인을 차지한다. 나트륨의 재흡수를 방해하는 약물들은 마그네슘의 재흡수도 방해하여 소변으로의 배설이 증가하게 된다. Furosemide나 ethacrynic acid와 같은 고리 이뇨제를 사용한 경우에 이러한 현상이 일어나며 triamterene과 같은 칼륨 보존 이뇨제를 사용한 경우에는 저마그네슘혈증이 잘 발생되지 않는다.

Aminoglycoside, amphotericin, pentamidine과 같은 항생제를 사용하는 경우 마그네슘 고갈 현상이 나타날 수 있다. Aminoglycoside는 Henle 고리의 상행각에서 마그네슘의 재흡수를 방해하며, 기타 다른 항생제들은 약물 사용에 따른 설사 발생에 의하여 마그네슘 부족 현상이 생기게 된다. Digitalis와 아드레날린성 약물들은 세포내로 마그네슘의 이동을 증가시킴으로 인하여, cisplatin과 cyclosporine은 신장에서의 배설 증가로 인하여 저마그네슘혈증이 발생될 수 있다.

알콜 중독 환자는 만성적인 영양 섭취의 부족 및 설사에 의하여 마그네슘 부족 현상이 나타난다. 대장에서의 분비물은 10~14 mEq/L 정도의 높은 마그네슘 농도를 함유하고 있다. 따라서 만성적인 설사가 있는 환자에서는 심한 마그네슘 부족 현상이 나타날 수 있다. 반면에 상부 위장관 분비물에서의 마그네슘 농도는 1~2 mEq/L 정도에 불과하여 구토 증상은 저마그네슘혈증을 유발하는 원인이 되지는 않는다.

당뇨병 환자에서는 당뇨의 발생시 소변으로 마그네슘 소실이 증가되어 저마그네슘혈증이 나타날 수 있는데 당뇨병성 케톤산혈증 환자의 약 7%에서만 저마그네슘혈증이 동반된다. 그러나 인슐린 치료 초기에는 인슐린이 세포내로 마그네슘의 이동을 야기하여 약 50%의 환자에서 저마그네슘혈증이 발생된다.

급성 심근 경색증 환자에서는 증가된 카테콜아민에 의하여 세포내로 마그네슘이 이동되어 저마그네슘혈증이 발생될 수 있으며 치료를 위한 이뇨제 사용으로 인하여 마그네슘 고갈 현상이 함께 발생된다.

표 9-5 저마그네슘혈증 유발 조건

약물	전해질 장애
Furosemide(50%) Aminoglycoside(30%) Amphotericin Digitalis(20%) Cisplatin Cyclosporine 설사 알코올 중독	저칼륨혈증(40%) 저인산혈증(30%) 저나트륨혈증(27%) 저칼슘혈증(22%) 심장 질환 급성 심근경색증 허혈성 심질환 부정맥

(%)는 유발 조건 발생시 저마그네슘혈증이 동반되는 비율을 나타낸다.

2. 저마그네슘혈증의 징후 및 증상
(Signs and symptoms of hypomagnesemia)

경한 정도의 저마그네슘혈증시에는 특별한 증상은 나타나지 않으며 정도가 심할 경우 전해질 이상, 부정맥, 신경학적 이상 등의 증상이 발생된다.

표 9-6 경구용 및 정주용 마그네슘 제제

제제	흡수되는 마그네슘 양
경구용	
Magnesium chloride enteric coated tablet	64 mg
Magnesium oxide tablet(400 mg)	241 mg
Magnesium oxide tablet(140 mg)	85 mg
Magnesium gluconate tablet(500 mg)	27 mg
정주용	
Magnesium sulfate(50%)	500 mg/mL
Magnesium sulfate(20%)	200 mg/mL

1) 전해질 이상

마그네슘 결핍 현상은 다른 전해질 이상과 흔히 동반되는데 저칼륨혈증 환자의 40%에서 저마그네슘혈증이 동반된다(표 9-5). 저마그네슘혈증의 발생은 뼈에서의 칼슘 분비를 감소시키고 부갑상선 호르몬의 분비 장애를 야기하여 저칼슘혈증이 동반될 수 있다. 저인산혈증은 신장에서의 마그네슘 배설을 증가시켜 저마그네슘혈증을 야기할 수 있다.

2) 부정맥

마그네슘이 심근 세포에서 펌프 기능을 담당하므로 마그네슘 결핍은 심근 세포의 탈분극 상태를 일으켜 빈맥성 부정맥(tachyarrhythmia)이 발생된다.

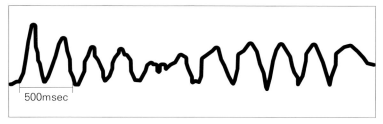

500msec

그림 9-2 Torsade de pointes

표 9-7 저마그네슘혈증의 정도에 따른 치료

저마그네슘혈증의 정도	치료 방법
1. 증상이 없는 경한 정도	전체 마그네슘 결핍을 1~2 mEq/kg로 간주 결핍량의 2배로 마그네슘 정주[#] 첫 24시간에 1 mEq/kg 정주 이후 3~5일간 하루 0.5 mEq/kg 정주
2. 중등도의 저마그네슘혈증(혈청 마그네슘치 < 1 mEq/L, 다른 전해질 이상 동반)	500 ml 식염수에 $MgSO_4$ 6 gm 혼합하여 3시간에 걸쳐 투여 이후 500 ml 식염수에 $MgSO_4$ 5 gm 혼합액을 6시간 동안 투여 5일간 매 12시간마다 5 gm $MgSO_4$ 투여
3. 심한 저마그네슘혈증 (부정맥, 전신성 발작)	2 gm $MgSO_4$ 2분에 걸쳐 정주 500 ml 식염수에 5 gm $MgSO_4$ 혼합하여 6시간 걸쳐 정주 5일간 매 12시간마다 5 gm $MgSO_4$ 투여

[#]; 정주된 마그네슘의 1/2이 소변으로 소실되기 때문이다.

Digitalis 치료와 마그네슘 결핍 두 경우 모두는 심근 세포막의 펌프 작용을 감소시키므로 digitalis 치료를 받는 환자에서 마그네슘 결핍의 발생은 digitalis에 의한 심독성을 증가시키게 된다.

심전도상 PR 및 QT 간격의 연장이 나타나며 심한 경우 "Torsade de pointes"라는 심전도 현상이 함께 동반되기도 한다(그림 9-2).

3) 신경학적 증상

마그네슘 결핍시 의식 장애, 전신적 경련, 반사 과민 등의 신경학적 증상이 나타날 수 있으나 진단적인 가치는 없다.

3. 저마그네슘혈증의 치료(Treatment of hypomagnesemia)

마그네슘 보충을 위한 제제로는 경구용과 정주용이 있으며 각 약물에 의하여 흡수되는 마그네슘의 양은 표 9-6과 같다. 증상이 없거나 경한 저마그네슘혈증은 경구용 제제로 투여할 수 있으나 증상이 있는 저마그네슘혈증은 일반적으로 정주용 제제를 사용하는 것이 좋으며 10% 혹은 20% 용액으로 희석하여 정주한다. 한가지 주의할 것은 하트만씨 용액으로 희석할 경우 이 용액 속에 함유된 칼슘에 대하여 마그네슘이 반대 작용을 하므로 반드시 식염수에 희석하여 사용하여야 한다.

마그네슘 보충 방법은 증상의 정도에 따라 다르게 시행되며 표 9-7은 저마그네슘혈증 정도에 따른 치료 방법을 보여준다.

저칼륨혈증이 있으면서 마그네슘 부족 현상이 있는 경우 저칼륨혈증을 교정하기 위하여 KCl을 투여하여도 마그네슘이 소변으로의 칼륨 배설을 증가시키기 때문에 저칼륨혈증이 교정되지 않는다. 따라서 이 경우 칼륨을 보충하기 전에 마그네슘을 우선 보충하여 주어야 한다.

마그네슘 결핍이 동반된 digitalis 중독 증상이 발생된 경우에는 마그네슘을 보충하여 줌으로써 치료할 수 있다. 한가지 특이한 것은 심부정맥이 발생된 환자에서 항부정맥 약제를 사용하여도 치료 효과가 나타나지 않는 경우에서 마그네슘을 정주하면 부정맥이 호전될 수 있다. 이는 마그네슘이 세포막의 안정화 역할을 하는 기능에 의한 것으로 추정된다.

심실 빈맥이 나타난 경우 일반적으로 전기적 제세동(cardioversion)이나 항부정맥 약제들을 사용하나 마그네슘 결핍이 동반된 경우 마그네슘을 정주하여 치료할 수 있다. 이 경우 2 gm의 마그네슘을 1분에 걸쳐 정주하며 반응이 없으면 10분 이내에 반복 투여한다. 이후 시간당 1 gm의 용량을 6시간 동안 연속적으로 정주하면 심실 빈맥을 치료할 수 있다.

신부전 환자에서 설사나 creatinine clearance가 분당 30 mL 이상으로 증가하여 발생된 저마그네슘혈증의 경우 마그네슘 제제 용량은 정상의 50% 이상을 초과하지 않도록 주의하여야 한다.

출혈
및 지혈

Chapter 10

모든 수술은 출혈을 동반한다. 수혈의 2/3는 수술 전후 기간 동안에 이루어지며 이중 대부분이 수술실 내에서 이루어진다. 따라서 수술 및 마취와 관련된 의료인은 수혈에 대한 전반적인 지식을 필수적으로 가지고 있어야 하며 수혈에 따른 부작용을 줄이기 위하여 불필요한 수혈은 자제하여야 한다.

체액 및 혈액량
(Body fluid & blood volume)

성인 남녀의 전체액량과 혈액량은 표 10-1과 같다. 혈액의 약 60%는 혈장이 차지하고 40%는 적혈구(erythrocyte)가 차지한다. 참고적으로 혈액량의 15%는 동맥혈, 85%는 정맥혈로 구성되어 있다.

수술 전후의 적절한 헤모글로빈치
(Adequate hemoglobin level in perioperative period)

술전 헤모글로빈치는 일반적으로 10 gm/dℓ 이상이 안전하나 최근에는 환자의 상태에 따라 7~8 gm/dℓ 정도도 허용하기도 한다. 그러나 정상인에서 술중 헤모글로빈치가 7~8 gm/dℓ 이상일지라도 술후 유출관(drain)등에 의하여 출혈이 계속될 수 있는 경우에는 수술실에서 수혈을 미리 시행하는 것이 용이하다. 만성 빈혈이 있는 환자에서 술전 헤모글로빈치는 최소 6 gm/dℓ까지 허용될 수 있으나 이러한 환자들은 술후 심근 및 전신의 산소 공급을 위하여 술중 헤모글로빈치를 최소한 8 gm/㎗까지 증가시켜 주는 것이 좋으며 심장 기능이 불량하거나 술후 호흡관리가 필요한 환자, 노인 등에서는 10 gm/㎗까지 증가시켜 주는 것이 안전하다.

표 10-1 성인 남녀의 체액 및 혈액량

체액	남(mL/Kg)	여(mL/Kg)
전체액량	600	500
혈액량	66	60
혈장	40	36
적혈구	26	24

허용 출혈량
(Allowable blood loss)

건강한 환자에서 허용 출혈량은 다음과 같이 예상할 수 있다.

$$허용\ 출혈량 = 추정\ 혈액량 \times \frac{출혈전\ 헤모글로빈 - 표적\ 헤모글로빈}{출혈전\ 헤모글로빈}$$

이때 표적 헤모글로빈이란 어느 정도까지의 헤모글로빈 수치를 허용할 것인가 하는 목표 값을 의미한다. 예로 50 ㎏인 남자 환자의 경우 표 10-1에 의하여 추정 혈액량이 3,300(66 × 50) mL가 되며 이 환자의 출혈전 헤모글로빈이 15 gm/㎗였고 표적 헤모글로빈을 10 gm/㎗까지로 출혈을 허용할 것이라 생각한다면 허용 출혈량은 3300 × (15 −10) / 15가 되므로 1,100 mL까지의 출혈을 허용할 수 있다. 따라서 약 1,000 mL 정도의 출혈량은 정질용액이나 교질용액으로 보충하게 되며 더 이상의 출혈이 발생되면 수혈을 고려하여야 한다.

출혈 정도에 따른 임상 증상
(Clinical symptoms according to bleeding)

만성적인 출혈로 인한 빈혈이 발생되면 보상 기전에 의하여 2,3−DPG가 증가하여 산소 공급이 정상적일 수 있으며 낮은 헤모글로빈치에도 불구하고 임상 증상이 거의 동반되지 않을 수도 있다. 그러나 급성 출혈시에는 심박출량, 심박동수, 심근 산소 소모량 증가 등과 같은 보상 기전이 작용되며 출혈 정도에 따른 임상 증상이 나타나게 된다.

출혈이 발생되면 환자는 창백해지고 사지가 차가워지게 되며 뇌관류의 부적절로 인하여 의식이 혼탁 되면서 흥분적, 호전적으로 바뀌게 된다. 출혈시 보상적으로 혈관의 수축이 발생되므로 10% 이내의 출혈시는 임상 증상을 발견하기 어렵고 건강한 환자의 경우에서는 출혈이 20% 정도 되는 시점까지는 임상 증상이 나타나지 않을 수도 있다.

1. 경한 출혈시의 생리적 기전

15% 이하의 경한 출혈시에는 다음 단계에 의한 보상 기전이 발생된다.

1) 모세혈관 횡단으로 인한 재충만(Transcapillary refill)

출혈 발생 첫 수 시간 이내에 간질액에서 모세혈관 내로 수분의 이동이 발생된다. 그러나 이 시기에는 혈장량은 보충되나 간질액 결핍이 생기게 되는 결과가 나타난다.

2) 레닌-안지오텐신-알도스테론 계의 활성
(Activation of renin-angiotensin-aldosterone system)

이 체계의 활성화는 신장에서 나트륨의 배출을 감소시키고 이 나트륨이 간질액에 분포됨으로 인하여 간질액의 보충이 이루어진다. 이 기전은 경한 출혈 발생시 혈관내 용적만이 아니라 간질액 결핍을 보충하기 위하여 정질 용액을 투여하는 근거가 된다.

3) 적혈구의 보충(Erythrocyte replacement)

출혈 발생 수 시간이 경과하면 골수에서 적혈구의 생성이 시작되면서 2개월간 동안 서서히 보충된다.

2. 출혈량의 정도에 따른 분류 및 증상

출혈은 그 정도에 따라 4 단계로 나눌 수 있으며 일반적으로 15% 이내의 출혈(1 단계)시에는 경미한 빈맥 이외에 다른 증상들이 나타나지 않는다(표 10-2).

15~30% 정도의 출혈(2 단계)시는 빈맥과 함께 맥압이 감소하며 기립성 저혈압(orthostatic hypotension)이 발생될 수 있다. 순환 카테콜아민의 증가로 인하여 이완기 혈압이 종종 증가하게 된다. 30~40% 정도의 3 단계 출혈시에는

빈맥, 빈호흡(tachypnea), 수축기 저혈압, 소변량의 감소가 나타나며 저혈량성 쇼크의 시작 시점이 된다.

40% 이상의 심한 출혈(4 단계)시에는 3 단계의 증상이 심해지면서 의식 저하 및 심한 빈뇨 혹은 무뇨가 생기며 이는 치명적일 수 있다. 출혈 2 단계까지는 수액 공급만으로도 충분한 치료가 될 수 있으며 출혈 3 단계 이상에서는 헤모글로빈 소실에 의한 산소 운반의 부족이 생길 수 있으므로 출혈 4 단계에서는 반드시 수혈 요법이 필요하다.

표 10-2 출혈 정도에 따른 임상 증상 및 치료

비고	1단계	2단계	3단계	4단계
실혈의 정도	<15%	15–30%	30–40%	>40%
심박동수	<100	>100	>120	>140
앙와위시 혈압	정상	정상	감소	감소
소변량(mL/hr)	>30	20–30	5–15	<5
의식 상태	불안	흥분	혼수	혼수/무기력
치료	수액	수액	수액	수액 및 수혈

출혈시 감시 장치
(Monitoring of hemorrhage)

출혈시에 임상 증상을 관찰함으로써 그 정도를 판단할 수 있으나 감시 장치를 이용하면 보다 더 정확한 판단 지침이 될 수 있다.

1. 혈압(Blood pressure)

　　가장 흔히 사용하는 감시 방법이며 경미한 출혈시에는 예민한 지표가 되지 못하나 출혈이 심할 경우에는 수액 및 수혈 요법에 유용하게 이용될 수 있다. Korotkoff 음을 이용한 간접 혈압 측정은 저혈량증의 경우 실제 혈압보다 낮게 측정되므로 유의하여야 한다(표 10-3).

　　심박출량이 감소된 저혈량증 환자에서 Korotkoff 음을 이용한 간접 혈압 측정은 동맥 천자에 의한 직접 혈압 측정에 비하여 약 10%의 환자에서 수축기 혈압이 30 mmHg 정도 낮게 측정된다. 이는 혈류의 감소로 인하여 Korotkoff 음의 크기가 감소하여 잘 들을 수 없기 때문이다.

　　참고적으로 혈압의 측정시 평균동맥압은 상당히 중요한 의미를 가진다. 이는 수축기혈압이나 이완기혈압에 비하여 두 가지 장점이 있는데 평균동맥압이 말초혈류를 형성케 하는 압력이라는 점과 측정되는 동맥의 종류에 따라 변화되지 않는다는 점이다. 평균동맥압은 컴퓨터화된 감시장치를 통하여 자동적으로 알 수 있으나 그렇지 못한 경우에는 다음의 공식에 의하여 계산할 수 있다.

평균동맥압 = 이완기혈압 + (수축기혈압 − 이완기혈압) / 3

　　이 공식은 심박동수가 분당 60회인 경우 이완기가 심장 싸이클의 1/3이 됨을 근거로 산출된 것이며 심박동수 변화에 의하여 다소 차이가 발생될 수도 있다.

2. 심장충만압(Cardiac filling pressure)

　　심장충만압은 중심정맥압이나 폐동맥 차단압을 이용하여 측정한다. 이 측정은 출혈 정도가 약한 경우에는 민감성이 떨어지는데 그 이유로는 첫째, 이 측정

표 10-3 저혈량증 환자에서 간접 혈압 측정의 부정확 정도

수축기 혈압의 차이 (직접 측정 혈압 − 간접 측정 혈압)	환자(%)
0~10 mmHg	0
10~20 mmHg	28
20~30 mmHg	22
> 30 mmHg	50

에 의하여 나타나는 수치가 아주 작으므로 여유 폭이 상당히 작기 때문이며 둘째, 저혈량시 교감신경계 활성화로 심장의 이완성(distensibility)이 감소되므로 실제보다 높게 측정될 수 있기 때문이다. 이러한 단점을 감소시키기 위해서 환자 체위를 올려주면 도움이 될 수 있다.

3. 산소 추출(Oxygen extraction)

심박출량이 감소되어 산소 운반량이 감소되면 산소 소모량을 유지하기 위하여 미세순환에서 산소 추출률을 증가시켜 조직은 일정한 양의 산소를 섭취하려 한다. 그러나 이 기전은 어느 정도 한계가 있으며 산소 운반량이 심하게 감소되면 산소 추출량도 이에 따라 감소하게 된다. 따라서 산소 추출률의 증가는 저관류 상태를 의미하며 이의 최고 시점은 저혈량성 쇼크의 지표가 될 수 있다.

이 원리를 이용하여 저혈량증의 정도를 판단할 수 있는데 우선 맥박 산소계측기(pulse oximeter)를 이용하여 산소포화도를 측정한다. 중심정맥 카테터를 통하여 정맥혈을 채혈하여 산소포화도를 검사하면 이는 혼합 정맥혈의 산소포화도와 유사하므로 이를 이용하여 맥박 산소계측기를 이용한 결과와의 차이를 살펴본다. 이때 구하여진 차이 값은 산소 추출의 정도를 나타낸다. 값의 차이가

30% 이상이 되면 혈역학적으로 심각한 저혈량증을, 50% 이상이 되면 저혈량성 쇼크 상태임을 알 수 있다(표 10-4).

표 10-4 동맥 및 혼합 정맥혈의 산소포화도 차이에 의한 저혈량증의 판단

상태	동맥혈 산소포화도 (SaO_2)	혼합정맥혈 산소포화도(SvO_2)	산소포화도-혼합정맥혈 산소포화도(SaO_2-SvO_2)
정상	>95%	>65%	20~30%
저혈량증	>95%	50~65%	30~50%
저혈량성 쇼크	>95%	<50%	>50%

4. 호기말 탄산가스 분압(End-expiratory CO_2)

심박출량의 감소는 조직으로의 산소 공급을 감소시킨다. 이로 인해서 대사(metabolism)가 감소되기 때문에 호기 탄산가스 분압을 감소시키게 되며 이는 비침습적 방법으로 측정할 수 있다.

호기말 탄산가스 분압은 산소 공급을 위한 환자의 비 캐눌러(nasal cannula)를 이용하여 쉽게 측정할 수 있으며 저혈량증시 혈장량을 보충시켜 줌에 따라 호기말 탄산가스 분압이 증가됨을 볼 수 있다(그림 10-1). 이 장치는 매 호흡마다 측정될 수 있으므로 저혈량증의 치료에 유용한 치료 지침이 될 수 있다.

5. 헤모글로빈과 헤마토크리트(Hemoglobin & hematocrit)

급성 출혈시 헤모글로빈 및 헤마토크리트와 혈장량 결핍 사이의 상관 관계는 아주 약하다. 이는 전혈이 소실됨에 따라 헤마토크리트는 일정하게 나타나며 수액을 투여하게 되면 헤마토크리트는 감소되어 나타나기 때문이다. 그러나 지속적으로 헤모글로빈과 헤마토크리트를 함께 관찰함으로써 혈액 희석 정

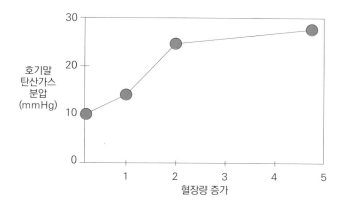

그림 10-1 저혈량증시 혈장량 증가에 따른 호기말 탄산가스 분압의 증가

도를 파악하는데 도움을 얻을 수 있다.

6. 염기결손(Base deficit)

염기결손은 전혈(whole blood) 1 리터를 pH 7.4로 교정시키는데 필요한 염의 millimole로 정의되며 정상 범위는 3∼0 mmol/L이다. 염기 결손은 저혈량증시 혈장량 증가의 치료 지침이 될 수 있는데 일반적으로 혈액 자동분석기를 이용하여 측정한다. 염기결손의 증가는 심박출량의 감소 및 조직으로의 산소 운반량 감소로 인하여 조직이 허혈 상태로 있음을 의미하며 2∼5 mmol/L의 결핍은 경한 상태, 6∼14 mmol/L의 결핍은 중등도 상태, 15 mmol/L 이상의 결핍은 심한 조직의 허혈 상태임을 의미한다.

지혈 기전
(Mechanism of hemostasis)

혈관 손상이 발생된 후 지혈이 이루어지는 기전은 ① 혈관 수축, ② 혈소판 응괴(platelet plug)의 형성, ③ 혈액응고, ④ 혈관 폐쇄를 위한 혈괴로의 섬유성 조직의 성장 순으로 이루어진다.

1. 혈관의 수축(Vascular constriction)

혈관 손상 및 출혈이 발생되는 순간 혈관이 수축됨으로 인하여 혈액의 소실을 차단하려는 방어기전이 작동된다. 혈관 수축은 통증, 손상조직의 자극에 의한 신경 반사와 혈관근의 경련 등에 의하여 발생되며 또한 혈소판에서의 thromboxane A2의 방출이 혈관을 수축하게 한다. 혈관 수축은 혈소판 응괴의 형성, 혈액응고가 진행되는 동안에도 지속된다.

2. 혈소판 응괴의 형성(Formation of platelet plug)

정상 생활에서 하루 수 백번 정도의 미세한 혈관 손상이 발생된다. 이런 경우 혈소판 응괴 형성은 미세한 혈관 손상에 의한 출혈을 방지하는 역할을 한다. 혈소판 감소증 환자에서 멍이 자주 발생되는 것은 이 기전이 이루어지지 않기 때문이다.

손상된 혈관벽의 교원질섬유(collagen fiber)나 내상피에 혈소판이 접촉되면 혈소판이 팽창되면서 과립(granule)이 분비된다. 이로 인하여 혈소판이 교원질

섬유에 달라붙으면서 ADP와 thromboxane A2와 같은 여러 가지 물질을 분비하는데 이때 분비된 ADP와 thromboxane A2는 더 많은 혈소판이 함께 붙게 하는 역할을 한다. 이러한 기전에 의하여 계속적으로 많은 혈소판이 함께 달라붙으면서 혈소판 응괴(platelet plug)가 형성된다. 혈관 손상이 아주 작을 경우에는 이 기전만으로도 충분히 지혈될 수 있으며 이 다음 기전인 혈액 응고와 섬유조직화 기전에 의하여 확실한 지혈이 이루어지게 된다.

표 10-5 혈액응고인자

응고인자	동의어
Factor I	섬유소원(Fibrinogen)
Factor II	Prothrombin
Factor III	Tissue thromboplastin; Tissue factor
Factor IV	Calcium
Factor V	Labile factor; Proaccelerin; Ac-globulin(Ac-G)
Factor VI	
Factor VII	Stable factor; Proconvertin; Serum prothrombin conversion accelerator(SPCA)
Factor VIII	Antihemophillic factor(AHF); Antihemophillic globulin(AHG); Antihemophillic factor A
Factor IX	Christmas factor; Antihemophillic factor B; Plasma thromboplastin component(PTC)
Factor X	Stuart factor; Stuart-Prower factor
Factor XI	Antihemophillic factor C; Plasma thromboplastin antecedent(PTA)
FactorXII	Hageman factor
Factor XIII	Fibrin-stabilizing factor
Prekallikrein	Fletcher factor
Fitzgerald factor	High molecular weight kininogen; HMWK
Platelet	

3. 혈액응고(Blood coagulation)

지혈 기전의 세 번째 기전은 혈액응고 과정으로 혈관 손상이 심할 경우 15~20초 이내에, 손상이 적을 경우에는 1~2분 이내에 발생된다. 손상된 혈관과 혈소판으로부터 활성 물질이 분비되어 3~6분 이내에 손상으로 인한 혈관의 노출 부위가 막혀진다.

혈액 응고를 조장하는 물질을 응혈촉진제(procoagulant)라 하며 혈액 응고를 방해하는 물질을 항응고제(anticoagulant)라 한다. 혈액의 응고 여부는 이러한 응혈촉진제와 항응고제의 균형에 의하여 조절된다. 정상 상태에서는 항응고제의 역할이 우세하므로 혈관내에서 혈액의 응고가 발생되지 않으나 혈관이 손상되면 이 부위에서 항응고제의 역할이 약해짐으로 인하여 혈액응고가 생겨 혈괴가 형성된다. 혈액응고는 다음과 같은 기전에 의하여 발생된다.

1) Prothrombin 활성복합체의 형성
(Formation of prothrombin activator complex)

혈액응고 기전의 첫 단계로 혈관벽 및 주위 조직의 손상, 혈액의 손상, 손상된 혈관내상피에 부착된 혈액 등에 의하여 이 기전이 작동되어 prothrombin 활성복합체(prothrombin activator complex)가 형성된다. Prothrombin 활성복합체의 형성은 혈관벽 및 주위조직의 손상에 의하여 발생되는 외인성 경로(extrinsic pathway)와 혈액 자체에 의하여 발생되는 내인성 경로(intrinsic pathway)에 의하여 이루어지며 이들 두 경로는 상호 연관성이 있다.

외인성 및 내인성 경로에는 혈장 단백질인 혈액 응고인자(clotting factor)가 중요한 역할을 하며 이들 응고인자들은 정상 상태에서는 불활성화 형태(inactive form)로 존재하나 혈관 손상 등에 의하여 활성화가 되면 혈액응고 기전이 발생된다. 혈액응고인자들은 표 10-5에 나타나 있다.

① 외인성 경로(Extrinsic pathway)

이 경로는 손상된 혈관이나 혈관 주위 조직에 의하여 활성화되며 그림 10-2 와 같은 3단계에 의하여 prothrombin 활성복합체가 형성된다. 외인성 경로를 통한 혈액 응고 기전의 작용에는 조직 thromboplastin (tissue thromboplastin) 및 응고인자 X, VII, V의 양이 관련된다.

i. 조직 thromboplastin의 방출(Release of tissue thromboplastin)

조직의 손상에 의하여 조직 thromboplastin이 방출되는데 이 물질은 혈관 주위 조직 세포막의 인지질(phospholipid)이나 지질단백질(lipoprotein)로 구성되며 단백질 분해 작용을 한다.

ii. 응고인자 X의 활성화(Activation of factor X)

조직 thromboplastin에 의하여 응고인자 X이 활성화되며 이때 응고인자 VII 과 칼슘(factor IV)이 관련된다.

iii. Prothrombin 활성복합체의 형성(Formation of prothrombin activator complex)

활성화된 응고인자 X은 조직 thromboplstin 및 응고인자 V와 함께 복합체를 이루어 prothrombin 활성복합체를 형성한다. 생성된 prothrombin 활성복합체는 칼슘의 도움을 받아 수초 이내에 prothrombin을 thrombin으로 전환시켜 섬유화에 의한 혈액 응고 기전이 가능하게 한다. Thrombin은 응고인자 V에 다시 작용하여 prothrombin은 thrombin으로 전환하는 양성 되먹임 작용을 한다.

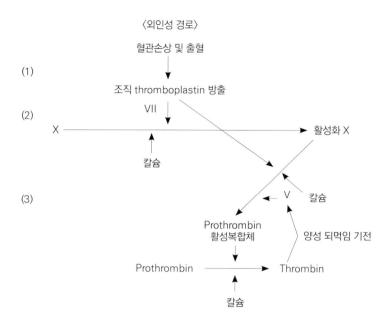

그림 10-2 혈액응고를 위한 외인성 경로 기전

Prothrombin 활성복합체에서 응고인자 X이 prothrombin을 thrombin으로 전환시키는 주된 역할을 하며 응고인자 V는 이러한 응고인자 X의 역할을 촉진시키는 기능을 한다.

② 내인성 경로(Intrinsic pathway)

혈액응고를 위한 내인성 기전은 혈액의 손상 및 손상된 혈관벽의 교원질 (collagen)에 혈액이 노출됨으로 인하여 발생되며 다음과 같은 단계에 의하여 prothrombin 활성복합체가 형성된다. 이 기전은 외인성 경로에 비하여 늦게 작

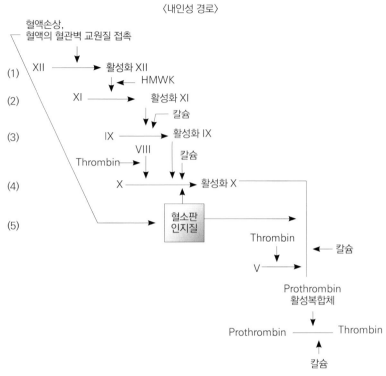

그림 10-3 혈액응고를 위한 내인성 경로 기전

용이 발현된다(응고에 1~6분이 소요).

i. 응고인자 XII의 활성화 및 혈소판 인지질의 방출

(Activation of factor XII & release of platelet phospholipid)

혈액의 손상 및 손상된 혈관벽의 교원질(collagen)에 혈액이 노출됨에 의하여 응고인자 XII의 활성화가 발생되며 동시에 혈소판 손상에 의하여 혈소판 인지질(platelet phospholipid)의 방출이 이루어진다.

ii. 응고인자 XI의 활성화(Activation of factor XI)

활성화된 응고인자 XII는 HMWK(High molecular weight kininogen)의 도움을 받아 응고인자 XI을 활성화시킨다. 이때 HMWK의 작용을 prekallikrein이 촉진시켜준다.

iii. 응고인자 IX의 활성화(Activation of factor IX)

활성화된 응고인자 XI에 의하여 응고인자 IX가 활성화되며 이때 칼슘이 작용한다.

iv. 응고인자 X의 활성화(Activation of factor X)

활성화된 응고인자 IX는 응고인자 VIII 및 혈소판 손상에 의하여 방출된 혈소판 인지질과 함께 응고인자 X을 활성화시키며 이 단계에서도 칼슘의 도움이 필요하게 된다.

혈소판이나 응고인자 VIII이 부족할 경우 내인성 경로에 의한 혈액 응고 기전이 발생되지 않게 된다. 응고인자 VIII이 없는 질환을 혈우병(hemophillia)이라 하며 따라서 응고인자 VIII을 항혈우병인자(antihemophillic factor)라 부른다.

v. 활성화된 응고인자 X에 의한 prothrombin 활성복합체의 형성

(Prothrombin activator complex formation due to activated factor X)

내인성 경로의 마지막 단계로 외인성 경로의 마지막 단계와 유사하다. 즉 활성화된 응고인자 X이 응고인자 V, 혈소판, 조직 thromboplastin과 함께 prothrombin 활성복합체를 형성한다.

③ 외인성 및 내인성 경로에서 칼슘의 역할(Role of calcium in the extrinsic and intrinsic pathways)

혈액 응고 과정의 내인성 경로의 두 단계를 제외한 모든 경로에서 칼슘이 필요하다. 따라서 칼슘이 없으면 혈액의 응고가 발생되지 않는다. 이러한 원인으로 인하여 혈액 제제를 보존할 때 citrate를 첨가하여 칼슘을 감소시킴으로 인하여 혈액 응고를 예방할 수 있게 된다.

다행히도 생체에는 혈액 응고 장애가 발생될 정도의 칼슘 감소는 거의 발생되지 않는다.

2) Prothrombin의 thrombin으로의 전환 (Conversion of prothrombin to thrombin)

내인성 및 외인성 기전에 의하여 생성된 prothrombin 활성복합체는 prothrombin을 thrombin으로 전환시키는 역할을 한다. 생성된 thrombin은 섬유소원(fibrinogen)이 섬유사(fibrin thread)를 형성하게 한다(그림 10-4).

Prothrombin은 비타민 K의 도움으로 간에서 형성되며 따라서 비타민 K의 부족시 응고인자(prothrombin, Ⅶ, Ⅸ, Ⅹ)의 생성 부족으로 인한 응고장애가 발생될 수 있다.

3) 섬유소원의 섬유소로의 전환(Conversion of fibrinogen to fibrin)

섬유소원(fibrinogen)의 혈장 농도는 100~700 mg/dl이며 prothrombin과 마찬가지로 간에서 형성된다. 이는 분자량이 커서 간질액으로 이동이 거의 되지 않으며 따라서 조직 손상시 간질액에서 응고가 잘 발생되지 않는 이유가 바로 섬유소원이 간질액에 거의 없기 때문이다. Thrombin이 섬유소원에 작용하여 섬유소 단량체(fibrin monomer)를 형성하게 하며 섬유소 단량체는 다른 섬유

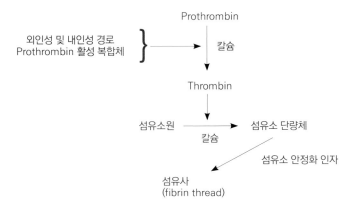

그림 10-4 Thrombin형성 및 섬유사 형성 기전

소 단량체들과 함께 긴 섬유사(fibrin thread)를 형성하여 혈괴내의 세망(reticulum)을 형성한다.

이때 섬유소 안정화 인자(fibrin-stabilizing factor)가 작용하여 섬유 세망이 단단히 연결될 수 있도록 도와준다. 이렇게 하여 형성된 혈괴에서 혈청이 빠져나가면서 혈괴의 수축이 발생되고 이때 혈소판이 중요한 역할을 수행하게 된다. 결국 혈괴가 압축 형태로 되면서 손상된 혈관의 말단 부위를 채우면서 완전한 지혈이 이루어진다.

4. 섬유조직화 혹은 혈괴의 용해
(Fibrous organization or blood clot dissolution)

일단 혈액응고에 의하여 혈괴가 형성되면 두 가지 경로가 발생될 수 있다. 한 가지 경우는 일반적인 과정으로서 섬유아세포(fibroblast)로 인하여 혈괴내에

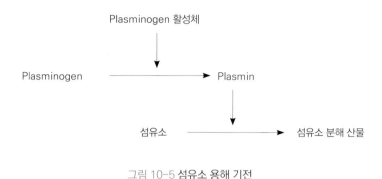

그림 10-5 섬유소 용해 기전

결체조직(connective tissue)이 형성되는 것으로 혈관 손상이 적을 경우에는 혈괴 형성 수 시간 이내에 섬유아세포의 증식으로 혈괴가 1~2 주 이내에 완전한 섬유성 조직으로 된다.

　다른 한 가지 경우는 혈괴 용해 기전이 발생되는 것으로 혈괴에 의하여 혈관이 막힌 경우 혈괴 자체에서 plasmin과 같은 혈괴를 용해하는 물질이 분비되어 혈괴내의 섬유사를 용해하게 된다. 이로 인하여 혈관내의 혈액의 흐름을 또 다시 가능하게 되며 이때 plasmin의 활성화는 조직 plasminogen 활성체(tissue plasminogen activator)에 의해 이루어진다(그림 10-5).

혈액 응고 장애의 검사
(Laboratory test for coagulopathy)

혈액 응고 발생의 가능성을 조사하기 위해서는 이전의 출혈 경험, 출혈의 가

표 10-6 혈액 응고 검사의 정상치

검사 목록	정상치
Prothrombin 시간	12~14초
활성 부분 thromboplastin 시간	39~42초
활성 응고 시간	90~130초 이상
Thrombin 시간	9~15초
출혈시간	9분 이내
혈소판수	100,000/mm³ 이상
섬유소원	150 mg/dℓ 이상

족력, 사용하고 있는 약물들을 미리 조사하여야 한다. 혈액 응고 장애가 의심되면 prothrombin 시간(prothrombin time, PT), 활성 부분 thromboplastin 시간(activated partial thromboplastin time, aPTT), 혈소판수(platelet count), 섬유소원(fibrinogen), 섬유소 분리산물(fibrin degradation products) 등을 검사하여 원인을 분석하며 최근에는 thromboelastogram의 도입으로 보다 정확한 응고 장애 원인을 분석할 수 있다. 그러나 thromboelastogram을 이용한 분석은 고가 장비인 점이 단점이다.

표 10-6은 각 혈액 응고 검사에 따른 정상치를 나타내며 표 10-7은 수혈중 혈액 응고 장애 발생시 나타나는 혈액 응고 검사의 검사실 소견 변화를 나타낸다.

1) Prothrombin 시간(PT)

혈액 응고 과정의 외인성(extrinsic) 경로 및 비타민 K 의존 응고인자(Ⅱ, Ⅶ, Ⅸ, Ⅹ) 검사에 유용하다. 응고인자 Ⅶ은 warfarin 투여시 가장 먼저 감소하는 응고인자이다.

채혈된 혈액에 thromboplastin을 투여하여 혈괴형성(clot formation) 시간을 측정하며 정상치는 12~14초 정도이다.

PT의 연장은 prothrombin의 감소와 밀접한 관련이 있으며 간질환, 비타민 K 의존성 응고인자의 부족, DIC 등의 경우에 PT가 연장된다. Warfarin 치료 감시를 위하여 흔히 사용되는 검사이다.

2) 활성 부분 thromboplastin 시간(aPTT)

내인성(intrinsic) 경로 측정에 용이하며 응고 인자 V, Ⅷ, IX, X, XI, XII및 섬유소원(fibrinogen) 부족시 증가된다. 특히 대량 수혈시 응고인자 V, Ⅷ이 부족하거나 혈우병 환자의 경우 aPTT가 연장된다. aPTT의 정상치는 39~42초 정도이다.

3) 활성 응고 시간(Activated clotting time, ACT)

내인성 경로 측정에 용이하며 쉽게 측정할 수 있는 방법으로 90~130초 이내에 혈액 응고가 이루어지면 정상이다.

4) 섬유소원(Fibrinogen)

표 10-7 혈액 응고 장애시 원인에 따른 혈액 응고 검사 결과의 비교

	혈소판 감소	응고인자결핍	DIC	혈소판기능장애
혈소판수	↓	−	↓	−
PT, aPTT	−	↑	↑	−
섬유소원	−	↓	↓	−
섬유소 분리 산물	−	−	+	−

섬유소원이 혈액 응고에 중요한 역할을 하는데 이 섬유소원이 감소되면 응고 장애가 발생될 수 있다. 파종성 혈관내 응고병증(DIC)은 섬유소원 감소를 가져오는 대표적인 예이다.

5) Thrombin 시간(Thrombin time)

통합 경로(common pathway)의 측정에 용이하며 혈장에 thrombin을 첨가하여 측정한다.

6) 혈소판수(Platelet count)

혈소판의 정상치는 150,000~300,000/mm^3 정도이며 75,000/mm^3 이하가 되면 출혈 경향이 있다. 외과적 지혈에 필요한 최소 수준은 70,000~100,000/mm^3 정도이므로 일반적인 선택수술 경우 50,000/mm^3 이상으로 혈소판치를 유지시켜주는 것이 관례이다. 한가지 명심할 것은 혈소판치 자체가 혈소판의 기능을 반영하지는 않는다는 점이다.

7) 출혈시간(Bleeding time)

귀나 손가락 피부에 가벼운 출혈을 유발시킨 후 지혈 시간을 측정한다. 혈소판치가 100,000/mm^3 이하이거나 혈소판 기능에 장애가 있는 경우에는 출혈시간이 연장될 수 있다.

8) 섬유소 분리산물(Fibrin degradation products, FDP)

섬유소용해(fibrinolysis)는 혈괴(clot)의 파괴와 FDP의 유리를 초래한다. 따

표 10-8 출혈을 야기하는 대표적인 부족 인자 및 치료 제제

부족인자		치료 제제
응고인자	I	동결 침전제제
	II	혈장
	V	신선 동결혈장
	VII	혈장
	VIII	동결 침전제제, 항혈우병 인자 농축제
	von Willebrand	Desmopressin(DDAVP), 혈장
	IX	혈장, Prothrombin 복합 농축제
	X	혈장
	XI	혈장
	XII	혈장
혈소판		혈소판 농축 제제

라서 FDP의 측정은 섬유소용해의 정도를 측정하는 지표가 된다.

표 10-8은 출혈을 야기하는 인자들의 부족시 이용될 수 있는 치료제제를 나타낸다.

출혈의
치료

Chapter **11**

저혈량증시의 비약물적 치료
(Nonpharmacotherapy of hypovolemia)

1. Trendelenburg 자세(Trendelenburg position)

과거 이 자세는 저혈량 발생시 심장으로 환원 혈액량을 증가시키기 위한 목적으로 사용되었다(그림 11-1). 그러나 Trendelenburg 자세가 심박출량을 증가시키지는 못한다. 이는 정맥의 우수한 이완성(distensibility)에 의한 결과이다. 즉, Trendelenburg 자세가 심장으로 혈액의 환류를 증가시키기 위해서는 말초정맥에서의 압력과 중심정맥의 압력 차이가 증가하여야 정맥 환류가 증가되고 심박출량이 증가될 수 있을 것이다. 그러나 정맥은 압력의 변화에 대하여 용적을 변화시킴으로 인하여 증가된 압력을 흡수시키는 능력이 우수하다.

따라서 말초정맥과 중심정맥의 압력 차이가 발생되면 말초정맥이 확장되어 용적을 이곳에서 충만시켜 정맥압의 차이가 발생되지 않게 하는 기능을 가진다. 결국 저혈량증시 Trendelenburg 자세를 취하여도 말초정맥의 압력이 감소됨으로 인하여 오히려 말초정맥으로의 용적이 증가하지 심장으로의 혈액 환류가 증가하지는 않는다.

Trendelenburg 자세에서 혈압의 증가는 전신혈관저항의 증가에 의한 것이며 폐동맥 차단압의 증가는 횡격막의 이동에 의한 흉곽내압의 증가에 의한 것이다(표 11-1). Trendelenburg 자세는 과용적 상태 환자에서 중심 혈액을 말초 정맥으로 이동시키므로 이 경우에서 오히려 더욱 효과적일 수 있다. 결론적으로

그림 11-1 최초 고안된 Trendelenburg 자세
이 자세는 19세기 말 Bardenhower에 의해 최초로 고안되었으며
Trendelenburg에 의하여 널리 이용 되기 시작하였다.

표 11-1 Trendelenburg 자세에 따른 혈역학적 변화

평균동맥압	↑
폐동맥 차단압	↑
심박출량	↔
전신혈관저항	↑

Trendelenburg 자세는 저혈량증 환자에서는 금기이다.

2. 공기 압축(Pneumatic compression)

급성 출혈시 정맥혈 환류를 증가시키기 위하여 사용되었으나 이 방법 사용
시의 혈압의 증가는 정맥혈 환류의 증가에 의한 것이 아니라 말초혈관 저항의
증가에 의하여 발생된다. 최근 이 방법은 골반 혹은 복강내 출혈시 임시적인 출

혈 방지 목적으로만 사용된다.

수액 및 수혈의 투여 속도에 영향을 미치는 요인

빠른 수액 공급을 위해서는 굵고 짧은 카테터가 효율적이다. 일반적으로 출혈이 발생되면 굵은 혈관을 확보하려는 경향이 있으나 수액의 투여 속도는 혈관 굵기가 아닌 카테터 내경의 크기에 따라 결정된다는 것을 명심해야 한다.

Hagen-Poiseuille 공식을 수혈 요법에 적용시켜보면 수혈시 혈액의 투여 속도에 수혈 세트내의 압력, 카테터의 굵기 및 길이, 혈액의 점성도가 어떠한 영향을 미치는 가를 잘 보여준다.

$$투여속도 = 세트내 \ 압력 \ \times \ \frac{\pi \times (카테터 \ 반경)^4}{8 \times 혈액 \ 점성도 \times 카테터 \ 길이}$$

투여 속도는 카테터 반지름의 4 제곱에 비례하게 된다. 또한 짧은 카테터일수록 수액 투여 속도가 증가하며 카테터 길이가 2배로 증가하면 투여 속도는 1/2로 감소한다. 따라서 같은 굵기의 카테터를 사용할 경우 중심정맥 보다는 말초 정맥이 오히려 더 효율적일 수 있다(그림 11-2). 그러나 중심정맥의 확보는 심장 충만압의 측정 및 정맥혈 산소포화도 측정을 위한 중요한 경로가 되므로 이러한 검사를 실시할 경우 중심정맥을 선택할 수는 있다.

수액 투여 속도를 결정하는 또 다른 요인으로는 용액의 점성도(viscosity)이

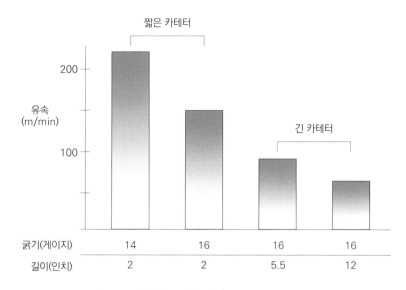

그림 11-2 카테터 굵기와 길이에 따른 수액 투여 속도의 차이

다. 점성도는 용액내의 세포 성분의 양(예; erythrocyte)에 의하여 결정되며 점
성도가 높을수록 투여 속도는 감소한다(그림 11-3). 농축 적혈구를 투여하는 경
우 수분을 투여하는 경우보다 투여 속도가 감소되는 것이 그 예이다. 흔히 교질
용액이 큰 분자를 함유하는 용액이므로 정질용액에 비하여 투여 속도가 늦다
고 믿는 경우가 있으나 점성도란 용액내의 세포 존재 여부에 의하여 결정되는
것이므로 사실상 두 용액간의 투여 속도는 차이가 나지 않는다.

혈액의 점성도가 낮을수록 투여 속도는 증가하므로 생리식염수를 혼합하여
투여하면 점성도가 감소되어 투여 속도는 증가한다. 이때 혈액의 희석을 위하
여 Lactated Ringer 용액을 사용하면 이 속에 포함된 칼슘에 의하여 혈액이 응
고될 수 있으므로 사용하지 않는다. 생리식염수와의 희석량은 혈액 : 생리식염

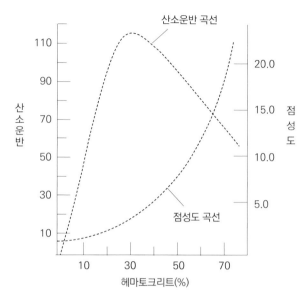

그림 11-3 헤마토크리트 변화에 따른 점성도와 산소운반 능력의 차이

수를 1 : 1의 비율로 혼합하며 농축적혈구의 투여 속도를 3배정도 증가시킬 수 있다. 혈액에 혼합 사용가능한 추천 용액은, 0.9% 생리식염수, Normosol(Plasma-Lyte), 알부민등이 있다.

냉장 보관된 혈액의 온도를 상승시키면 점성도가 2.5배 감소하므로 투여 속도를 증가시킬 수 있다. 그러나 과도하게 온도를 증가시키면 용혈이 발생될 수 있으며 뜨거운 물에 혈액 제제 용기를 담구어 온도를 상승시킬 경우 약 30분의 시간이 경과하여야 한다. 전기 장치를 이용하여 혈액 온도를 상승시키는 기구를 이용하면 약 32℃의 혈액을 분당 150 mL의 속도로 안전하게 투여할 수 있다.

수혈을 빠르게 하기 위하여 혈액 제제 용기에 압력을 가하여 빠르게 주입하는 방법이 이용될 수 있다. 이때 가하는 압력은 약 200 mmHg 정도가 적당하며 이 정도의 압력은 약 2~3배정도 투여 속도를 증가시킨다. 가해지는 압력을 과도하게 증가시키면 혈액내의 세포 파괴가 발생될 수 있다.

수액 요법
(Fluid therapy)

1. 수액 요법의 목적

심한 출혈시 사망은 허혈의 정도와 기간에 직접 관련되므로 출혈시 가장 먼저 해야 할 조치 사항은 혈관내 용적을 보충하는 것이다. 빈혈이 동반되지 않은 경한 경우에는 수혈의 합병증을 예방하기 위하여 정질용액 및 교질용액을 이용한 수액 요법만으로도 충분히 만족할만한 결과를 얻을 수 있다.

2. 정질용액 및 교질용액

출혈이 발생되면 간질액 및 혈관 외부의 단백질이 혈관 내로 이동되어 혈장량을 유지하려 하며 따라서 간질액 결핍 현상이 발생된다. 이러한 이유로 출혈시 정질용액을 투여할 경우 출혈량의 3배 정도의 양을 주어야 혈관내액과 간질액을 함께 보충시킬 수 있다. Lactated Ringer 용액 등과 같은 정질용액은 전해질만을 함유하고 있는 용액으로 체액 구획간의 이동이 비교적 자유로우므로 출혈 1 mL 당 3~4 mL의 정질용액 보충이 필요하다. 정질용액은 나트륨을 함유하

표 11-2 저혈량증 교정시의 혈역학 지침

혈역학 매개변수	목표
중심정맥압	5~12 mmHg
폐동맥 차단압	10~12 mmHg
심장지수	3 L/min/m^2 이상
산소 섭취량	100 mL/min/m^2 이상
혈장 lactate	4 mmol/L 이하
염기 결손	−3~3 mmol/L

고 있는데 나트륨은 세포외액 전반에 걸쳐 분포하고 있다. 혈장은 세포외액의 20%를 차지하므로 나트륨이 함유된 정질용액을 투여하면 20%가 혈관내에 분포하고 나머지 80%는 간질액내에 분포하게 된다. 결국 정질용액은 일차적으로 간질액의 보충을 위하여 사용된다. 그러나 덱스트란과 같은 교질용액은 큰 분자를 함유하고 있어 체액의 한 구획에서 다른 구획으로의 이동이 잘 되지 않음으로 인하여 1~2 mL의 교질용액은 1 mL의 혈액량을 대치할 수 있다.

덱스트란-40의 경우 투여량의 75~80% 정도가 혈관내에 남아 있게 된다. 결국 교질용액이 심박출량 증가에 우수하다는 것은 혈장량 증가 효과가 우수하여 Frank-Starling 법칙에 의하여 나타나는 결과이다. 이러한 혈장량의 증가는 용적 효과로 인한 심실 전부하의 증가와 혈액 점성도 감소에 따른 심실 후부하의 감소를 일으켜 심박출량이 증가하게 된다. 결론적으로 동일한 심박출량의 증가 효과를 나타내기 위해서는 정질용액은 교질용액의 약 3배 정도의 양이 필요하게 된다.

교질용액과 정질용액의 선택에 대해서는 아직 논란이 많다. 덱스트란과 HES와 같은 제제들은 혈관내 용적을 빠르게 증가시켜 정질용액이나 혈액제제에 비하여 심박출량 증가에 우수하며 정질용액에 비하여 장기간의 효과를 나타낸다. 교질용액의 사용이 수혈에 따르는 합병증을 줄일 수 있다는 장점이 있으나 혈액 제제의 투여에 따른 산소 운반 능력의 증가는 나타나지 않는다. 다만 혈액 점성도의 감소에 의하여 산소 운반량이 증가되는 정도이다. 또한 20 mL/kg 이상의 많은 양의 투여 시에는 응고 장애가 나타날 수 있으며 덱스트란의 경우 알러지 반응이 나타날 수도 있다는 단점이 있다.

3. 감시장치(Monitoring)

출혈시 수액 요법을 시행할 때 동맥압, 심박동수, 중심정맥압 등을 주의 깊게 관찰하면서 적절한 혈관내 용적이 유지되도록 하여야 한다(표 11-2).

혈관내 용적의 유지를 위해서는 정질용액 혹은 교질용액의 투여로서 가능하나 산소 운반 능력이 감소되는 경우에는 혈액 제제의 투여가 바람직하다. 출혈 시 환자에게 저혈압과 대사성 산증이 나타나면 이것이 혈관내 용적의 감소에 의한 것인지 아니면 산소 운반 능력의 감소에 의한 것인지 주의 깊게 관찰하여 수액 요법과 수혈 요법을 고려하여야 한다. 이를 관찰함에는 잦은 헤마토크리트의 점검이 유용하다. 일반적으로 산소 운반 능력은 헤마토크리트가 21~30%일 경우 최대이므로 출혈시 헤마토크리트가 35~40% 이내이면 정질용액만을 투여하고 25~30%이면 관상동맥질환 등과 같은 산소 운반 능력의 보충이 필요한 환자에 한해서 수혈요법을 병행하나 건강한 환자에서는 25% 정도가 될 때까지는 정질용액으로 혈관내 용적을 보충하고 그 이하에서는 혈액의 공급이 필요하다.

허용 헤모글로빈치
(Allowable hemoglobin level)

허용 실혈량에 관해서는 앞에서 이미 설명한 바와 같이 계산할 수 있다. 출혈 발생시 대부분의 환자에서 7~10 gm/dL 정도의 헤모글로빈 농도까지는 허용되며 이는 21~30% 정도의 헤마토크리트에 해당된다. 출혈이 계속됨에 따라 헤모글로빈 농도가 7 gm/dL 이하로 감소하면 조직으로의 산소 운반량을 유지하기 위하여 심박출량이 증가된다.

노인이나 심폐질환이 있는 환자에서는 헤모글로빈 농도를 10 gm/dL 이상으로 유지시켜 주는 것이 안전하며 출혈이 계속 진행될 가능성이 있는 환자 역시 헤모글로빈 농도를 10 gm/dL 이상으로 유지시켜 주는 것이 유용하다.

혈액형 및 적합성 검사
(Blood type & compatibility test)

ABO 부적합 수혈의 가장 흔한 원인은 검사실에서의 환자 이름, 병록 번호 등의 관리 소홀로 인한 경우가 가장 많다. 따라서 혈액의 채취, 검사실 및 수술실에서 환자의 혈액과 수혈할 혈액의 혈액형, 혈액 제제 번호 및 날짜 등을 확실하게 확인하는 것이 가장 중요하다.

적혈구막에 포함된 600 가지 이상의 항원 물질에 의하여 현재 20여종의 혈액형이 밝혀져 있으나 다행히도 이중 ABO 및 Rh 형만이 수혈에 중요한 인자로 취급된다. 자신이 가지고 있지 않는 혈액형에 대해서는 항체를 형성하며 이 때 생성된 항체들은 수혈 부작용의 중요한 인자로 작용한다. Rh형에서는 유전자에 의한 D 항원이 없는 Rh 음성 혈액이 문제가 된다. 이들 환자들이 Rh 양성 혈액을 수혈 받거나 Rh 양성인 신생아를 분만하는 경우 D 항원에 의한 항체가 생겨 위험한 상태가 될 수 있다.

수혈시 가장 중요한 합병증은 ABO 부적합에 따른 면역 반응에 의한 혈관내에서의 적혈구 파괴 현상이다. 수혈된 각 혈액의 적혈구막에는 혈액형에 따른 항원이 존재한다. 이때 공혈자 체내의 혈액에서 수혈된 혈액의 항원에 대한 항체가 존재할 경우 보체(complement) 활성화에 의하여 적혈구 세포막의 나트륨 및 수분 통로가 열려 적혈구 세포가 파괴된다. 이 결과로 헤모글로빈혈증이 발생되고 신장에서 헤모글로빈 배출이 증가되면 헤모글로빈뇨가 관찰된다. 또한 보체 활성화에 의하여 anaphylatoxin이 방출되어 혈관 확장, 혈관 투과성의 증가, 응고 기전의 활성화 등과 같은 현상들이 발생된다. 결국 부적합 수혈시 수혈된 적혈구의 파괴로 인하여 임상적으로 쇼크, 파종성 혈관내 응고병증, 신부전 등의 임상 증상을 관찰할 수 있다. 따라서 수혈시 ABO 및 Rh형의 적합은 수혈을 위한 가장 기본이며 중요한 사항이다(표 11-3).

1. 항체 예비선택 검사(Antibody screening test)

항체 예비선택 검사란 임상적으로 중요한 항원에 대하여 수혈자에서 비정상적인 항체를 가지고 있는가를 검사하는 것이다. 상품화된 O형 적혈구를 이용하여 수혈자의 혈청과 반응시켜 응집현상이 발생되는가를 확인하며 응집현상

표 11-3 각 혈액형에 대한 수혈 가능 혈액형

혈액형	빈도(%)	수혈 가능 혈액형
O	40	O, A, B, AB
A	28	A, AB
B	27	B, AB
AB	5	AB
Rh 양성	85	Rh 양성, 음성
Rh 음성	15	Rh 음성

이때 빈도는 동양인을 기준으로 한 것이다.

이 나타나지 않으면 항체 예비선택 검사 음성(negative)으로 수혈자에게는 임상적으로 중요한 비정상적 항체가 발견되지 않는 것으로 해석한다. 항체 예비선택 검사 양성(positive) 반응은 수혈자의 혈청이 O형 적혈구에 반응하며 비정상적인 항체가 존재하는 경우이다.

2. ABO-Rh형 검사(ABO-Rh typing test)

가장 심각하면서 대표적인 수혈 부작용은 ABO 부적합에 의한 수혈 반응으로 공혈자에서 항체가 생기면 이 항체가 보체(complement)를 활성화 시켜 혈관내 용혈을 일으키게 된다. 따라서 ABO 및 Rh형 검사는 수혈을 위한 가장 기본적이면서도 중요한 검사가 된다. 혈액형을 결정짓는 항원은 적혈구 세포막에 존재하는 당 성분의 일종으로 각 항원의 존재 유무에 따라서 혈액형이 결정되어진다. H 항원은 기능적으로 ABO 혈액형과 관련된 항원으로 H 항원이 없으면 A 혹은 B 혈액형을 나타내지 못한다(표 11-4).

ABO 검사는 세포유형검사(cell typing)와 혈청유형검사(serum typing)로 결

표 11-4 ABO 혈액형

표현형	적혈구항원	혈청항체	표현형	비고
O	H 전구물질	Anti-A, -B, -AB	OO	만능 공혈자
A	A(H)	Anti-B	AO, AA	
B	B(H)	Anti-A	BO, BB	
AB	A & B(H)	None	AB	만능 수혈자

정된다. 세포유형검사는 환자의 적혈구와 이미 알고 있는 A 및 B에 대한 항체를 가진 혈청을 반응시켜 응집이 발생되는지를 보는 것이며 혈청유형검사는 환자의 혈청과 이미 알고있는 혈액형의 적혈구를 반응시켜 응집여부를 관찰하는 것이다. ABO 검사는 이 두 가지 방법에 의한 혈액형이 일치되어야 한다.

Rh형(Rhesus typing)은 환자의 적혈구를 항 D 항체(혹은 Rho 항체)와 반응시켜 결정한다. D 항원을 가지고 있으면 Rh 양성이 되고 미국에서는 전체 인구의 83% 정도가 Rh 양성이며 Rh 음성은 17%를 차지한다. 만일 Rh 음성이면 환자의 혈청을 Rh 양성 적혈구와 반응시켜 항 D 항체 존재를 확인하여야 한다.

3. 교차반응(Cross matching)

교차반응은 수혈 후 그 혈액이 체내에서 일어나는 현상을 실험실에서 미리 관찰하는 것이다. 교차반응은 세 가지 의미가 있는데 최종적인 ABO 및 Rh형의 확인, 다른 혈액형에 대한 항체 존재 여부 확인, 마지막으로 역가가 낮은 항체의 발견 등이다. 교차반응은 주교차(major cross matching)와 부교차시험(minor cross matching)으로 실시된다.

주교차시험은 공혈자의 적혈구와 수혈자의 혈청 사이의 응집 여부를 보는 것이며 부교차시험은 공혈자의 혈청과 수혈자의 적혈구 사이의 응집 여부를 보는 것으로 부교차시험은 항체 예비선택 검사를 대신할 수 있는 검사이다(표 11-5).

교차반응의 첫단계는 수혈자 혈청과 공혈자 적혈구를 이용하여 실온에서 ABO 적합성 여부를 확인하는 단계이며 약 5분 정도 소요된다. 두 번째 단계는 첫단계를 시행한 물질을 37°C에서 알부민이나 이온 강도가 약한 식염수 용액(low ionic strength saline solution)에 배양시켜 약한 혹은 불완전 항체(weak or incomplete antibody)를 강화시키는 단계이다. 교차반응의 마지막 단계는 간접 항글로불린 검사(indirect antiglobulin test)로서 두 번째 단계를 시행한 물질을 항글로불린 혈청을 첨가하여 불완전 항체를 확인하는 단계로 구성된다.

위에서 설명한 항체 예비검사와 교차반응 검사를 시행하면 실험검사 기법으로 인하여 최소한 45분이 지나야 결과를 알 수 있다.

ABO 교차반응만을 시행하였을 경우 수혈 반응으로부터의 안전성은 99.4%이며 여기에 Rh 부적합 반응 시험까지 시행하면 99.8%에서 안전한 수혈을 시행할 수 있다.

4. 응급 수혈 및 혈액형(Emergency transfusion and blood typing)

Rh 음성, O형은 만능 공혈자(universal donor)로서 이용될 수 있다. 이 혈액형에는 A, B 항원이 없어 수혈자의 혈액에서 용혈 반응이 발생되지 않는다. 따

표 11-5 혈액형 및 적합성 검사시 혈청과 세포

검사 종류	혈청	세포(적혈구)
항체 예비선택 검사	모르는 환자 혈청	알고 있는 혈액형(시약)
세포 유형 검사	알고 있는 공혈자 혈청	모르는 혈액형의 환자 적혈구
혈청 유형 검사	모르는 환자 혈청	알고 있는 공혈자 적혈구
주교차시험	공혈자 혈청	수혈자 적혈구
부교차시험	수혈자 혈청	공혈자 적혈구

라서 교차시험을 시행할 시간적인 여유가 없는 응급 상황에서는 Rh 음성 O형
이 검사 없이 사용될 수 있다. 이는 O형 혈액에는 A, B 항원이 없으므로 수혈자
의 anti-A 혹은 anti-B에 의하여 용혈이 발생되지 않기 때문이다.

그러나 한가지 주의할 점은 만능 공혈자인 Rh 음성, O형을 사용하더라도 전
혈 성분으로 사용한 경우에는 전혈의 혈장에 anti-A, anti-B가 포함될 수 있으
므로 주의하여야 한다. 따라서 Rh 음성, O형 전혈을 교차시험을 하지 않고 2
unit 이상을 사용한 경우 빠르게 환자의 혈액형과 동일한 혈액으로 대치시켜
주는 것은 위험한 상황이 발생될 수 있다. 이는 수혈에 의하여 anti-A와 anti-B
의 역가가 증가되어 있어 용혈 반응이 나타날 수 있기 때문이며 따라서 역가가
떨어지는 약 2주 후까지는 Rh 음성, O형 혈액을 사용하여야 한다.

표 11-6에 응급 상황 시 수혈 가능한 혈액 선택 기준이 정리 되어 있다.

표 11-6 응급상황 시 차선의 혈액선택기준(ABO 및 Rh 불일치 혈액의 선택)

전혀 문제되지 않는 선택
1. AB형 환자에게 A형이나 B형의 농축적혈구를 수혈
2. Rh양성 환자에게 Rh음성 전혈이나 농축적혈구를 수혈

거의 문제되지 않는 선택
1. AB형 환자에게 A형 혹은 B형의 전혈을 수혈
2. A형, B형 및 AB형 환자에게 O형 농축적혈구를 수혈

응급상황에서만 인정되는 선택
1. 감작되지 않은 Rh음성 남자환자에게 Rh양성 전혈이나 농축적혈구를 수혈
2. 폐경기가 지난 Rh음성 여자환자에게 Rh양성 전혈이나 농축적혈구를 수혈

수혈을 하지 않으면 생명이 위험한 경우에만 가능한 선택
1. 가임 연령의 감작되지 않은 Rh음성 여자 환자에게 Rh양성 전혈이나 농축적혈구를 수혈
2. Rh형을 모르는 환자에게 Rh양성 전혈이나 농축적혈구를 수혈

절대로 인정될 수 없는 선택
1. O형이나 B형 환자에게 A형 전혈이나 농축적혈구를 수혈
2. O형이나 A형 환자에게 B형 전혈이나 농축적혈구를 수혈
3. O형이나 A형, B형 환자에게 AB형 전혈이나 농축적혈구를 수혈

수혈 세트의 여과기
(Filter of transfusion set)

수혈세트의 여과기는 $170 \sim 260$ μm 크기로 되어 있어 응고된 혈액 성분을 여과하도록 되어 있으며 미세 응고 물질(microaggregates)을 여과하기 위해서는 $20 \sim 40$ μm 정도의 가는 여과기를 가진 수혈 세트를 사용하기도 하나 값이 비싸고 혈액 응고를 조성하며 혈소판이 여과되고 투여 용량이 감소된다는 단점이 있다.

여과기는 오래 사용하면 투여 속도를 감소시키므로 혈액 $3 \sim 4$ unit 사용 후마다 수혈 세트를 교체하여 주는 것이 좋다. 하나의 필터는 6시간까지만 사용하고 다음 혈액제제 수혈의 간격이 1시간 이상인 경우에는 새 필터를 사용한다.

수혈의 목적 및 적응증
(Purposes and indications of transfusion)

수혈의 목적은 혈관내 용량 유지, 응고 인자(coagulation factor)의 보충 그리고 산소 운반 능력을 향상시키는데 있다. 출혈의 정도가 심할 경우 전혈 혹은 농축적혈구(packed red cell) 등을 이용하여 부족된 혈색소를 보충해 주어야 하며 혈액량의 1/3 이상의 심한 출혈 시에는 전혈이 더욱 유용하다. 그러나 농축적혈구와 같은 혈색소의 보충은 점성도의 증가로 인하여 혈류를 감소시킬 수 있으므로 용적의 증가를 위하여 투여하지는 않는다.

수혈은 산소 운반, 혈관내 용적의 정상화 및 정상적인 응고 능력을 위하여 시행된다. 수혈의 적응증에 관하여 이상적인 정의를 내릴 수는 없지만 한가지 분명한 것은 예상되는 수술 및 출혈량 등을 고려하면서 환자에게의 이익과 손해를 함께 고려하여 결정되어야 한다. 일반적으로 헤모글로빈 10 gm/dL 이하일 경우 수혈의 지침이 되지만 1 unit의 혈액을 공급하기 위하여 수혈을 하는 것은 바람직하지 못한 결정이다.

혈액 제제의 보관
(Storage of blood)

1. 항응고 보존제(Anticoagulant preservative)

저장혈은 기본적으로 간염, 매독, 에이즈에 대한 기본 검사를 실시한 후 만들어진다. 혈액은 수명과 효과를 최대화하기 위하여 정확히 저장되어야 한다. 대개 채혈 직후 4℃의 온도에서 저장되며 사용될 때까지 이 온도에서 보관되어진다. 혈액 1 unit(500 mL)는 70 mL의 CPD(citrate, phosphate and dextrose) 용

표 11-7 전혈 저장혈 100 mL에 포함된 물질(CPDA)

Citric acid	0.327 gm
Sodium citrate	2.63 gm
Sodium acid phosphate	0.251 gm
Dextrose	3.19 gm
Adenine	0.0257 gm

표 11-8 CPD 혈액의 보존 기간에 따른 성분 변화

성분	저장 1일	7일	14일	21일
pH	7.1	7.0	7.0	6.9
이산화탄소(mmHg)	48	80	110	140
젖산(mEq/L)	41	101	145	179
중탄산염(mEq/L)	18	15	12	11
칼륨(mEq/L)	3.9	12	17	21
포도당(mg/㎗)	345	312	181	131
2,3-DPG(μM/mL)	4.8	1.2	⟨1	⟨1
혈소판(%)	10	0	0	0
응고인자 V, VIII(%)	70	50	40	20

액을 포함하고 있다. CPD 용액의 첨가시 일반적으로 평균 21일간 보관 가능하며 최근에는 CPDA-1 용액을 사용하여 보관 기간이 35일까지 연장할 수 있도록 되어 있다. 전혈 100 mL에 다음과 같은 물질(CPDA-1)들이 포함되어 있다(표 11-7).

전혈 및 적혈구 제제는 CPDA-1(Citrate phosphate dextrose adenine) 항응고 보존제(anticoagulant preservative)와 함께 1~6°C의 온도에서 보관되어 진다. 혈액을 낮은 온도에 저장하는 것은 적혈구의 대사를 정상 체온의 경우에 비하여 최고 40% 정도 감소시켜 주는 효과가 있으며 세균 증식을 방지하는 기능이 포함된다. CPDA-1에서 citrate는 이온화 칼슘에 결합하여 칼슘에 의한 혈액의 응고를 방지하는 항응고 역할을 한다. Phosphate는 2,3-DPG의 파괴를 느리게 하여 pH를 정상에 가깝게 하는 완충 역할을, dextrose는 적혈구의 에너지원으로서의 역할을 하며 adenine은 phosphate와 함께 적혈구에서의 에너지 재생산

을 도와주는 역할을 한다. Adenine이 함유되어 있지 않으면 적혈구의 ATP 소실로 인하여 수혈 후 적혈구 생존이 감소하게 된다. 이러한 CPDA-1으로 전혈이나 적혈구를 보존할 경우 최고 35일까지 보존이 가능하게 된다.

최근에는 AS-1(Adsol)이나 AS-3(Nutrice) 보존제를 사용하여 42일까지 보관할 수도 있다. 참고적으로 혈액 보관 가능 기간은 FDA에 의하여 수혈 24시간 후 수혈된 적혈구의 70%가 순환계에 남을 수 있는 기간으로 정의된다.

전혈 및 적혈구 제제가 저장되는 동안 적혈구 대사로 인하여 glucose가 lactate로 전환되고 수소 이온이 축적되며 혈장 pH가 감소(저장 3주 후 pH 6.9)하게 된다. 또한 $1\sim6℃$의 온도로 인하여 적혈구막에서 Na^+-K^+ 펌프가 자극되어 적혈구내 포타슘이 감소하고 나트륨이 증가하게 된다(표 11-8).

적혈구의 증가된 삼투 결과에 의한 세포의 종창으로 인하여 어떤 적혈구는 보관 기간 동안 파괴될 수 있다. 혈소판은 저장 2일이 경과하면 기능이 $5\sim10\%$로 감소된다.

2. 헤파린(Heparin)

헤파린은 항응고제로서 주로 개심술시 체외 순환 펌프를 사용하는 경우에 혈액에 첨가하여 사용되어진다. 체외 순환시에는 citrate가 함유된 혈액을 사용하면 citrate에 의하여 칼슘 농도가 감소되어 심근 억제 작용이 발생될 수 있기 때문이다.

헤파린을 사용하는 또 하나의 장점은 다른 항응고제를 사용한 경우보다 응고 인자 Ⅷ의 보관이 더욱 용이하다는 것이지만 glucose가 없기 때문에 적혈구의 보관에는 부적하며 세포에서 방출되는 응혈요소 물질의 방출에 의하여 항

응고 작용이 빨리 소실된다. 따라서 헤파린을 항응고 물질로 사용하는 경우에
는 24~48시간 이내에 혈액을 사용하여야 하며 헤파린은 보존제가 아닌 항응
고제의 기능만을 가진다.

성분 수혈
(Component blood transfusion)

1. 성분 수혈의 목적

성분 수혈은 1960년대에 처음으로 분리 가능하게 되었다. 성분 수혈의 장점
은 혈액 구성 성분중 환자에게 필요한 성분만을 선택적으로 투여할 수 있다는
것과 각 성분들을 다른 방법으로 저장함으로써 저장 기간 연장 효과가 있으며
혈액 은행의 혈액을 효율적으로 많은 환자에게 분리 투여할 수 있다는 점이다.
최근에는 거의 모든 경우에서 성분 수혈이 시행되며 전혈을 수혈하는 경우는
대량 수혈 등과 같은 극히 드문 경우에 한하여 시행되고 있다.

2. 성분 수혈을 위한 제조 방법

대개 450 mL(±10%)의 전혈을 채혈한 다음 항응고를 위하여 citrate가 포함
된 보존액을 투여한다. 이를 저속 원심분리하여 혈소판이 풍부한 혈장과 적혈
구를 분리하며 혈장은 다시 고속 원심분리를 시행하여 혈소판과 혈장으로 분
리한다. 분리된 혈장은 즉시 냉동시킴으로서 신선 동결혈장(fresh frozen plas-
ma)으로 보관된다(그림 11-4).

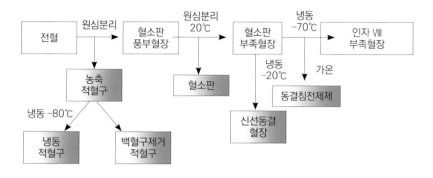

그림 11-4 성분 혈액의 제조 방법

전혈
(Whole blood)

1. 전혈의 보관(Storage of whole blood)

전혈 1 unit는 450 mL 혈액에 50~60 mL의 항응고 보존액을 포함하고 있다. 1~6℃의 온도로 보관되며 최고 35일까지 보관가능하나 이 속에 포함된 혈소판은 저장 1~2일이 경과하면 거의 파괴되고 Factor V와 Ⅷ의 농도도 저하된다.

2. 전혈의 적응증(Indication of whole blood)

급성 출혈이나 대량 수혈시 사용되나 혈소판 기능이 저장 1~2일 후 거의 소실되기 때문에 전혈을 대량 투여하더라도 응고 장애가 발생될 수 있음을 주의하여야 한다. 최근에는 거의 모든 경우에서 채혈 수 시간 이내에 성분 분리하

표 11-9 전혈과 농축적혈구의 저장에 따른 비교(저장 35일 후)

검사 종류	전혈	농축적혈구
pH	6.98	6.71
혈색소(mg/dℓ)	46.1	246.0
포타슘(mEq/L)	27.3	76.0
나트륨(mEq/L)	155	122
포도당(mg/dℓ)	229	84
2,3-DPG(mM/mL)	<1	<1
생존적혈구(%)	79	71

여 성분 수혈을 시행하고 있기에 전혈 수혈의 경우가 감소되고 있는 추세로 약 20% 정도만이 전혈의 형태로 사용된다.

적혈구 농축 제제
(Packed red cell or red cell concentrates)

1. 적혈구의 수집과 보관(Red cell collection & storage)

적혈구 제제는 채혈된 전혈을 원심분리한 다음 대부분의 혈소판과 혈장 (2/3)을 제거하여 헤마토크리트가 60~80% 정도로 높은 혈액 제제이다(약 250 mL). 이중 세포성분은 약 200 mL로 적혈구 이외에 백혈구가 함께 포함되어 있으며 나머지는 혈장이 차지한다. 따라서 1 unit의 농축 적혈구는 전혈 1 unit와 동일한 산소 운반 능력이 있다.

농축 적혈구는 1~6℃의 낮은 온도에 저장하여 당분해와 세균 증식이 억제되도록 보관되어지며 보관 기간은 수혈 24시간 후 적혈구 기능이 70% 이상 가능한 기간까지를 기준으로 하도록 FDA에 명시되어 있다. 헤모글로빈치가 23~27 gm/dL 정도로 높으며 이로 인하여 혈액의 점성도가 증가하며 혈액의 점성도는 헤모글로빈치가 20 mg/dL 이상이 되면 헤모글로빈치의 증가에 비례하여 점성도가 증가한다. 채혈 후 보관 기간이 경과함에 따라 전혈과 마찬가지로 산성화, 혈장 포타슘치의 증가, 2,3-DPG의 감소가 발생된다. 그러나 수혈 수 시간이내에 적혈구내 포타슘이 정상화되고 감소된 2,3-DPG가 정상치로 상승된다.

2. 적혈구의 냉동보관(Frozen storage of red blood cell)

적혈구에 glycerol을 첨가함으로써 세포 파괴없이 냉동 보관할 수 있다. 적혈구에 glycerol을 첨가하여 −79℃로 보관하는데 수혈시에는 첨가된 glycerol을 제거하여야 한다. 이 방법의 장점(**Point**)은 과민 반응이 적게 나타나는 것은 감소된 백혈구에 의한 결과이다. 단점으로는 값이 비싸고 냉동된 적혈구를 녹인 후에는 24시간 이내에 사용하여야 하며 이 시간이 지나면 폐기하여야 한다는 점이다.

> **Point** 적혈구 냉동 보관의 장점
> 1. 드문 혈액형의 장기간 보관이 가능하다.
> 2. 과민 반응이 적게 나타난다.
> 3. 간염의 위험이 감소된다.
> 4. 미세 응고물질이 감소된다.
> 5. 2,3-DPG가 정상으로 유지된다.

3. 적혈구 수혈의 적응증(Indication of red blood cell)

적혈구 수혈은 혈관 용적의 증가보다는 빈혈과 같은 산소 공급이 필요한 경우 적용이 된다(표 11-10). 즉, 용적의 보충이 아닌 헤모글로빈의 보충을 위하여 사용되어 진다. 조직으로의 산소 공급은 동맥혈 산소 함량과 심박출량에 의하여 결정되어지며 대부분의 산소는 산화 헤모글로빈의 형태로 운반되어지므로 헤모글로빈의 감소는 분명히 조직으로의 산소 공급 감소를 야기하게 된다. 적절한 헤마토크리트치는 산소 운반이 효과적이면서 점성도가 낮아 말초로의 혈액 운반이 용이하여야 하므로 약 30% 정도가 추천된다.

적혈구 제제 투여 결정은 기존 질환, 헤모글로빈치, 환자의 연령, 생명 징후(vital sign), 심장 기능 및 산소 요구량 등에 따라 달라질 수 있으므로 적혈구 제제 투여에 대한 명확한 적응증을 한마디로 내리기는 사실상 어려움이 있다. 따라서 환자의 전반적인 산소 운반 상태(심박출량, 헤모글로빈, 동맥혈 산소포화도)를 파악하여 결정하여야 한다. 불행히도 많은 환자 감시장치의 발전에도 불구하고 실혈량을 직접적으로 측정하는 방법은 존재하지 않으므로 실혈량은 혈압, 중심정맥압, 심박동수, 폐동맥 차단압, 소변량 등을 이용하여 간접적으로 추정할 수 밖에 없다.

성인에서 약 1 unit의 적혈구 수혈은 1 g/dL 정도의 헤모글로빈이 증가되고 헤마토크리트는 2~3% 정도 증가한다. 또 다른 추측 방법으로는 적혈구 10 mL/kg의 수혈은 약 3 g/dL 정도 헤모글로빈 농도를 증가시킨다고 보면 된다. 조직 산소화 향상을 위하여 적혈구 수혈을 할 경우 1~2unit를 수혈 후 15~30분이 경과한 다음 산소 운반의 변화를 측정하는 것이 좋다. 적혈구 수혈에도 불구하고 조직 산소화의 향상이 없으면 다른 치료 방법을 고려하여야 한다.

표 11-10 **적혈구 수혈의 적응증**

적응증	1. 헤모글로빈 7g/dL 이하(관상동맥질환, 뇌혈관 장애, 심기능 부전증에서는 10g/dL 이하) 2. 실혈량이 30%(1,500mL) 이상 3. 예외적으로 추가적 실혈이나 동반된 빈혈이 있는 경우, 심한 심장 또는 호흡기계 질환으로 인해 실혈에 대해 보상이 불가능한 경우

다음과 같은 경우에서는 적혈구 수혈의 적응이 되지는 않는다.

1. 상처 치유(wound healing)
2. 혈관 용적의 증가
3. 조직 허혈 증상이 없는 헤모글로빈 10 gm/dℓ 이하
4. 관상동맥질환, 뇌혈관 질환, 심기능부전 환자에서의 빈혈 교정

혈장
(Plasma)

1. 신선 동결혈장(Fresh frozen plasma, FFP)

1) 신선 동결혈장의 보관(Storage of FFP)

신선 동결혈장은 전혈에서 채혈 4~6시간 이내에 농축 적혈구를 분리하면서 남은 혈장을 −18°C에서 저장한 것으로 전혈에서 분리 냉동시킨 세포를 포함하지 않는 혈액 성분이다. 따라서 혈소판을 제외한 모든 응고 인자가 포함되어 있으며 특히 실온에서 보관된 혈장에 비하여 응고 인자 V, VIII의 파괴가 적은 것이 특징이다.

1 unit의 양은 200~250 mL 정도이며 1년간 보관할 수 있다. 그러나 일단 해

동시킨 후에는 24시간까지 수혈할 수 있으나 혈액응고인자 활성의 감소를 막기 위하여 가능한 빠른 시간 내에(해동 후 3시간 이내 권장) 사용하여야 한다.

2) 신선 동결혈장의 적응증(Indication of FFP)

혈액 제제 중 불필요하게 가장 많이 투여하는 성분 제제이다. 신선 동결혈장의 가장 중요한 적응증은 응고 인자의 보충으로 간질환, DIC, 희석성 혈액 응고 장애 및 warfarin 치료를 받고 있는 환자에서 특히 유용하다.

또한 주사바늘 천자 부위에서의 출혈이 계속되거나 이미 지혈된 부위에서 재출혈이 발생되는 경우, 수술 시야에서 지속적인 비정상적 출혈이 있는 경우에도 신선 동결혈장 사용의 적응이 된다(**Point**).

또한 대량 수혈시 전혈대신 적혈구를 사용하는 경우 적응증이 된다. 그러나 대량 수혈시 희석에 의한 응고 인자 보충 예방 목적으로 투여하는 것은 권장되지 않으며 응고 시간이 1.5배 이상으로 증가되는 경우 신선 동결혈장을 투여한다.

> **Point** 신선 동결혈장의 적응증
>
> 응고 인자 결핍
> TTP(Thrombotic thrombocytopenic purpura)
> Warfarin 투여의 역전
> 대량 수혈

신선 동결혈장 투여시 알러지 반응 및 감염 발생률이 증가한다. 따라서 혈장 증량 목적을 위해서는 교질용액이나 정질용액을 사용하지 신선 동결혈장을 사용하지는 않는다.

3) 신선 동결혈장의 용량(Dose of FFP)

일단 응고인자 보충이 결정되면 적절한 투여 용량을 결정하여야 한다. 생리적인 지혈효과를 위한 최소한의 응고인자는 정상치의 20~30% 수준으로 이론적으로 10~15 ml/kg의 용량이 필요하다. 와파린 항응고를 역전시킬 경우에는 5~8 ml/kg가 필요하다. 일반적으로 신선동결혈장 250 ml 1단위는 대부분의 응고인자의 수준을 3~5% 정도 증가시킨다. 예방 목적으로 신선 동결혈장을 투여하지는 않으나 대량 수혈이 예상될 경우에는 2~4 unit 정도 미리 투여하는 것도 하나의 방법이 될 수는 있다.

2. 동결 침전제제(Cryoprecipitate)

동결 침전제제는 신선 동결혈장을 원심분리한 응고 인자가 풍부한 혈액으로 응고인자 Ⅷ/von Willebrand와 섬유소원이 풍부하다. 신선동결혈장과 마찬가지로 -18℃에서 저장되며 혈장 1 unit당 응고인자 Ⅷ 80~120 unit와 섬유소원 150~250 mg 정도가 산출된다.

von Wiilebran 질환, 혈우병 A(응고인자 Ⅷc 결핍), 섬유소원 결핍시 적응이 되며 대량으로 주입시 섬유소원이 크게 증가되어 혈전색전증을 초래할 수 있어 섬유소원 농도를 추적 감시해야한다. 대개 수혈시 6~10 unit를 사용한다.

혈소판
(Platelets)

일반적으로 혈소판 농축액은 백혈구와 적혈구를 일부 포함하고 있으므로 정확한 혈액형의 혈소판을 사용하여야 하며 채혈 후 수시간 이내에 사용하여야 한다.

1. 혈소판 적응증(Indication of platelets)

혈소판 감소증(thrombocytopenia)이 있는 환자에서 사용되며 예방 목적과 치료 목적으로 구분된다(Point).

2. 혈소판 농축액(Platelet concentration)

혈소판 감소증 혹은 비정상적인 혈소판 기능으로 인한 출혈이 발생될 경우 투여되나 특발성 자가 면역 혈소판 감소성 자반증(ITP, idiopathic autoimmune thrombocytopenic purpura), 패혈증, 비장 기능 항진증 환자에서는 별 효과가 없다. 1 unit의 투여는 5,000~10,000 정도의 혈소판수 증가를 가져온다. 일반적으로 성인에서는 6~10 unit 정도를 투여한다.

> **Point** 혈소판 제제의 적응증
>
> 치료 목적 1. 혈소판 50,000/mm^3 이하
> 　　　　　2. 혈소판 기능 이상
> 　　　　　3. 출혈시간(bleeding time) 2배 이상 증가
> 　　　　　4. 대량 수혈시 희석성 혈소판 감소증
> 예방 목적 1. 일시적인 혈소판 20,000/mm^3 이하
> 　　　　　2. 출혈시간 교정하기 위한 광범위 수술

특수 혈액 제제
(Special blood products)

1. 백혈구 제거 혈액 제제(Leukocyte-reduced bloods red cell)

적혈구나 혈소판 농축 제제에서 백혈구로 인한 감염균의 전파 및 면역 반응을 감소시키기 위하여 원심분리나 여과 방법을 이용하여 백혈구를 제거한 혈액 제제이다. 백혈구 제거 필터를 사용하면 백혈구의 99.9% 이상의 백혈구를 제거할 수 있고, 농축 적혈구에 비하여 헤마토크리트가 10~15% 정도 감소된다. 이 제제는 발열성 비용혈성 수혈반응을 예방하고 HLA 동종면역의 예방, 백혈구를 통한 감염 예방(CMV, HTLV), 심한 면역억제 환자, 그리고 신생아 등에서 사용되어진다.

2. 방사선조사 혈액 제제(Irradiated bloods)

수혈된 혈액의 림프구로 인해 발생할 수 있는 이식편대숙주병(Graft-versus-host disease, GVHD)을 예방하기 위해 감마선을 조사한 혈액제제이다. 이식편대숙주병은 주로 면역기능이 저하되어 있는 환자에서 발생하나 면역기능이 정상인 환자에서도 발생 가능하다. 동결된 혈장제제(신선동결혈장, 동결혈장, 동결침전제제)에는 이식편대숙주반응과 관련성이 보고된 바 없어 방사선조사를 하지 않는다. 감마선 조사 후 칼륨이 증가하므로 급속 수혈, 대량 수혈, 신부전 환자, 체외막산소요법(ECMO) priming 시, 미숙아 등에서는 주의를 요한다.

3. 세척 혈액 제제(Washed bloods)

혈액을 생리 식염수에 세척하여 남아있는 대부분의 백혈구와 혈장을 제거한 혈액 제제이다. 혈장의 제거로 인하여 초과민반응(anaphylaxis) 및 알러지 반응의 부작용이 감소된다. 세척과정에서 적혈구의 20%, 혈소판의 33%까지 소실된다. 그러나 세척과정에서 항응고제 보존 용액과 혈장이 제거되므로 혈액제제의 유효기간도 감소해 세척 적혈구는 24시간까지, 세척 혈소판은 4시간까지 수혈이 가능하다는 단점을 가지고 있다.

수혈시 알러지 반응은 투여되는 혈액의 혈장 단백질에 감작되어 발생되므로 이전에 알러지 수혈 반응을 경험한 환자에게 유용하며 IgA 결핍이 있는 환자에서 적응증이 된다.

대량 수혈
(Massive transfusion)

1. 대량 수혈의 정의(Definition of massive transfusion)

대량 수혈은 24시간 이내에 환자의 체내 혈액량 이상의 양으로 혈액을 투여한 경우(8~10단위) 혹은 1시간 이내에 체내 혈액량의 1/2을 수혈한 경우(4~5단위)로 정의된다.

표 11-11 대량수혈시의 문제점

1. 생화학적 문제	산성화, 전해질 불균형
2. 저온 혈액에 의한 문제	저체온, 산소 해리 곡선의 좌측 이동, 심혈관계, 대사 및 응고 장애
3. Citrate 중독	심박출량 감소
4. 응고 장애	응고 인자 감소, DIC, 혈소판 감소
5. 헤모글로빈 기능 이상	2,3-DPG 감소
6. 알부민 감소	저알부민혈증

2. 대량 수혈에 따른 문제점(Problems in massive transfusion)

혈액의 저장시 pH 감소, 포타슘 증가, 2,3-DPG 감소, 응고 인자 V 및 Ⅷ의 감소, 혈소판 감소, 적혈구 용해 등과 같은 현상이 발생됨으로 인하여 대량 수혈을 받은 환자에서 다양한 합병증들이 발생될 수 있다(표 11-11).

1) 응고장애(Coagulopathy)

대량 수혈시 미세혈관 출혈, 혈뇨, 정맥 확보 부위에서의 출혈 등이 발생될 수 있다. 이러한 혈액 응고 장애는 희석성 혈소판 감소증(dilutional thrombocytopenia), 응고 인자 V 및 Ⅷ의 감소, 파종성 혈관내 응고병증(disseminated intravascular coagulopathy, DIC) 등에 의하여 발생되며 술전 혈액 응고 장애 질환 및 용혈성 반응과 감별을 하여야 한다. 일단 혈액 응고 장애가 의심되면 PT, aPTT, 혈소판수, 섬유소 분리산물 등을 우선 검사하여 보며 가능하면 thromboelastogram을 사용하면 유용하다.

대량 수혈로 인한 응고 장애 발생시 흔히 PT, aPTT의 증가를 볼 수 있다. 혈소판 및 응고 인자의 희석에 의하여 출혈 경향이 나타날 수 있으며 비정상적인 출혈이 발생되거나 PT, aPTT가 정상의 1.5배 이상으로 증가되는 경우에는 신선동결혈장(fresh frozen plasma)을 투여하고 혈소판치가 50,000/mm³ 이하이거나 출혈이 지속될 경우 혈소판을 투여하여 교정하여 주어야 한다(그림 11-5). 수술 또는 중증 외상 환자에서 생명을 위협하는 대량 출혈이 있는 경우 농축적혈구, 신선동결혈장:농출혈소판 투여 비율은 1:1:1로 권장된다. 대량 수혈에 의한 혈액 응고 장애는 수혈의 합병증 설명시 자세히 다루기로 한다.

2) 기타 합병증(Other complications)

저장혈의 산도가 낮음으로 인하여 산성화 및 전해질 불균형이 가능하며 수혈 후에는 citrate가 중탄산염으로 전환되어 알칼리혈증이 발생될 수 있다.

저장혈의 낮은 온도로 인하여 산소 해리 곡선이 좌측으로 이동되며 응고 장애가 발생될 수 있다. 저체온이 동반되면서 간기능이 불량한 환자에서 대량 수혈 후 citrate 중독 증상이 쉽게 발생되며 이때의 증상은 이온화 칼슘 감소에 따른 심박출량의 감소에 의한 증상이 나타난다. 체온 감소, 산혈증, 2,3-DPG의 감소 등으로 인하여 산소해리 곡선이 좌측으로 이동되면서 헤모글로빈 기능의 이상이 초래될 수 있다. 또한 전혈을 사용하지 않은 대량 수혈시 혈중 알부민 농도의 감소로 인하여 저알부민혈증이 나타날 수 있다. 저알부민혈증의 발생시 신선동결혈장이나 알부민을 투여하여 교정하여 줄 수 있다.

따라서 대량 수혈을 시행하여야 하는 환자를 관리할 경우 아래와 같은 사항들을 미리 인식한 후에 시행하여야 한다(Point).

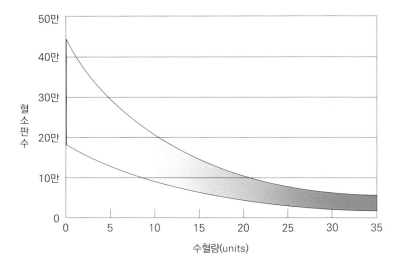

그림 11-5 대량 수혈 후의 혈소판 감소

10~15 unit 이상의 대량 수혈시 혈소판 감소증에 의한 출혈이 발생될 수 있음을 보여준다.

Point 대량 수혈시 명심할 사항

1. 응고장애가 흔히 동반되나 투여된 혈액량에 비례하지는 않는다.
2. 응고장애 예방 목적으로 혈소판, 신선동결혈장의 주기적 투여는 도움이 되지 못한다.
3. 희석성 혈소판감소증은 체내 혈액량의 1.5배 이상의 양으로 수혈되는 경우 발생된다.
4. Citrate의 많은 양으로 저칼슘혈증이 발생될 수 있으나 임상적으로 중요하지는 않다.
5. Citrate의 중탄산염으로의 전환에 의하여 대사성 알칼리혈증이 흔히 발생된다.
6. 고칼륨혈증이 드물게 발생되나 대사성 알칼리혈증에 의한 저칼륨혈증이 더욱 흔히 발생된다.
7. 혈액의 온도를 상승시키는 것이 도움이 된다.

자가 수혈
(Autotransfusion or autologous transfusion)

자가 수혈은 혈액형에 따른 부적합 반응이 발생되지 않으며 감염성 질환 전파를 예방할 수 있고 혈액 은행의 혈액 사용을 감소시키는 장점이 있다. 또한 환자 자신의 혈액을 사용함에 따른 환자의 심리적 안정 역시 중요한 장점 중의 하나이다. 자가 수혈은 다음과 같은 네 가지 방법에 의하여 이루어진다.

1. 수술 전 채혈 및 저장(Predonation and storage)

자가 수혈의 가장 기본적인 방법이며 간단한 방법이다. 일반적으로 술전 3~4 unit의 혈액을 1주 간격으로 채혈하여 보관하며 이후 수술까지의 기간 동안 철분 제제를 복용하여 헤모글로빈을 11 gm/dL 이상으로 유지하여 빈혈을 방지한다. 연령이나 몸무게 제한은 없으나 마지막 채혈은 수술전 72시간 전에 시행하여 혈액량이 회복되고 공혈된 혈액을 운반하고 검사할 여유를 가지게 한다. 이 방법은 최고 6주 동안 6 unit까지 채혈할 수 있으며 빈혈, 간질, 심혈관계 및 호흡기계 질환이 있는 환자에서는 금기이다.

이 방법은 인위적 실수를 방지하기 위하여 최소한 환자와 자가혈액에 대한 ABO 및 Rh 교차 시험을 하는 것이 필요하다.

2. 동량 혈액 희석법(Normovolemic hemodilution)

수술실에서 유용한 방법으로 수술 시작 전 허용 실혈량의 혈액을 채혈한 후 정질용액(3:1)이나 교질용액(1:1)을 투여하여 혈관내 용적을 보충시켜 주며 이후 출혈이 심할 경우 채혈된 자가혈액을 투여하여 준다. 대게 헤마토크리트가 25% 정도일 때까지 혈액을 뽑아낼 수 있으며 1 unit 이상을 뽑을 경우 헤모글로빈치를 확인하여야 한다.

혈액 희석을 실시하면 혈액 점성도의 감소와 교감신경계의 활성화로 인하여 심박출량이 증가되어 조직으로의 산소 공급은 정상적으로 수행된다.

이 방법의 장점은 수술시 출혈은 희석된 농도의 혈색소가 실혈(빈혈성 혈액, anemic blood) 되므로 채혈한 혈액을 투여하여 혈색소치를 증가시켜 줄 수 있다는 점이다. 또한 채혈된 혈액이 불과 몇 시간 이내에 사용될 수 있어 혈소판 기능이 정상인 혈액을 투여할 수 있다는 장점도 있다. 그러나 수술시 출혈이 예상보다 적게 발생되는 경우나 뽑아낸 혈액 이상으로 출혈하는 경우에는 이 방법의 장점이 소실된다.

3. 술 중 출혈 혈액의 회수(Intraoperative salvage)

이 방법은 사실상 의료계에 수혈에 대한 개념이 도입되면서 가장 먼저 시행된 방법이라 볼 수 있다. 심장 수술 및 간이식 수술시 유용하며 혈액 회수를 위한 장비가 필요한데 최신 장비는 회수된 혈액에서 응고된 혈액, 지방, 자유 헤모글로빈(free hemoglobin)등을 여과 및 세척시켜 적혈구만을 분리할 수 있도록 되어있다. 소위 "cell saver"라고 부르는 이 기계는 술중 혈액 회수를 위한 장비의 대명사로 불려진다. 이 방법은 장비나 인력면에서 가장 값이 비싼 자가 수혈 방법이나 대량 외상으로 인한 수혈이나 혈액 교차시험을 실시할 시간적 여유가 없는 경우에 가장 효과적인 자가 수혈법이다. 수술 부위에 농양이 있는 경우에는 금기 사항이 되며 체내 혈액량 이상의 회수가 시행될 경우 혈소판 감소 등의 혈액 응고 장애가 발생될 수도 있다. 악성 종양 환자에서 혈액 회수 및 재 투여가 종양의 전파를 야기한다는 의문점이 보고되지만 종양의 재발에 영향이 없다는 다수의 연구 결과가 발표되고 있다.

회수된 혈액에는 조직, 작은 혈전, 뼈조각 등이 포함되어 있을 수 있어 재주 입 시에 백혈구제거필터(40micron)를 사용해야 한다. 악성 종양 환자와 산과 수술의 경우 종양의 재발과 양수 색전증의 위험을 줄이기 위해 좀 더 정교한 백 혈구 제거 필터(예, Log 5 cell filter) 사용을 권고하고 있다.

4. 술 후 출혈의 회수(Postoperative salvage)

어떤 수술은 술후 많은 출혈이 발생되는데 심장 수술후 늑막 및 종격동에서 의 출혈과 몇몇 정형외과 수술 등이 그 예이다. 이러한 경우 유출관으로 나오는 혈액을 회수하여 적혈구 세척 후 재투여할 수 있으나 실제 임상에서 이 방법을 사용하는 경우는 거의 없다.

수혈에 의한 합병증
(Complications of blood transfusion)

1. 감염(Infection)

수혈 후 발생되는 간염(hepatitis)의 90%는 C형 간염이 차지한다. 신선동결

혈장 혈소판은 적혈구와 같은 정도의 감염 위험성을 가진다. 이외에 에이즈, 말라리아 등과 같은 감염 발생 가능성도 존재하며 혈액 제제 투여는 4시간 이내에 투여됨으로써 세균에 의한 감염성을 최소한으로 줄일 수 있다.

모든 혈액은 항체 발견을 통한 에이즈 감염 여부 검사를 시행하지만 에이즈 감염 후 항체 형성에 6~8주 정도가 소요되기 때문에 이 시기까지는 혈액의 에이즈 감염 여부를 확인할 수 없는 문제점이 있다.

2. 수혈반응(Transfusion reaction)

수혈 받는 환자의 약 10% 정도에서 다양한 수혈반응이 나타난다. 증상으로 발열, 담마진(urticaria), 급성 용혈 등의 증상이 나타난다.

1) 급성 용혈성 수혈반응(Acute hemolytic transfusion reaction)

4,000~6,000명중 한 명에서 나타나며 공혈 적혈구의 ABO 항원에 대한 수혈자의 항체에 의하여 보체가 활성화되어 세포 파괴가 나타난다. 급성 용혈성 수혈반응의 가장 흔한 원인은 기록 및 확인 잘못으로 인한 적혈구 부적합 수혈, 적혈구와 부적합한 수액의 투여, 그리고 오염된 혈액으로 인한 그람음성 패혈증 등이다. 부적합 혈액이 10~50 mL 정도만 투여되어도 수분 이내에 급성 용혈성 수혈반응이 나타날 수 있다. 발열, 불안, 두통, 오한, 호흡곤란, 흉부통증 등이 흔히 발생되는 임상 증상이다. 마취된 환자에서는 발열, 갑작스런 혈압 감소, 혈색소뇨증, 심한 경우 DIC가 발생된다. 급성 용혈성 수혈반응은 심한 경우에 비가역적 쇼크, 다장기 기능부전(multiorgan failure)에 의하여 사망을 초래할 수 있다. 따라서 수혈시 발열 등과 같은 급성 용혈성 수혈반응이 의심이

되면 다음의 단계에 의하여 환자를 관리한다(Point).

2) 비용혈성 수혈반응(Nonhemolytic transfusion reaction)

비용혈성 수혈 반응은 발열 반응과 알러지 반응으로 나타난다. 이 반응은 수혈 후 발생되는 발열의 가장 흔한 원인으로 수혈의 1/4에서 나타나며 수혈 1~6시간 이내에 발생된다. 발열 이외에 오한, 두통, 근육통, 오심 등의 가벼운 임상 증상이 나타날 수 있다. 일단 수혈 후 열이 발생되면 용혈반응과 감별하여야 하며 기타 발열을 일으킬만한 원인들의 유무도 함께 조사한다.

치료는 해열제, 항히스타민제를 투여하며 필요할 경우 혈압상승제를 사용한다. 수혈을 계속하여야 하는 환자에서는 수혈 후 발열이 생길 경우 무조건 수혈을 중단할 필요는 없으며 수혈이 꼭 필요한 환자에서는 백혈구 제거 혈액을 투여함으로써 이러한 합병증들을 최소한으로 줄일 수 있다.

> **Point** 급성 용혈성 수혈반응 의심시 조치 사항
>
> 1. 즉각적인 수혈의 중지
>   ; 용혈반응에 의한 사망은 투여된 부적합 혈액의 양과 비례한다.
> 2. 혈압과 호흡상태를 확인하며 소변량을 유지시킨다.
>   저혈압 발생시 교질용액이나 생리식염수를 이용하여 빨리 혈장량을 증가시킨다.
>   Mannitol 혹은 dopamine을 사용하여 신기능을 유지한다.
>   반응이 없는 경우 furosemide 20~40 mg 정주한다.
> 3. 일단 환자 상태가 안정되면 환자의 혈액을 채혈한다.
> 4. 투여하던 혈액을 표식을 부착한 체로 혈액은행에 보내어 확인한다.
> 5. 투여되지 않은 다른 혈액의 이상 여부를 조사한다.
> 6. 소변에서 헤모글로빈 존재를 확인한다.
> 7. 병리실험실에서 Direct Coomb's test를 시행한다.
> 8. DIC 여부를 위한 실험실 검사를 시행한다.

3) 지연성 용혈 수혈반응(Delayed hemolytic transfusion reaction)

급성 용혈성 수혈반응은 항체의 양이 많으므로 즉각적인 임상 증상을 나타내지만 지연성 용혈 수혈반응은 수혈 2~21일 후에 용혈이 발생되는 합병증이다.

첫 수혈시 항체의 적은 양으로 인하여 증상이 나타나지 않고 단지 적혈구에 감작된 상태로 있다가 재수혈을 시행하면 항체의 양이 많아져 임상 증상이 나타난다. 따라서 이전 수혈 경험이 있는 환자나 임산부에서 이러한 현상이 잘 발생된다. 때때로 별 다른 임상 증상없이 단지 수혈 후 헤마토크리트치가 상승되지 않는 경우만이 나타나기도 한다.

3. Citrate 중독증(Citrate toxicity)

항응고 보존제에 함유된 citrate에 의하여 나타나는 합병증이다. 그러나 이 것은 citrate 이온 자체에 의하여 나타나는 것이 아니라 citrate가 칼슘과 결합함으로 인한 저칼슘혈증 증상이 나타나는 것이다. 저혈압, 맥압 감소, 좌심실 이완 말기압 및 중심정맥압의 증가, 심전도상 QT 간격의 연장 등이 나타난다. 따라서 대량으로 급속히 수혈을 하는 경우에는 심근 수축력의 감소 여부를 항상 주의 깊게 관찰하여야 한다. 그러나 간기능 및 신기능이 정상이고 체온이 정상이며 관류가 적절한 환자에서는 citrate가 빠르게 대사되기 때문에 분당 150 mL 이상의 빠른 속도로 수혈을 하지 않는 한 citrate 중독증은 좀처럼 나타나지 않는다. 또한 저칼슘혈증은 체내 저장소에서 빠른 속도로 방출됨으로 인하여 citrate 중독증은 쉽게 발생되지 않는다. 따라서 대량 수혈시 관례적인 칼슘제제의 투여는 불필요하다. 그러나 간질환, 신질환, 쇼크 환자 등에서는 citrate 중독증이 쉽게 발생될 수 있으므로 주의하여야 한다.

Citrate는 마그네슘과도 결합하여 저마그네슘혈증에 의한 빈맥성 부정맥 (tachyarrhythmia), torsades de pointes 등과 같은 증상이 나타날 수도 있다.

4. 산-염기 장애(Acid-base abnormalities)

수혈시 대사성 산증 혹은 대사성 알칼리증이 나타날 수 있는데 대사성 알칼리증이 보다 흔히 발생된다(표 11-12).

Adsol 보존액으로 35일간 저장된 혈액은 적혈구 대사로 인하여 lactic acid 및 pyruvic acid의 증가로 인하여 pH가 6.5로 감소된다. 저장혈의 이산화탄소 분압은 150~200 mmHg 정도로 증가되며 혈액 저장 플라스틱 용기는 이산화탄소에 대한 투과성이 없어 보관된 혈액내에 이산화탄소가 증가된다. 이러한 이유로 수혈 후 대사성 산증이 나타날 수 있다.

그러나 대사성 알칼리증이 산증보다 더욱 흔히 발생되는데 이는 citrate가 중탄산염으로 전환되기 때문이며 따라서 동맥혈 가스 분석을 자주 시행하여 산-염기 상태를 적절히 파악하여야 하며 관례적인 중탄산염의 투여는 금기이다.

5. 산소 운반 장애(Oxygen transport abnormality)

저장된 적혈구에서는 2,3-DPG가 감소한다. 이는 산소 해리 곡선을 좌측으로 이동시키며 이 결과로 산소에 대한 혈색소의 친화력이 증가하여 조직으로의 산소 유리가 감소되며 저체온 및 알칼리증은 이러한 현상을 가중시키게 된다. 그러나 사실상 2,3-DPG 감소에 의한 조직의 산소 공급 부족은 거의 발생되지 않는다.

가능하면 신선 혈액을 사용함으로 이러한 현상을 최소화할 수 있으며 적혈구의 2,3-DPG치는 수혈 후 24 시간 이내에 정상으로 돌아온다.

표 11-12 수혈 후 대사성 산증 및 알칼리증의 원인

산-염기 상태	원인
대사성 산증	1. 저장혈의 lactic acid 및 pyruvic acid의 증가 2. 혈액 제제 용기내의 이산화탄소 증가
대사성 알칼리증	1. citrate 대사에 의한 중산탄염의 생성 2. 중탄산염의 투여 3. Lactated Ringer 용액의 투여

6. 전해질 장애(Electrolyte abnormalities)

저장혈은 저장일수당 1 mEq/L 정도로 포타슘치를 증가시키는데 따라서 포타슘이 대개 26 mEq/L까지 증가되므로 이론적으로 빠른 수혈을 시행할 경우 고칼륨혈증과 같은 전해질 이상이 나타날 수 있다. 그러나 실제로 고칼륨혈증이 나타나는 경우는 극히 드물다. 그 이유는 첫째, 적혈구 제제일 경우 혈장량이 상당히 적으며 둘째, 적혈구 수혈 이후 Na^+-K^+ 펌프에 의하여 포타슘이 적혈구내로 다시 들어가며, 셋째, 대량 수혈시 포타슘의 희석 효과, 마지막으로 카테콜아민의 증가에 의하여 적혈구내로 이온의 이동이 발생되기 때문이다. 실제 임상에서는 고칼륨혈증보다는 저칼륨혈증을 더욱 흔히 볼 수 있다.

7. 응고 장애(Coagulopathy)

1) 희석성 혈소판 감소증(Dilutional thrombocytopenia)

대량 수혈시 비정상적 출혈이 발생되는 가장 많은 원인을 차지한다. 혈소

판은 4℃, CPD 용액에 6시간 저장된 경우 활동성이 50~70% 정도 감소하며 24~48 시간이 경과하면 활동성은 5~10% 정도로 감소된다. 따라서 대량 수혈은 혈소판 활동성이 감소됨으로 인하여 비정상적 출혈이 발생될 수 있다.

2) 응고 인자 Ⅴ, Ⅷ의 결핍(Deficiency of clotting factor Ⅴ, Ⅷ)

21일간 저장 된 혈액에서 응고 인자 Ⅴ와 Ⅷ은 각각 정상치의 15%와 50% 정도 감소한다. 그러나 지혈에 필요한 응고 인자 Ⅴ, Ⅷ의 양은 정상치의 20% 및 30% 정도만이 필요하므로 실제 응고 인자 Ⅴ, Ⅷ의 부족에 의한 응고 장애는 잘 발생되지 않는다.

3) 파종성 혈관내 응고병증
(Disseminated intravascular coagulopathy, DIC)

DIC 발생시 전형적으로 섬유소원의 감소, 혈소판 감소, 출혈시간(bleeding time)의 연장, 섬유소 분리산물(fibrin degradation product)의 증가가 나타난다.

진단은 PT 15초 이상, 섬유소원 160 mg/dL 이상, 혈소판수 150,000/mm³ 이상인 경우 진단이 되며 이중 두 가지 이상을 가지면서 thrombin 시간이 증가되거나 섬유소 분리산물이 증가될 경우 확진 가능하다.

DIC의 치료 우선 원인 질환을 제거하고 결핍된 혈소판과 응고 인자를 보충하여 준다. 이를 위하여 혈소판 농축 제제를 6~8 unit 수혈하고 동결침전제제(cryoprecipitate) 10 unit를 수혈한다. DIC 발생시 응고 인자 Ⅱ, Ⅴ도 감소될 수 있으므로 이 경우 2 unit의 신선냉동혈장을 투여할 수 있다. 이후의 치료는 실험실 결과를 참조하면서 섬유소원이 100 unit/dL 이상이 되고 혈소판치가

50,000/mm^3 이상으로 유지되도록 치료한다. DIC 발생 가능성이 있는 상황은 다음과 같은 경우들이 있다(**Point**).

> **Point** DIC 발생 위험 인자
>
> 감염(그람 음성균)
> 임신(임신 중독증, 유산, 양수 색전증)
> 악성 종양(백혈병, mucin 생성 종양)
> 쇼크, 성인성 호흡 곤란 증후군(ARDS), 외상, 화상
> 수술(심장, 혈관, 신경외과, 전립선)
> 면역질환, 간질환
> 부적합 수혈

8. 미세 응괴물의 주입(Infusion of microaggregates)

혈액의 보존 기간이 경과할수록 응고가 발생되어 200 μm 이상으로 큰 응괴가 형성될 수 있다. 대부분 수혈 세트의 여과기에서 걸러지지만 작은 응괴물은 여과기를 통과하여 순환계로 들어갈 수 있다. 이 결과 동정맥 션트 및 산소화 장애와 같은 합병증이 발생될 수 있다.

이를 예방하기 위하여 40 μm정도의 미세 여과기를 사용하면 도움이 되나 투여 속도가 감소되는 단점이 있다.

9. 응혈된 혈액(Hemolysed blood)

투여할 혈액을 부주의하게 가열하거나 냉동시킬 경우 발생된다. 이런 혈액을 수혈하면 부적합 수혈과 같은 증상이 발생된다.

10. 저체온(Hypothermia)

4℃로 저장된 혈액을 빠르게 수혈하면 저체온 현상이 흔히 발생된다. 체온이 30℃이하로 감소되면 심실 흥분성 및 심장 정지의 위험이 있을 수 있으며 혈소판의 기능 저하를 가져온다. 또한 저체온에 의한 떨림(shivering)은 심근 산소 소모량을 4배로 증가시킨다. 투여할 혈액의 온도를 체온과 유사하게 증가시켜 줌으로써 이러한 합병증을 예방할 수 있다.

수술 및 마취시의 수액관리

Chapter **12**

수술은 항상 출혈을 동반하므로 모든 마취에서 혈관 확보는 필수적이다. 수술의 종류와 시간에 따라 적절한 혈관 확보와 감시 장치를 거치며 술전 수분 부족량, 술중 유지량, 출혈량 및 3차 공간 소실 등을 고려하여 적절한 보충을 하여 주어야 한다.

술전 수액 부족량의 보충
(Fluid replacement for preoperative period)

1. 금식에 따른 수분 부족(Fluid deficit due to NPO)

최근 물을 포함한 맑은 음료의 수술 전 금식 시간은 2시간으로 권고되고 있지만 사실상 선택수술을 받는 상당수의 환자들은 고형식의 금식 시간인 8시간 동안 물도 섭취하지 않으므로 금식 기간동안 수분 및 전해질의 소실이 발생될 수 있다.

전통적으로 수술 전 금식시 수분의 부족량은 표 12-1과 같은 방법으로 측정하였다. 예를 들어 70 kg인 환자에서 10시간 동안 금식한 후의 수분 결핍 예상량을 구할 경우 (40 + 20 + 30)mL/h + 10h = 1100 mL가 된다. 하지만 실제로 수술 전에 수액 보충량이 1,000 mL 인 경우는 매우 드물고, 일반적인 상태에서 수면을 하며 10시간 정도 금식을 한 경우 수분 보충량은 250 mL 정도밖에 되지 않는다. 따라서 과거에는 금식에 의한 수분의 부족량에 대한 수액 주입이 중요하였다면 현재는 수술 전 2시간까지 충분한 수분을 섭취하는 것이 환자의 수술

표 12-1 기본적 수분 요구량

체중	금식 기간	비고
첫 10 kg	4 mL/kg/h	①
다음 10 kg	① + 2 mL/kg/h	②
이후 매 kg당	② + 1 mL/kg/h	

컨디션을 위해서 더 중요하게 여겨진다.

2. 술전 환자 상태에 따른 수분 부족
(Fluid deficit due to preoperative patient's condition)

금식에 의한 수분 부족 외에도 환자의 술전 상태에 따라 체액 소실이 나타나므로 술전 환자의 상태 및 질환이 수액 투여에 상당히 중요한 결정인자가 된다 (표 12-2).

술전 구토, 설사, 위장관 흡인(suction), 장누공(intestinal fistula)의 병력이 있는 경우에는 위장관으로 수분 소실이 많이 발생되었을 가능성을 염두에 두어야 하며 복막염, 장폐쇄의 경우에는 장 내부와 복강내에 단백질이 풍부한 체액이 소실될 가능성이 많음을 염두에 두어야 한다. 당뇨병 환자, 신부전 환자들은 신장으로의 수분과 염의 소실로 인하여 상당한 수분의 소실 가능성을 생각하여야 한다. 광범위 화상 환자들은 화상 부위를 통하여 다량의 수분 및 염, 그리고 단백질 소실이 되는 경우가 많으며 열이 발생되는 환자에서는 땀이나 호흡기를 통한 불감소실의 양이 증가된다. 만성 질환, 노인, 식욕부진, 정신 질환 환자들에서는 적절한 수분 섭취가 부족된 경우가 흔하다.

표 12-2 **질환에 의한 술전 수분 소실의 종류**

종류	상태
심한 불감 소실	발열질환, 심한 더위에의 노출
위장관으로의 소실	구토, 설사, 위장관 흡인, 장누공(intestinal fistula)
경구적 영양 부족	만성질환, 정신질환
고단백 체액 소실	복막염, 장폐쇄증
신장으로의 소실	당뇨병, 신부전
수분, 전해질, 단백 소실	화상
경구적 섭취 부족	만성질환, 정신질환, 노인

표 12-3 **결핍인자에 따른 수액의 선택**

결핍 인자	수액의 종류
세포외액	Lactated Ringer 용액
소화액	생리식염수
칼로리	포도당액, 아미노산제제, 지질제제
수분보충	포도당액, 1 : 2 혹은 1 : 3 포도당식염수액
혈장	알부민, 플라스마네이트, 덱스트란, HES

술전 질환에 의한 수분 부족을 보충하기 위해서는 각 질환에 의한 수분 소실이 어떤 것인가를 파악한 후 무엇을 보충할 것인가를 판단하여 이에 적절한 수액의 종류를 선택한 후 투여한다(표 12-3).

술중 수액의 보충
(Fluid replacement during intraoperative period)

술중 투여하여야 하는 수액은 정맥확보 후 최초로 투여하는 출발수액(starting solution)과 일일 필요량을 유지하는 유지수액(maintenance solution) 및 수술중 소실되는 손실량을 보충하는 보충수액(replacement solution)으로 구분할 수 있다. 출발수액의 선택은 환자의 상태 및 질환, 금식 기간, 수술 기간 등에 의하여 결정되며 흔히 5% 포도당이 함유된 정질용액을 사용하는 것이 일반적이며 5% D/⅓S 혹은 ¼S 등의 용액을 선택할 수 있다. 포도당이 함유된 용액을 출발수액으로 사용하는 것은 금식에 의한 glucose의 보충을 위한 것이나 당뇨병이 있는 환자에서는 이 용액의 사용을 조심하여야 하며 반드시 혈당량을 확인한 후 투여하여야 한다. 유지수액량은 금식 기간 및 수술 기간 동안 기본적으로 필요한 수액량을 의미한다. 수술이 장시간 지속되면 전해질의 불균형이 발생될 수 있으므로 전해질이 함유된 수액을 유지수액으로 사용하며 5% D/¼S(0.33S/D) 혹은 균형전해질 용액인 lactated Ringer 용액 혹은 하트만씨 용액 등이 사용되며 최근에는 Normosol(Plasma-Lyte) 등을 사용하기도 한다. 보충수액량은 술중 수분의 체액간 재분포와 증발(evaporation) 및 출혈 등으로 인하여 발생한 결손 혈장량을 보충시켜 주어야 하는 수액량을 의미한다. 보충수액의 대표적인 것은 혈장의 성분과 유사한 균형 전해질 용액인 lactated Ringer 용액, 전혈 등이다.

1. 술중 수분 유지량
(Requirement of maintenance fluid during operation)

술중 필요한 수분 유지량은 출발수액량과 유지수액량을 포함한 것으로 표 12-1과 같이 계산한 후 수술이 끝날 때까지 투여한다. 즉, 60 kg 환자의 경우 매시간당 100 mL 정도(40+20+40)의 수액이 유지량으로 정주 되며 여기에 수술 동안 발생되는 체액간 이동 수분량(3차 공간 소실)과 증발량을 추가하여 투여하여야 한다.

2. 술중 수분 보충량
(Requirement of replacement fluid during operation)

수술중 수분의 체액간 재분포와 증발(evaporation) 및 출혈 등으로 인한 수분의 보충은 균형전해질 용액을 선택하여 소실된 순환량을 보충시키며 가장 흔히 사용하는 수액으로는 lactated Ringer 용액과 같은 균형전해질 용액을 일차적으로 사용하며 그 정도가 심할 경우에는 교질 용액의 정주 및 수혈을 실시하는 것이 일반적이다. 보충수액으로 포도당이 함유된 수액을 빠르게 정주하면 혈당치의 급격한 상승으로 인한 부작용이 초래될 수 있으므로 주의하여야 한다.

술중 수액의 보충은 위에서 설명한 술중 기본 유지량과 외과적 조작에 의하여 발생되는 수분 소실량을 함께 보충해 주어야 한다. 외과적 조작에 의한 수분 소실은 수분 재분포에 의한 세포외액량의 감소 즉, 3차 공간 소실(third space loss)과 수술 부위의 외부 노출에 따른 수분의 증발에 의하여 발생된다. 3차 공간 소실은 장으로의 수분 재분포(intestinal fluid redistribution), 복강내로의 소실 등에 의하며 많은 양의 수분 소실과 혈관내 용적의 감소를 야기할 수 있다. 외상, 복막염, 장절제술 등과 같은 경우 혈관내액이 조직간으로 이동되거나 복강내 혹은 장관내로 이동될 수 있다.

또한 수술 부위의 노출에 따른 수분 증발량은 수술 부위의 노출정도 및 수술시간의 정도에 비례하게 된다. 즉, 수분의 소실 정도는 수술 종류에 따라 차이가 발생되는데 탈장 및 치핵제거술 등과 같은 소수술, 담낭절제술 및 충수절제술 등과 같은 중수술, 장절제술과 같은 대수술의 3 단계로 분류하며 이때 보충하여야 하는 수액의 양은 표 12-4와 같다.

3. 실혈량의 보충(Replacement for blood loss)

불행히도 수술 동안의 출혈시 출혈량을 정확히 측정하는 방법은 아직 없다. 따라서 출혈량의 측정은 다양한 감시 장치와 수혈을 담당하는 의사의 오랜 경험에 따른다.

술중 출혈량은 수술 부위에서의 혈액, 수술포에 묻어 나온 혈액, 거즈에 묻어 나온 혈액, 흡인관(suction canister)을 추정함으로써 구하여진다. 일반적으로 4×4 거즈에 혈액이 어느 정도 젖어있는 경우 약 10 mL 정도의 출혈을 예상하며 축축하게 많이 젖은 경우 20~30 mL 정도의 출혈로 예상할 수 있다. 개복술 시 사용하는 랩 거즈는 한 개당 약 100~150 mL 정도의 출혈을 예상할 수 있다. 보다 정확한 방법으로는 술전 거즈의 무게를 측정한 후 혈액이 묻은 후의 무게를 측정하면 가능하나 이 방법은 술중 세척액(irrigation fluid) 등을 사용한 경우 정확한 측정을 할 수 없게 된다. 이러한 출혈의 판단은 경험이 부족한 의사나 빠른 속도로 출혈을 하는 수술에서는 정확한 판단을 하기 어려우므로 환자 감시 장치를 통한 지속적인 환자 상태 파악을 하는 것이 무엇보다 중요하다.

출혈의 치료를 위해서는 심한 빈혈이 없는 경우 혈관내 용적을 보충하기 위하여 우선 정질용액과 교질용액을 투여할 수 있으며 출혈이 지속되는 경우 헤모글로빈 농도를 유지하기 위하여 적혈구 수혈을 고려하여야 한다. 대부분 건강한 환자에서는 헤모글로빈치를 7~10 gm/㎗ 정도까지 허용하며 노인, 심혈관계가 불량한 환자들에서는 10 gm/㎗ 까지 허용한다. 그러나 빠른 출혈이 지

표 12-4 수술 정도에 따른 외과적 수분 소실량

수술의 분류	보충할 외과적 수분 소실량
소수술	0~2 mL/kg/hour
중수술	2~4 mL/kg/hour
대수술	4~8 mL/kg/hour

속되는 수술에서는 보다 높은 헤모글로빈치를 유지시켜주어야 한다.

정질용액 투여시는 수혈이 시행되기 전까지는 출혈량의 3배정도 양으로 투여하며 교질용액은 1 : 1의 비율로 투여한다. 더 이상 출혈이 지속되면 출혈량만큼 수술이 끝날 때까지 계속 수혈해 준다. 수혈 시점의 결정은 수술 및 마취 전에 미리 체내 혈액량을 이용하여 허용 실혈량을 구하여 놓으면 편리하다. 대개 혈액량의 10~20% 이상 출혈시 혹은 헤마토크리트 30% 이하를 수혈의 기준으로 하나 반드시 이 규정에 의하지는 않는다.

수혈시 한가지 지침은 적혈구 1 unit는 성인에서 헤모글로빈을 1 gm/dℓ 증가시키며 헤마토크리트는 2~3% 정도 증가시킨다. 또한 적혈구의 10 mL/kg 투여는 헤모글로빈 농도를 3gm/dℓ 증가시킨다.

출혈량에 대한 수액 및 혈액의 보충은 이미 기술한 바 있으므로 이에 관한 자세한 내용은 생략하기로 한다(4장, 11장 참조).

술중 소아의 수액 관리
(Intraoperative fluid management in children)

소아에서의 수액 요구량은 연령 및 출생시의 체중, 재태 기간 등에 의하여 달라진다. 이러한 차이는 칼로리 소모 및 성장 속도, 체중에 대한 체표면적 비율, 그리고 나이에 따른 전체액량(total body fluid volume)의 차이에 의하여 달라지게 된다. 예로 신생아의 경우는 소아나 성인에 비하여 대사율(metabolic rate)의 증가, 체중에 대한 체표면적 증가(약 3배)에 의한 불감소실의 증가, 세뇨관에서의 농축 능력 감소에 의한 소변으로의 용질 배설 증가로 인한 수분 소실이 증가되어 전체 수액 요구량이 더욱 증가하게 된다. 미성숙아는 성숙아에 비하여 체표면적으로의 수분 소실량이 증가하며 그 결과 수분 요구량이 더욱 증가하게 되며 동시에 체온이 쉽게 감소될 수 있는 원인이 된다.

1. 소아의 술전 금식 기간

신생아 및 소아에서 장시간의 금식은 쉽게 탈수 상태에 빠질 수 있으므로 적절한 금식 기간이 요구된다. 건강한 신생아, 유아, 및 소아에서는 성인에서 요구되는 금식 시간과 크게 다르지 않으며 모유의 경우는 4시간의 금식 시간을 요한다(표 12-5). 따라서 성인에서는 수술 일정에 따라 권장되는 금식 시간 이상으로 수분 및 음식 섭취가 제한되는 경우가 발생하지만 소아에서는 엄격하게 금식 기간을 지키는 것이 필요하다.

표 12-5 소아의 금식 시간

종류	시간
맑은 음료	2시간
모유	4시간
이유식, 분유	6시간
고형식(식사)	8시간

2. 수술전 수분 결손의 보충 및 수술 중의 보충

수술전 수분 결손은 (금식 시간×시간당 수액 유지량)으로 계산하여 이 양의 1/2을 첫 한 시간에 보충하고 나머지 1/2은 그 다음 1~2시간에 걸쳐 보충하여 준다. 참고적으로 수액 유지량은 표 12-1과 같다.

이후 수술 동안의 수액 보충은 성인에서와 같이 술중 수액 유지량과 체액의 이동, 출혈 정도를 고려하여 동일하게 투여하면 무방하다.

3. 수액 제제의 선택

대부분 소아 수술의 경우 하트만씨 용액의 정주만으로 충분히 수액을 보충할 수 있다. 소아의 대사율 증가에 따른 열량의 보충은 하트만씨 용액 100 mL당 5gm 정도의 포도당 혼합으로 충분하며 1 : 2 S/D 용액이 사용될 수 있다. 장시간의 대수술시 포도당의 적극적인 보충이 필요한 경우 5% D/0.25 NS이나 5% D/LR 용액을 사용하기도 한다. 단 포도당의 보충이 많이 필요한 경우 고장성 상태(hyperosmolar state)에 의한 뇌출혈의 위험성이 있으므로 혈액 검사를 통한 혈당의 확인이 필요하다.

4. 전해질 요법

신생아 및 소아는 성인에 비하여 전해질 조절 능력이 감소되어 있으므로 술 중 적절한 전해질의 보충이 필요하다. 대개 수액 100 mL 당 Na^+ 2.5 mEq, K^+ 2.5 mEq, Cl^- 5.0 mEq를 투여하면 된다.

척추 및 경막외 마취시의 수액 투여
(Fluid administration during spinal or epidural block)

척추 및 경막외 마취는 교감신경차단이라는 특징적인 생리적 변화를 나타낸다. 교감신경계는 1번 흉추와 5번 요추 사이에서 나와 동맥 및 정맥의 평활근에 작용하여 혈관을 이완시키게 되므로 이 부위에서의 마취는 심각한 혈역학적 변화를 동반하게 된다. 특히 정맥 혈관 확장으로 인한 심장으로의 정맥혈 환류가 감소되어 척추 및 경막외 마취시 심한 저혈압이 발생될 수 있다. 8번 흉추 이하에서의 교감신경 차단은 이 부위 이상에서의 혈관 수축으로 인하여 충분한 보상기전이 작동되나 이 부위 이상으로 마취를 시행하면 저혈압이 발생될 수 있으며 특히 수분 결핍이 있는 환자에서는 그 정도가 심각하게 된다.

척추 및 경막외마취시 발생될 수 있는 저혈압을 예방하기 위하여 마취 전에 10~20 mL/kg 정도의 정질용액을 투여하여 혈장량을 증가시켜 준다. 이 정도 수액의 투여는 마취에 의한 용량 혈관(capacitance vessel)에서의 혈액 저류에 대한 보상으로 저혈압 발생을 예방할 수 있다.

수술 및 마취중의 수액 요법의 요약
(Summary of fluid therapy during the perioperative period)

1. 수술이 예정된 환자는 미리 수술 시간과 수술 종류에 따라 적절한 혈관 확보와 감시 장치를 거치 한다.

2. 마취전 환자의 수액 상태를 파악한 후 미리 교정하여준다. 이때 금식 기간 동안의 수분 소실 및 환자 상태에 따른 수분 부족량을 고려하여 적절한 수액의 종류와 양을 선택한다.

3. 많은 출혈이 예상되는 수술일 경우 허용 실혈량을 미리 계산한다.

4. 수술중 시간 당 유지 용량과 외과적 조작에 의한 수분 소실량을 계산한 후 정질용액 혹은 교질용액을 이용하여 교정하여 준다. 이때 정질용액 : 교질용액을 3 : 1의 비율로 정주하면 이상적이다.

5. 허용실혈량 이상의 출혈이 발생되면 즉시 수술이 끝날 때까지 출혈량과 동일하게 수혈을 시행한다.

6. 수술전 및 수술 동안 지속적으로 감시장치를 이용하여 환자의 수분 상태를 파악하면서 교정하여 준다.

산-염기
장애

Chapter **13**

인체의 모든 생화학적 반응은 수소 이온 농도의 변화에 따라 달라지게 되며 수액 요법을 시행하는 환자의 생리적 반응은 pH가 7.4일때 경우 가장 이상적이다. 따라서 산-염기 반응의 교정이 필수적으로 따라야 하므로 이 장에서는 임상에서 동맥혈 가스 분석을 이용한 산-염기 반응 결과의 분석과 치료에 관한 기본적인 사항에 관하여 언급하고자 한다.

산-염기 화학 반응
(Chemical reaction of acid-base)

1. 수소 이온 농도와 산도(Hydrogen ion concentration & pH)

수용액내에서 수분은 가역적으로 H^+(수소 이온)와 OH^-(수산화 이온)의 형태로 해리된다. 이때 수소 이온과 수산화 이온의 농도의 곱은 항상 일정하며 이를 해리 상수라 한다.

$$해리 상수 = [수소 이온 농도] [수산화 이온 농도] = 10^{-14}$$

흔히 수소 이온의 농도는 이해하기 쉽도록 pH로 표시되며 pH는 수소 이온 농도를 로그(log)의 역수로 표현한 값으로 정의할 수 있다. 즉, 정상 상태에서 동맥내 수소 이온 농도는 40×10^{-9} nmol/L이므로 pH는 $-\log(40 \times 10^{-9})$가 되어 7.40이 된다.

표 13-1 산-염기 질환시의 $PaCO_2$와 HCO_3^-의 변화

상태	일차적 변화	보상 기전
호흡성 산증	$PaCO_2$ ↑	HCO_3^- ↑
호흡성 알칼리증	$PaCO_2$ ↓	HCO_3^- ↓
대사성 산증	HCO_3^- ↓	$PaCO_2$ ↓
대사성 알칼리증	HCO_3^- ↑	$PaCO_2$ ↑

2. 산과 염기(Acid & base)

산은 수소 이온을 제공하는 물질, 염기는 수소 이온을 수용할 수 있는 물질로 정의된다. 따라서 어떠한 물질이 강산(strong acid)이라는 말은 수소 이온 제공 능력이 강하여 용액내 수소 이온 농도를 많이 증가시키는 물질을 지칭하며 반대로 강염기(strong base)라는 말은 수소 이온 수용 능력이 강하여 용액내 수소 이온 농도를 감소시키는 물질을 말한다.

다행히도 대부분의 생체내 물질은 약산(weak acid)이거나 약염기(weak base)로 이루어져 있어 급격한 수소 이온 농도의 변화 즉, 산-염기 장애가 발생되지 않도록 되어 있다. 그러나 어떠한 질환이나 상태로 인하여 pH의 심한 변화가 발생될 경우에는 여러 가지 생리적 반응들로 인한 치명적인 결과를 가져올 수 있으므로 pH의 정상화는 필수적인 요건이 된다.

산-염기 장애의 종류
(Acid-base abnormalities)

1. 호흡성 및 대사성 산-염기 장애
(Respiratory & metabolic acid-base disturbance)

산-염기 장애의 일차적인 원인이 [HCO_3^-]에 의한 것일 경우에 대사성(metabolic)이라는 용어를 사용하며 $PaCO_2$(동맥혈 이산화탄소 분압)에 의한 것일 경우에는 호흡성(respiratory)이라는 용어를 사용한다. 산-염기 장애 발생시 시간이 경과함에 따라 이차적으로 pH를 정상화시키려는 보상 기전이 작동되며 표 13-1은 호흡성 및 대사성 산-염기 장애시 HCO_3^-와 $PaCO_2$의 변화 및 보상성 기전의 변화를 보여주고 있다.

2. 산증과 산혈증 및 알칼리증과 알칼리혈증
(Acidosis vs acidemia & Alkalosis vs alkalemia)

흔히 산증과 산혈증이라는 말이 혼용하여 사용되지만 사실상 이들 의미에는 차이가 있다. 산증(acidosis)이란 동맥혈 pH를 감소시키는 병리적인 질환 상태를 의미하며 산혈증(acidemia)이란 동맥혈 pH의 산성화 및 보상 기전에 의해 나타나는 전체적인 효과를 의미한다. 마찬가지로 알칼리증과 알칼리혈증 역시 위와 같은 의미를 적용할 수 있다.

동맥혈의 정상 pH 범위는 7.36~7.44이므로 pH가 7.35 이하인 경우를 산혈증, pH가 7.45 이상인 경우를 알칼리혈증이라 한다. 때에 따라서는 7.30~7.50 까지를 정상 범위로 간주하는 경우도 있다.

산-염기 불균형의 보상 기전
(Compensatory mechanisms of acid-base imbalance)

생체내 pH의 변화 발생시 다음과 같은 세 가지 단계에 의한 보상 기전이 작동되어 pH를 정상화시키게 된다. 첫째, 화학적 완충작용(chemical buffering), 둘째, 호흡성 보상 기전, 셋째, 신장에서의 보상 기전에 의하며 화학적 완충작용은 가장 빨리 작동하는 보상 기전이며 신장에서의 보상 기전은 속도는 느리지만 가장 효과적인 보상 기전이 된다. 신장에서의 보상 기전은 상당히 중요한 의미를 가지는데 환자의 병적 상태가 남아 있더라도 이 기전으로 인하여 동맥혈 pH가 정상화될 수 있기 때문이다.

1. 화학적 완충작용(Chemical buffering)

pH를 정상화시키는 물질을 완충제 혹은 완충물질이라 하며 생리적으로 중요한 완충물질로는 중탄산염, 헤모글로빈, 세포내 단백질, 인산, 암모니아 등이 있다. 이중 중탄산염은 세포외액의 완충기전에 가장 중요한 역할을 한다. 단백질은 세포내에서, 인산과 암모니아는 소변의 완충물질로 작용한다.

2. 호흡성 보상 기전(Respiratory compensation)

PaCO$_2$의 변화에 의하여 뇌간에서의 화학 수용체 자극에 의하여 폐포 환기 (alveolar ventilation)가 변한다. 이 수용체는 척수액의 pH 변화에 따라 자극되며 심한 대사성 변화에 따른 보상 기전에 중요한 역할을 한다.

대사성 산증 즉, 동맥혈 pH의 감소시 호흡 중추가 자극되어 폐포 환기가 증가된다. 이로 인하여 PaCO$_2$가 감소되어 pH를 정상화시키게 된다. PaCO$_2$는 40 mmHg 이하에서 [HCO$_3$⁻]가 1 mmol/L 감소함에 따라 1~1.5 mmHg씩 감소한다. 반대로 대사성 알칼리증 즉, 동맥혈 pH의 증가는 호흡 중추를 억제하여 저환기(hypoventilation)를 야기하며 PaCO$_2$를 증가시켜 pH를 정상화시킨다. 그러나 대사성 알칼리증시 보상 기전인 저환기는 PaCO$_2$를 55 mmHg 이상으로 증가시키지는 않으며 PaCO$_2$는 [HCO$_3$⁻]가 1 mmol/L씩 증가함에 따라 0.25~1 mmHg씩 증가한다.

3. 신성 보상 기전(Renal compensation)

신장은 세뇨관에서 HCO$_3$⁻를 재흡수 시킴으로 인하여 산-염기 반응을 조절하는데 이로 인한 반응은 12~24시간이 지나야 효과가 나타난다. 산증의 발생시 HCO$_3$⁻를 재흡수시키고 산의 배출을 증가시키며 암모니아 생성을 증가시킨다. 알칼리증의 발생시에는 신장에서의 HCO$_3$⁻ 배출이 증가된다.

동맥혈 가스 분석의 판정
(Interpretation of arterial blood gas analysis)

동맥혈 가스 분석은 호흡성과 대사성 변화로 크게 구분되며 각각 pH의 변화에 따라 산증과 알칼리증으로 구분된다. 또한 호흡성 및 대사성 산-염기 변화 시 pH의 보상 기전이 수반되었는지의 유무에 따라서도 구분된다. 그림 13-1은 산-염기 상태 판정을 위한 pH와 $PaCO_2$의 상관관계를 보여주고 있다.

1. 동맥혈 이산화탄소 분압의 확인(PaCO₂ check)

동맥혈 가스 분석 결과 판정시 우선 $PaCO_2$ 상태를 확인한다. 30~50 mmHg 이내의 범위를 정상으로 간주하며 30 mmHg 이하를 호흡성 알칼리증, 50 mmHg 이상을 호흡성 산증이라 한다. 이때 $PaCO_2$의 변화가 있으면서 pH의

그림 13-1 산-염기 장애 판정을 위한 pH와 $PaCO_2$의 상관관계

변화가 함께 발생되어 있는 경우를 급성 호흡성 산증 혹은 알칼리증이라 하며
pH가 정상치일 경우에는 만성 호흡성 산증 혹은 알칼리증이라 한다. 만성이라
는 것은 $PaCO_2$ 변화가 24시간 이상 지속됨으로 인하여 HCO_3^-가 보상적으로
변화되어 pH가 정상화되어 있는 상태를 의미한다. 따라서 $PaCO_2$의 변화가 있
으면서 pH의 변화가 함께 있는 경우에는 급성 호흡성 산증 혹은 알칼리증이므
로 이 경우에는 환기 상태만 교정시켜 주면 치료가 될 수 있다. 그러나 $PaCO_2$
의 변화와 pH의 변화가 일치하지 않을 경우 대사성 산증 혹은 알칼리증을 의
심하여야 한다. 참고적으로 pH와 $PaCO_2$변화는 일반적으로 표 13-2와 같은 변
화를 나타낸다.

2. 대사성 산증 혹은 알칼리증의 판정
(Check of metabolic acidosis or alkalosis)

일단 $PaCO_2$의 변화를 파악한 후 대사성 상태를 파악한다. 이미 설명한 바와
같이 $PaCO_2$ 변화에 pH의 변화가 동시에 수반되지 않을 경우 대사성 산증 혹
은 알칼리증을 의심한다. 이는 HCO_3^-의 증감 즉, 신장에 의한 보상 기전이 작
동되고 있음을 의미한다.

이상의 판단 방법을 요약하면 우선 동맥혈 가스 분석시 pH를 확인한다. pH
의 변화에 따라 산증과 알칼리증을 우선 진단할 수 있다. 다음으로 $PaCO_2$를 확
인한다. $PaCO_2$가 30 mmHg 이하이면서 pH가 증가된 경우에는 폐포 환기 과
다에 의한 급성 호흡성 알칼리증을 진단할 수 있으며 pH가 7.4~7.5 범위 이내
의 정상이면 만성 호흡성 알칼리증으로 진단한다. 그러나 $PaCO_2$가 30 mmHg
이하이면서 pH가 감소되어 있으면 대사성 산증을 의미한다. $PaCO_2$가 50

표 13-2 PaCO$_2$와 pH의 변화 관계

PaCO$_2$(mmHg)	pH	비고
80	7.20	
70	7.25	호흡성 산증
60	7.30	
50	7.35	
40	7.40	정 상
35	7.45	
30	7.50	
25	7.55	호흡성 알칼리증
20	7.60	

mmHg 이상이면서 pH가 감소되어 있으면 호흡성 산증을 의미하며 pH가 증가되어 있으면 대사성 알칼리증을 의심할 수 있다.

3. 산-염기 상태 판정의 요약(Summary of acid-base state)

동맥혈 가스 분석을 실시한 후 다음과 같은 단계에 의하여 산-염기 상태를 진단한다.

① 동맥혈 pH를 본 후 산증 혹은 알칼리증의 유무를 파악한다. ② PaCO$_2$를 확인하여 pH 변화가 동반된 호흡성 변화인가를 파악한다. ③ PaCO$_2$ 변화와 pH의 변화가 일치하지 않을 경우 [HCO$_3^-$]에 의한 대사성 변화인지 파악한다. ④ 그림 13-2에 의하여 산-염기 상태를 진단한다. ⑤ [HCO$_3^-$]의 변화와 PaCO$_2$ 변화를 비교하여 대상성 기전이 작동되었는지를 확인한다. PaCO$_2$와 [HCO$_3^-$] 의 증감은 항상 같은 방향으로 변한다. 그러나 같은 방향으로의 변화가 발생되

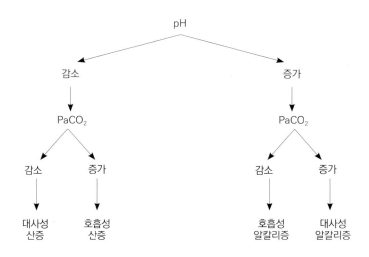

그림 13-2 산증 및 알칼리증의 진단 도해

지 않은 경우에는 산-염기 질환이 복합된 상태임을 의미한다. ⑥ 대사성 산증일 경우 음이온 결손(anion gap) 정도를 조사한다. ⑦ 대사성 알칼리증일 경우 소변 염소 농도를 측정한다. 참고적으로 동맥 천자가 적절히 되지 않은 경우에는 정맥혈 이산화탄소 분압을 이용하여 간접적으로 동맥혈 이산화탄소 분압을 예상할 수 있다. 정맥혈의 이산화탄소 분압은 동맥혈 이산화탄소 분압에 비하여 약 4~6 mmHg 정도 높기 때문이다. 또한 정맥혈 pH는 동맥혈 pH에 비하여 0.05 정도 낮은 수치를 나타낸다.

대사성 산증
(Metabolic acidosis)

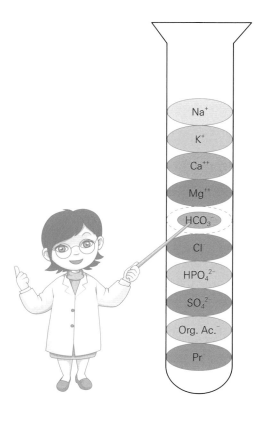

임상소견

병력
- 음식물 섭취 부족
- 당뇨병성 산증
- 등장성 식염수의 정주
- 신장 질환
- 아스피린 중독 후기
- 전신 감염

징후 및 증상
- 깊고 빠른 호흡(Kussmaul)
- 운동시 호흡 곤란
- 쇠약
- 혼수

검사실 소견
- 혈장 중탄산치
  ; 성인에서 25 mEq/L 이하
  ; 소아에서 20 mEq/L 이하
- 혈장 pH 7.35 이하
- 소변 pH 6.0 이하

동의어 원발성 알칼리 결핍(primary alkali deficit)
비보상성 알칼리 결핍(uncompensated alkali deficit)
비호흡산증(nonrespiratory acidosis)

표 13-3 대사성 산증의 원인

---

1. 음이온 결손이 증가된 경우
    내인성 ; 유산증, 케톤산증(당뇨병, 기아-starvation), 위장관에서의 유기산 생성,
        무기산의 생성, 신부전
    외인성 ; Methyl alcohol, Ethyl alcohol, Salicylate, Paraldehyde
2. [HCO_3^-] 소실-정상 음이온 결손
    위장관 ; 설사, 장폐색, 장누공
    신장 ; 근위세뇨관성 산증, carbonic anhydrase 길항제
3. 신장의 HCO_3^- 생성 부전
    NH_4와 HCO_3^- 생성 감소; 신부전, 과칼륨혈증

---

1. 대사성 산증의 원인(Causes of metabolic acidosis)

일차적으로 [HCO_3^-]가 감소된 산증을 대사성 산증이라 한다. 대사성 산증은 HCO_3^-의 소모가 증가하거나 신장이나 위장관으로 중탄산염의 배설이 증가하는 경우 그리고 중탄산염이 없는 수액에 의한 세포외액의 희석에 의하여 발생된다(표 13-3).

대사성 산증은 음이온 결손(anion gap)과 밀접한 관계가 있다(2장 참조). 예를 들어 유산이 H^+와 lactate 음이온으로 해리되면 H^+는 HCO_3^-에 의하여 완충되나 lactate는 혈장에 남아 lactate의 양자(proton)가 HCO_3^-와 반응하여 HCO_3^-를 감소시키며 음이온 결손이 증가하게 된다. 따라서 음이온 결손의 증가는 HCO_3^-의 감소를 의미하며 일반적으로 음이온 결손 1 mEq/L의 증가는 HCO_3^- 1 mEq/L 감소에 해당된다.

2. 대사성 산증의 징후 및 증상
(Signs & symptoms of metabolic acidosis)

일반적으로 pH 7.20 이하의 심한 산증 발생시 심근 및 평활근의 억제로 인하여 심근 수축력 및 말초혈관 저항이 감소되어 심한 저혈압이 발생될 수 있으며 조직의 저산소증을 야기한다. 특히 중요한 점은 심한 산증에 의한 저혈압 발생시 외인성 카테콜아민을 투여하여도 약물에 잘 반응하지 않으며 심실 세동(ventricular fibrillation)의 발생 가능성이 증가한다는 점이다. 또한 고칼륨혈증(hyperkalemia)이 동반될 경우 치명적일 수 있으며 pH 0.1 감소함에 따라 포타슘치는 0.6 mEq/L 정도 증가함을 주의하여야 한다.

3. 대사성 산증의 치료(Treatment of metabolic acidosis)

일단 원인 질환을 제거하고 필요할 경우 $PaCO_2$를 30 mmHg 정도가 되도록 과환기시키면 pH를 정상화시킬 수 있다.

동맥혈 pH가 7.20 이하로 계속될 경우에는 $NaHCO_3$를 이용한 알칼리 치료를 실시한다. $NaHCO_3$는 8.4% 용액으로 제품화되어 있으며 투여하는 양은 응급상황에서는 1 mEq/kg 정도로 투여하며 시간적인 여유가 있을 경우에는 염기 결손의 정도를 확인한 후 투여량을 결정한다. 염기 결손이란 동맥혈 pH를 7.40으로 정상화시키며 37℃의 포화산소 상태에서 $PaCO_2$를 40 mmHg로 만들기 위하여 필요한 산 및 염기의 양을 의미한다. 염기 결손이 양의 값(positive)을 나타내면 대사성 알칼리증을 의미하며 음의 값(nega-

표 13-4 pH와 염기 변화의 관계

pH 변화	염기 변화
0.10	7 mEq/L
0.15	10 mEq/L

tive)은 대사성 산증을 의미한다.

염기 결손을 이용한 NaHCO₃의 투여량 결정은 다음의 공식에 의한다.

$$필요한\ NaHCO_3 = \frac{체중(kg) \times 염기\ 결손(mEq/L)}{8}$$

이때 1/8을 곱하는 것은 체중의 1/4이 세포외액이며 처음 투여하는 NaHCO₃의 양은 계산량의 1/2을 투여하기 때문에 나타난 숫자이다. 이상의 공식에 의하여 계산된 양의 NaHCO₃를 투여한 후 동맥혈 가스 분석을 다시 하여 그 결과를 확인한 후 재투여량을 결정한다. 참고적으로 pH와 염기 결손 사이에는 다음과 같은 관계가 성립된다(표 13-4).

대사성 알칼리증
(Metabolic alkalosis)

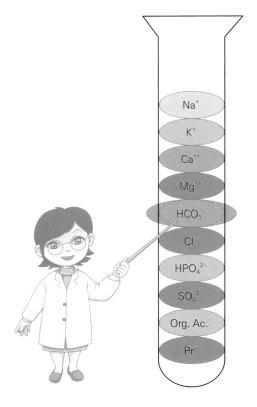

Na$^+$
K$^+$
Ca^{++}
Mg^{++}
HCO$_3$
Cl$^-$
HPO$_4^{2-}$
SO$_4^{2-}$
Org. Ac.$^-$
Pr$^-$

임상소견

병력
- 구토
- 중탄산염의 과량 섭취
- 위장관 흡인 세척
- 무칼륨성 수액의 정주
- 강력한 이뇨제
- 과다한 부신 피질 호르몬

징후 및 증상
- 호흡 억제
- 과민 반사
- 근육 과민 운동
- Tetany, 경련

검사실 소견
- 소변 pH 7.0 이상
- 혈장 pH 7.45 이상
- 혈장 중탄산치
  ; 성인에서 29 mEq/L 이상
  ; 소아에서 25 mEq/L 이상
- 혈장 칼륨 4 mEq/L 이하

동의어 원발성 알칼리 과다(primary alkali excess)
비보상성 알칼리 과다(uncompensated alkali excess)
비호흡알칼리증(nonrespiratory alkalosis)

표 13-5 대사성 알칼리증의 원인

염소 반응성	위장관액 소실(구토, 위장관흡인, 염소 설사) 이뇨제 투여(포타슘 소실) 고이산화탄소혈증 후 대변에서의 염소 소실(융모선종-villous adenoma, 선천성) 비재흡수성 나트륨의 음이온염(Na lactate, citrate)
염소 저항성	원발성 고알도스테론혈증 이차성 고알도스테론혈증(악성 고혈압, 신동맥협착증, 레닌 분비 종양) Glucocorticoid의 과량 투여
기타	대량 수혈 Acetate 포함 교질용액(플라스마네이트) 알칼리치료

1. 대사성 알칼리증의 원인(Causes of metabolic alkalosis)

대사성 알칼리증은 세포외액량의 결핍 혹은 NaCl 결핍에 의한 경우와 NaCl 투여에 반응하지 않는 두 가지 경우로 크게 분류된다. 전자의 경우를 염소 반응성, 후자의 경우를 염소 저항성으로 구분한다(표 13-5). 염소 반응성의 경우 소변 염소 농도가 20 mM 이하로 관찰된다.

2. 대사성 알칼리증의 징후 및 증상
(Signs & symptoms of metabolic alkalosis)

알칼리증은 헤모글로빈의 산소에 대한 친화력을 증가시켜 조직으로의 산소 방출을 감소시킨다. 세포내로의 포타슘 이동을 증가시켜 저칼륨혈증(hypokalemia)을 일으키며 칼슘의 단백질 결합을 증가시켜 혈중 이온화 칼슘 농도를 감소시킨다. 따라서 순환계 억제 증상과 신경근 과민 증상이 나타나게 된다.

3. 대사성 알칼리증의 치료(Treatment of metabolic alkalosis)

다른 산–염기 장애와 마찬가지로 기존 질환의 제거 및 전해질 장애의 교정이 가장 중요하다. 염소 반응성 대사성 알칼리증의 경우에는 NaCl과 KCl을 정주하며 위액 배출이 원인일 경우에는 cimetidine이나 ranitidine을 투여한다. pH가 7.60 이상으로 심한 경우에는 HCl, 염화암모니움, arginine hydrochloride, 투석 등을 고려한다.

호흡성 산증
(Respiratory acidosis)

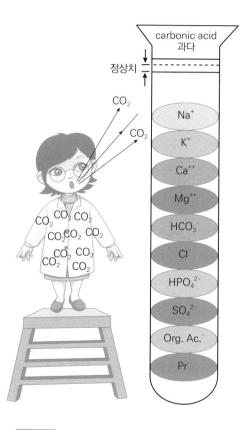

carbonic acid
과다

정상치

CO_2

CO_2

Na^+

K^+

Ca^{++}

Mg^{++}

HCO_3^-

Cl^-

HPO_4^{2-}

SO_4^{2-}

Org. Ac.$^-$

Pr$^-$

CO_2 CO_2 CO_2
CO_2 CO_2 CO_2
CO_2 CO_2
CO_2 CO_2

📋 임상소견

병력
- 기관지 천식
- 수면제 중독
- 탄산가스의 과량 흡입
- 기흉
- 몰핀 중독
- 기도 폐쇄
- 폐렴

징후 및 증상
- 호흡 곤란
- 피로
- 혼수
- 지남력 소실

검사실 소견
- $PaCO_2$치 50 mmHg 이상
- 혈장 중탄산치
  ; 성인에서 29 mEq/L 이상
  ; 소아에서 25 mEq/L 이상
- 혈장 pH 7.35 이하
- 소변 pH 6.0 이하

동의어 원발성 탄산가스 과다(primary carbon dioxide excess)
비보상성 탄산가스 과다(uncompensated carbon dioxide excess)
가스산증/비대사산증(gaseous acidosis/nonmetabolic acidosis)
저호흡/과탄산증(hypoventilation/hypercapnia or hypercarbia)

표 13-6 호흡성 산증의 원인

폐포 저환기
중추신경계 억제(약물, 뇌허혈, 두부손상)
신경근 질환(근무력증, 근이완제, 근위축증)
비정상 흉벽 구조(척추 후측만증, 유동성 흉벽)
늑막 이상(기흉, 늑막 삼출액)
기도 폐쇄(종양, 후두경련, 천식, 만성 폐쇄성 폐질환)
폐실질 손상(폐부종, 폐색전증, 폐렴)

CO_2 생성의 증가	
악성 고열증	발작
심한 화상	떨림(shivering)

1. 호흡성 산증의 원인(Causes of respiratory acidosis)

폐포 환기 저하에 의하여 나타나므로 호흡성 산증을 폐포 환기 저하 혹은 호흡 부전이라고도 부른다. 호흡성 산증의 원인은 크게 폐포 저환기(alveolar hypoventilation)에 의한 CO_2 축적과 CO_2 생성 자체가 증가한 경우로 크게 구분된다(표 13-6).

2. 호흡성 산증의 징후 및 증상
(Signs & symptoms of respiratory acidosis)

호흡성 산증 발생시 pH 감소 정도에 따라 대사성 산증과 유사한 임상 증상이 나타난다. 급성 호흡성 산증시에는 신장에서의 대상성 기전이 발현되지 않아 염기 결손이 정상인 반면에 만성 호흡성 산증은 대상 기전이 작동됨으로 인하여 pH가 정상이면서 염기 결손이 증가한다. 대개 급성일 경우 $PaCO_2$ 10 mmHg씩 증가함에 따라 혈장 HCO_3^-는 1 mmol/L 증가하며 만성일 경우에는

$PaCO_2$ 10 mmHg씩 증가함에 따라 혈장 HCO_3^-는 4 mmol/L씩 증가한다.

3. 호흡성 산증의 치료(Treatment of respiratory acidosis)

원인 질환의 교정이 가장 중요하며 원인 질환의 제거 후에도 $PaCO_2$가 계속 증가하면 기계적 환기를 시행하여 폐포 환기를 증가시켜 $PaCO_2$를 감소시켜 준다. 기계적 환기를 시행할 경우 다음의 공식에 의하여 환기량을 조절하여 준다.

$$\text{원하는 환기량} = \text{현재 환기량} \times \frac{\text{현재 } PaCO_2}{\text{원하는 } PaCO_2}$$

호흡성 알칼리증
(Respiratory alkalosis)

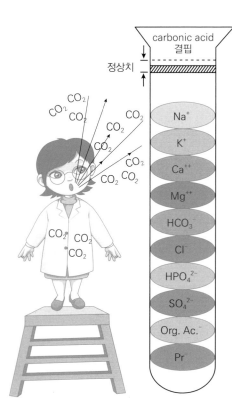

carbonic acid 결핍

정상치

Na⁺
K⁺
Ca⁺⁺
Mg⁺⁺
HCO₃⁻
Cl⁻
HPO₄²⁻
SO₄²⁻
Org. Ac.⁻
Pr⁻

📋 임상소견

병력
- 불안, 신경 과민, 감정 과다
- 고의적인 과호흡
- 빈호흡
- 아스피린 중독의 초기
- 뇌염
- 발열
- 고열
- 산소 부족

징후 및 증상
- 경련
- Tetany
- 무의식

검사실 소견
- $PaCO_2$치 30 mmHg 이하
- 혈장 중탄산치
  ; 성인에서 25 mEq/L 이하
  ; 소아에서 20 mEq/L 이하
- 혈장 pH 7.45 이상
- 소변 pH 7.0 이상

동의어 과호흡(hyperventilation)
원발성 탄산 결핍(primary carbonic acid deficit)
비보상성 탄산 결핍(uncompensated carbonic acid deficit)
저탄산증/비대사알칼리증(hypocapnia/nonmetabolic alkalosis)

표 13-7 호흡성 알칼리증의 원인

호흡중추 자극	
통증	불안
허혈	종양
감염	지주막하 출혈
약물(Salicylates, Progesterone, Catecholamine)	

말초 신경계 자극
저산소혈증
고도(high altitude)
폐질환(울혈성 심부전, 비심인성 폐부종, 천식)
심한 빈혈

기타	
신경성 환기 과다	패혈증
과도한 기계적 환기	발열

1. 호흡성 알칼리증의 원인(Causes of respiratory alkalosis)

CO_2 생성에 비하여 과도한 폐포 환기가 발생될 경우 호흡성 알칼리증이 나타난다. 호흡성 알칼리증을 유발하는 대표적인 원인들은 표 13-7과 같다.

2. 호흡성 알칼리증의 징후 및 증상
(Signs and symptoms of respiratory alkalosis)

급성 호흡성 알칼리증시에는 염기 결손이 정상이나 만성 호흡성 알칼리증시에는 신장에 의한 대상성 기전에 의하여 pH가 정상이면서 염기 결손이 감소된다. 호흡성 알칼리증은 동맥혈 가스 분석을 하지 않으면 진단이 어려운 경우가 많으며 급성 호흡성 알칼리증시에는 $PaCO_2$ 10 mmHg씩 감소함에 따라 혈장 HCO_3^-는 2 mmol/L씩 감소하며 만성일 경우에는 $PaCO_2$ 10 mmHg씩 감소함에 따라 혈장 HCO_3^-는 2~5 mmol/L씩 감소한다.

　호흡성 알칼리증시 뇌혈류가 감소하며 전신 혈관 저항이 증가한다. 경우에 따라서는 관상 동맥 경련이 발생될 수도 있다. 또한 기관지 평활근을 수축시키게 되며 폐혈관 저항을 감소시킨다.

3. 호흡성 알칼리증의 치료(Treatment of respiratory alkalosis)

　원인 질환을 교정하는 것이 가장 중요하다. pH 7.55 이상의 심한 호흡성 알칼리증시에는 hydrochloric acid와 ammonium chloride를 정주하기도 한다.

세포외액의 이동으로 인한 불균형

Chapter 14

혈장의 간질액내 이동
(Plasma-to-interstitial fluid shift)

📋 **임상소견**

병력
- 급성 주동맥(major artery)의 폐쇄
- 초기 화상
- 장폐쇄
- 광범위 찰과상
- 위궤양 천공
- 심한 외상
- 모세혈관 벽의 손상

징후 및 증상
- 불안(apprehension)
- 피로
- 사지 냉감
- 부분 부종
- 혈압 저하
- 창백
- 쇼크
- 빈맥
- 무의식

검사실 소견
- 혈색소치의 증가
- 적혈구수 증가

동의어 쇼크(shock)
저용량증(hypovolemia)

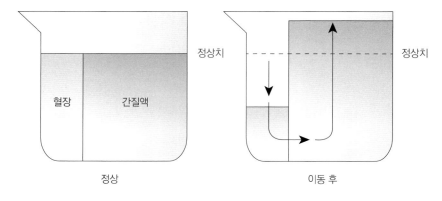

그림 14-1 체액 이동 불균형에 의한 혈장의 간질내 이동

혈장의 간질내로의 이동은 혈장, 수분, 그리고 전해질 등이 혈관내에서 간질 (interstitium)내로 이동됨을 말한다. 정상적으로 세포외액 중 혈장이 약 1/4을 차지하며, 약 3/4 정도는 간질액이 차지한다. 어떠한 이유로 인하여 수분과 전해질이 혈관으로부터 간질로 이동되는 비정상적인 상황시 간질내에는 정상 이상의 세포외액이 존재하게 된다. 흔히 저용량증이라 부르기도 하여 세포외액량 결핍과 혼동하기 쉬우나 세포외액량 결핍은 수분 섭취의 부족, 구토, 설사 등으로 인하여 혈장 및 간질액 모두가 감소되어 있다는 점이 다르다. 즉, 세포외액량 결핍은 세포외액 용량 자체의 불균형을 의미하나 간질내로의 혈장의 이동은 체액 이동의 불균형에 의하여 나타나는 결과이다.

그림 14-1의 왼쪽 그림은 정상 상태에서의 혈장과 간질액의 균형을 보여주며 오른쪽 그림은 어떠한 원인에 의하여 혈장이 간질내로 이동하여 간질액이 정상 이상으로 증가한 불균형 상태를 보여준다.

1. 혈장의 간질액내 이동의 원인
   (Causes of plasma-to-interstitial fluid shift)

   이러한 체액 이동이 발생되는 경우로는 혈관 벽을 파괴시키는 외상 즉, 화상, 골절, 광범위한 찰과상 등의 발생시 생길 수 있으며 굵은 동맥의 폐쇄, 장폐쇄, 복강내 정맥의 혈전 등의 경우에서도 발생된다.

2. 혈장의 간질액내 이동의 증상
   (Symptoms of plasma-to-interstitial fluid shift)

   이 경우 일반적인 임상증상은 저혈량증 혹은 쇼크의 형태로 나타난다. 불안, 창백, 쇠약, 저혈압, 빈맥 등을 관찰할 수 있으며 사지의 냉감 및 무의식 등의 증상이 나타날 수도 있다. 이러한 현상이 국소적으로 발생되는 경우에는 병소 부위의 부종이 나타난다.

3. 혈장의 간질액내 이동의 치료
   (Treatment of plasma-to-interstitial fluid shift)

   일차적으로 기존 질환을 제거하여 간질내로의 수분 이동을 막아주어야 한다. 이는 이미 발생된 수분 이동에 대한 궁극적인 치료는 될 수 없으나 더 이상의 진행을 예방하여 준다. 국소적인 부종이 발생되는 경우에는 다행히 국소 조직 긴장(local tissue tension) 및 혈압 감소 등의 기전에 의하여 자연스럽게 치유되기도 하며, 이때 병소 부위를 압박하여 주면 더욱 효과적인 치료가 될 수 있다. 일단 발생된 혈관내의 혈장 부족은 혈장을 정주하여 주는 것이 가장 효과적이나 혈장이 준비되지 않은 경우에는 덱스트란, 혈장 유사 전해질 용액(plama-like electrolyte solution) 등을 정주하여 보충시켜 준다. 보충 용액의 투여량은 환자의 체중 및 혈장의 이동 정도에 따라 결정된다.

투여량의 첫째 지표는 혈장량의 부족 정도이며 그 다음 지표로 혈압을 관찰하여 수액을 투여함으로써 정상 혈압을 유지시켜 주는 것이 기본 치료 방향이 된다. 일반적으로 혈장량은 체중 kg당 약 50 ml 정도를 차지하며 이중 1/2 이상의 양이 간질내로 이동되는 경우는 거의 발생되지 않는다. 따라서 심한 혈장의 간질내 이동 발생시 투여량은 응급상황에서 체중 kg당 25 ml를 넘지 않게 투여한다. 예를 들어 70 kg인 환자가 최고 25ml/kg의 수액 투여가 필요한 경우라면 70 kg × 25 ml = 1,750 ml 즉, 1¾ 리터의 양을 공급하며 이 양을 3시간 이내에 투과하여 주는 것이 좋다.

또한 헤모글로빈 및 헤마토크리트의 측정, 혈장 단백, 중심정맥압의 측정 역시 환자 감시의 지표로 이용된다. 궁극적인 치료 지표는 환자의 헤모글로빈이 11~15 gm/㎗ 정도가 되도록 하며 헤마토크리트는 35~45% 정도를 유지하여 준다. 소변량 역시 훌륭한 지침으로 이용될 수 있다.

정도가 심하여 쇼크 상태가 된 경우에는 산소 공급 및 epinephrine, norepi-nephrine 등을 투여하여 혈역학적으로 안정이 되도록 하여야 한다.

간질액의 혈장내 이동
(Interstitial fluid-to-plasma shift)

📋 **임상소견**

병력
- 화상 후 3일째
- large molecular solution의 과량 공급
  – 혈장, 덱스트란
- 골절
- 전혈의 소실

징후 및 증상
- 쇠약
- 공기 갈망(air hunger)
- 도약맥(bounding pulse)
- 심확장
- 습성 라음(moist rale)
- 말초정맥의 울혈
- 심실 부전

검사실 소견
- 혈색소치의 감소
- 적혈구수 감소

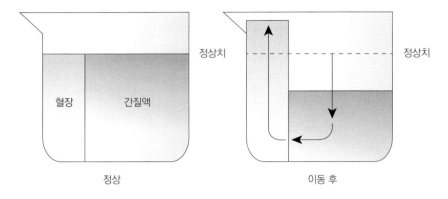

정상치

혈장　간질액

정상치

정상　이동 후

그림 14-2 체액 이동 불균형에 의한 간질액의 혈장으로의 이동

　간질액의 혈장내 이동은 수분 및 전해질이 간질내에서 혈장으로 이동되는 경우이다. 그림 14-2는 이러한 과정을 도시한 그림으로 왼쪽은 혈장과 간질액이 정상적으로 균형을 이루고 있는 상태로 간질액이 세포외액량의 3/4을 차지하고 있으며 오른쪽은 간질내의 수분과 전해질이 혈관내로 이동되어 혈장이 증가된 상태를 설명하여주고 있다. 이러한 현상은 삼투압 현상에 기인한 결과로 나타난다.

1. 간질액의 혈장내 이동의 원인
(Causes of interstitial fluid-to-plasma shift)

　혈관내로 간질액이 이동되는 원인은 크게 두 가지로 분류할 수 있다. 첫째는 심한 화상에서와 같이 혈장의 간질내 이동에 의하여 발생된 부종액(edema fluid)이 빠른 속도로 혈장으로 재이동되는 현상에 의한 것으로 이 경우에 의한 혈관내로의 간질액의 이동은 완전히 예방하기는 힘들다. 만약 부종액의 발생이 혈장, 알부민, 덱스트란 혹은 고장성 용액 등을 과량 정주하여 발생된 경우 이는 주의 깊은 관찰에 의하여 충분히 예방될 수 있다. 이 경우 고장성 용액의 농도가 높을수록 삼투 현상에 의하여 간질내의 수분과 전해질이 혈장으로 더 많이 이동된다.

둘째, 출혈 혹은 외상 등에 의하여 전혈이 소실된 경우 보상기전에 의하여 간질액이 혈장으로 이동될 수 있다.

2. 간질액의 혈장내 이동의 증상
(Symptoms of interstitial fluid-to-plasma shift)

도약맥(bounding pulse)과 심장 확장 등의 징후가 나타나며 이상에 의한 두 경우 모두 간질에서 혈관내로 수분의 이동이 발생되므로 헤마토크리트가 감소되며 혈관내 용적이 과도하게 증가할 경우 심장으로 환류되는 혈액의 양이 증가하여 심장의 부담을 증가시키는 원인이 된다.

3. 간질액의 혈장내 이동의 치료
(Treatment of interstitial fluid-to-plasma shift)

과도한 고장성 용액의 정주로 인한 경우 수액의 투여를 제한하며 그 정도가 심하여 심장과 폐의 증상이 나타나는 경우에는 정맥 절개(phlebotomy)를 시행하여 정맥 출혈을 시행한다.

전혈 소실에 의한 보상기전으로 발생된 간질액의 혈관내로 이동은 적혈구 투여로서 치료될 수 있다. 또한 사지에 지혈대를 사용하여 정맥 환류량을 감소시키는 방법도 이용되나 이때 지혈대 사용시 동맥혈의 순환은 가능하며 정맥혈의 순환만을 차단시키는 정도의 압력을 가하여 주어야 한다.

단백질 결핍으로
인한 불균형

Chapter **15**

단백질 결핍
(Protein deficit)

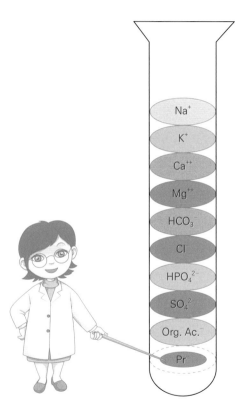

임상소견

병력
- 화상 후 3일째
- 음식 섭취 부족
- 욕창
- 골절
- 전혈의 소실
- 심한 외상
- 상처 배액
- 기아(starvation)

징후 및 증상
- 만성 체중 감소
- 감정적 우울
- 창백
- 쉬운 피로
- 무기력한 근육(flabby muscle)

검사실 소견
- 혈장 알부민치 3 gm/dL 이하
- 혈색소, 적혈구수 감소

　단백질은 근육 조직 중 고체성분의 4/5를 차지하며 상처 치유와 빠른 환자의 회복에 필요한 아미노산과 질소(nitrogen)를 공급함과 동시에 삼투압에 따른 체액 균형 조절에 중요한 역할을 담당한다. 또한 단백질은 비단백질성 칼로리 (탄수화물, 지질)가 충분할 경우에는 단백질 저장(pool)으로 존재하다가 비단백질성 칼로리가 부족할 경우 칼로리의 공급원이 된다.

　구강 섭취를 하지 못하는 내과적, 외과적 환자에서 단백질을 함유한 음식물 섭취의 부족이 감소하거나 중단되어 단백질 섭취가 환자의 최소 요구량에 미치지 못할 경우 단백질 결핍이 발생된다. 따라서 이러한 가능성이 있는 환자들에게서 단백질 섭취가 중단된 몇 일 이내에 혈장 단백질 검사 등의 주의 깊은 관찰이 요구된다. 일반적으로 하루 단백질 요구량은 0.5~0.8 gm/kg/day 정도이나 이는 환자 개개인 및 상태에 따라 변하며 에너지 소모가 많은 환자에서는 하루 60gm 정도(0.75~1.5 gm/kg/day)에 이른다. 따라서 소변에서의 24시간 질소 분비를 측정함으로 인한 질소 균형(nitrogen balance)을 이용하여 단백질 상태를 결정하게 된다. 단백질의 16%가 질소로 구성되어 있으며 단백질 분해로 인하여 발생되는 질소의 2/3가 소변으로 배출된다. 결국 1gm의 소변 질소량은 6.25 gm의 단백질 분해를 의미한다. 이러한 질소 균형 측정의 목적은 단백 소실량 보다 섭취를 증가시키고자 함에 있다.

　순환 혈장 단백질 1 gm의 소실은 전체 체내 단백량의 약 30 gm이 부족됨을 의미하며 체내 단백질 각 1 gm당 체조직(body tissue)의 약 5 gm 정도의 소실을 의미한다. 따라서 구강 혹은 위장관 튜브를 통하여 음식물 섭취를 하지 못하는 경우에는 정맥로를 통하여 보충하여 준다.

1. 단백질 결핍의 원인(Cause of protein deficit)

단백질 결핍은 단백질 섭취의 부족, 소실의 증가, 혹은 단백질 이용의 장애 등이 발생되는 경우에 생긴다. 이러한 경우로서는 심한 만성적인 출혈, 만성 혹은 반복적인 감염, 기아, 광범위한 화상, 상처 배액, 욕창, 반복적인 외과적 수술, 갑상선 기능 항진증, 악성 종양, 장기간의 위장관 질환 등이 있다.

2. 단백질 결핍의 증상(Symptoms of protein deficit)

단백질 결핍시 체중, 근육 및 조직 긴장도의 감소가 발생된다. 환자는 창백해지고 부종이 발생되며 만성적인 피로를 경험하게 된다. 또한 구토 및 식욕 감퇴가 발생되어 영양 결핍의 악순환이 발생되며 상처 치유가 늦어지고 감염이 잘 발생되며 골절 후 치유가 늦어진다. 단백질 결핍의 진단은 환자의 임상 병력과 신체 검사에 기초하며 혈장 단백량이 3 gm/dL 이하시 진단된다. 심한 경우 헤모글로빈, 헤마토크리트치가 감소될 수 있다.

3. 단백질 결핍의 치료(Treatment of protein deficit)

치료의 일차적 목표는 구토 및 식욕 감퇴에 따른 영양 결핍의 악순환을 예방하여 주는 것이다. 이를 위하여 고영양 치료(TPN, total parenteral nutrition)를 시행하여주며 동시에 단백질 부족에 의한 수분 불균형 상태를 파악하여 적절히 교정하여 준다.

찾아보기

영문

A

B

C